СЕСИЛИЯ АХЕРН

Не верю. Не надеюсь. Люблю

Москва
Астрель
Санкт-Петербург
«Астрель-СПб»

УДК 821 111
ББК 84 (4Ирл)
А95

Cecelia Ahern
WHERE RAINBOWS END

А95

Ахерн, С.
   Не верю. Не надеюсь. Люблю / Сесилия Ахерн.— М
Астрель; СПб: Астрель-СПб, 2008. — 462, [2] с

ISBN 978-5-271-20306-0 (ООО «Издательство Астрель»/
ISBN 978-5-9725-1262-1 (ООО «Астрель-СПб»)

Почти пятьдесят лет жизни главных героев уместилось в эту книгу, состоящую из нескольких сотен писем. Второй роман молодой ирландской писательницы Сесилии Ахерн — это история о том, сколько времени иногда требуется, чтобы найти свою настоящую любовь. Особенно, если она совсем рядом.

УДК 821.111
ББК 84 (4Ирл)

Подписано в печать 19.06.08. Формат 84х108^1/$_{32}$.
Усл. печ. л. 24,36. Доп. тираж 10 000 экз. Заказ № 8183.

Общероссийский классификатор продукции
ОК-005-93, том 2; 953000 — книги, брошюры

Санитарно-эпидемиологическое заключение
№ 77 99.60.953.Д.007027.06.07 от 20.06.2007 г

ЧАСТЬ 1

Глава 1

Алекс!

Приглашаю тебя во вторник 8-го апреля ко мне домой на мой 7-й день рождения. У нас будет волшебник, приходи к двум. Закончится все в пять. Надеюсь что ты придешь.

Твоя лучшая подруга Рози

Да я приду на твое день рождение в среду.

Алекс

Мой день рождения во вторник а не в среду. Сэнди нельзя брать с собой, мама не разрешает. Она собака-вонючка.

Рози

Мне наплевать че там твоя глупая мама говорит сэнди хочет со мной.

Алекс

Моя мама не глупая сам ты глупый. Тебе нельзя брать с собой собаку. Она палопает шареки.

Рози

Тогда я не приду
Алекс

Ну и хорошо.
Рози

Уважаемая миссис Стюарт!

Я звонила Вам сегодня, хотела поговорить с Вами про День рождения моей дочери Рози, который будет восьмого апреля. К сожалению, Вас не было дома, я позвоню еще раз чуть позже. Надеюсь Вас застать.

Похоже, в последнее время между Алексом и Рози что-то не так. Мне кажется, они не разговаривают друг с другом. Может быть, Вы могли бы объяснить мне, что происходит? Я знаю, Рози очень хочет, чтобы он пришел к ней на День рождения.

С нетерпением жду знакомства с матерью этого обаятельного молодого человека!

До встречи,
Элис Дюнн

Рози!

Я с удовольствием приду на твое день рождение на следующей неделе. Спасибо что пригласила нас с сэнди.

Твой преятель Алекс

Спасибо за этот замечательный праздник. Извини что сэнди палопала шареки и съела твой торт. Она была голодная мама говорит потому что папа съедает все наши объедки. Увидемся завтра в школе.

Алекс

Спасибо за подарок. Насчет сэнди ничего страшного. Мама говорит что ей все равно нужен был новый ковер.

Правда папа немного злится. Он говорит, что старый был хороший, но мама считает что теперь он воняет какашками.

Смотри какой нос у Миссис Кейси. В жизни не видела такого большого носа. Ха-ха-ха

Рози

Ага, смотри, у нее щас сопля из носа вывалится. Никогда не видел такого отвратительного инопланетянина. Думаю нужно сообщить в полицию что наша учительница инопланетянин что у нее изо рта воняет и…

Уважаемые мистер и миссис Стюарт!

Я хотела бы встретиться с Вами, чтобы поговорить об успеваемости Алекса.

Мне необходимо обсудить в Вами его поведение и, в частности, недавно появившуюся у него привычку писать записки на уроках. Буду признательна, если Вы позвоните в школу, чтобы назначить время встречи.

С уважением,
миссис Кейси

Как ужасно что мы больше неможем сидеть за одной партой. Я торчу тут возле этого вонючего Стивена который ковыряется в носу и ест козюли. Что сказали твои мама и папа по поводу Миссис Носатой?

Рози

Мама не могла говорить, очень смиялась. Незнаю почему. Тебе щас наверное ваще ужасно скучно там на первой парте. Эта вонючка Миссис Кейси таращица на меня. Мне пора.

Алекс

Ты все время неправильно пишешь слово сейчас Нужно писать СЕЙЧАС, а не ЩАС.

Рози

Простите меня, госпожа учительница. Щас я все брошу и займусь правописанием.

Алекс

Привет из Испании! Здесь отличная погода. Очень тепло и солнечно. Тут есть бассейн с огромной горкой Очень клево. У меня появился преятель, его зовут Джон. Он хороший. Увидимся через 2 недели. Я сломал руку спускаясь с горки. Я был в бальнице. Я хотел бы работать в бальнице как тот мужик который чинил мне руку потому что он носит белый халат и ходит с графиком в руках и он был очень добрый и помог мне. Я хотел бы помогать людям и носить белый халат. Мой преятель джон расписался у меня на гипсе. Ты тоже можешь расписаться когда я вернусь если захочешь.

Алекс

Привет из Лондана. Здание на открытке — это мой отель. Моя комната седьмая если считать снизу но на открытке меня нет. Я хотела бы работать в отеле когда вырасту потому что здесь можно каждый день бесплатно есть шоколад и все очень милые и убирают за тебя твою комнату. Все автобусы тут совершенно красные как те игрушечные которые тебе подарили на прошлое Рождество. Все говорят очень смешными голосами что в целом они милые. Познакомилась здесь с девчонкой по имени Джейн. Мы вместе ходим плавать. Пока.

Целую
Рози

* * *

Почему ты не пригласил меня в этом году на день рождения? Я знаю, что все мальчики из нашего класса придут. Ты что, со мной поссорился?

Рози

Дорогая Элис!

Хочу извиниться за поведение Алекса. Я знаю, что Рози очень расстроилась из-за праздника, она не понимает, почему ее не пригласили. Если честно, я и сама до конца не понимаю этого: я пыталась поговорить с Алексом, но разобраться, что творится в голове у десятилетнего мальчишки, практически невозможно!

Я думаю, он не мог ее позвать, потому что другие мальчики не хотели, чтобы присутствовали девочки. К сожалению, у него такой возраст... Пожалуйста, поцелуйте Рози от меня. Алекс очень несправедливо поступил. Я разговаривала с Рози после школы на прошлой неделе и видела, как это ее задело.

Мы с Джорджем могли бы сводить их куда-нибудь на этой неделе.

Всего наилучшего,
Сандра Стюарт

Праздник был не очень веселый. Ты ничего не пропустила. Мальчишки просто дураки. Брайан бросил свою пиццу в Джеймсов спальный мешок и когда Джеймс проснулся у него была полная голова помидоров, сыра и так далее, и моя мама пыталась это отмыть, а оно не отмывалось и тогда Джеймсова мама наругалась на маму Брайана, а моя мама очень покраснела а папа сказал что-то, что я не расслышал, и Джеймсова мама начала кричать и тогда все разошлись по домам. Хочешь сходить в кино в пятницу а потом в МакДональдс? Мои мама с папой сводят нас.

Алекс

Жаль, что так получилось с твоей вечеринкой. Брайан просто извращенец. Я его ненавижу. Брайан-Комбайн. Я спрошу маму с папой про кино. Смотри, у Миссис Кейси юбка как у моей бабушки. Такое впечатление, что ее всю заблевала Сэнди и...

Уважаемые мистер и миссис Дюнн!
Я хотела бы встретиться с Вами и обсудить поведение Рози — в частности, ее привычку писать записки во время уроков. Как насчет вторника, в 15:00?
Миссис Кейси

Мама с папой не разрешают мне пойти сегодня в кино. Как ужасно, что я не могу сидеть рядом с тобой. Мне так скучно. За этими лиззиными кучеряшками мне совершенно не видно доски. Ну почему с нами вечно что-то такое случается?

Рози

***

АЛЕКС,
С ДНЕМ СВЯТОГО ВАЛЕНТИНА!
ПУСТЬ В ТВОЕЙ ЖИЗНИ БУДЕТ СЕКС...
А В ТВОЕМ СЕКСЕ БУДЕТ ЖИЗНЬ!
С ЛЮБОВЬЮ, ТВОЯ ТАЙНАЯ ПОКЛОННИЦА
ХХХ

Рози!
Это же ты написала мне поздравление, да?
Алекс

Какое поздравление?
Рози
Очень смешно. Я знаю, што это ты.
Алекс

Я вообще не знаю о чем ты говоришь. Зачем мне посылать тебе валентинку?
Рози

Ха-ха! Откуда ты знаешь, что это была именно валентинка? Ты можешь знать, только если ты сама ее отправила.
Ты меня *любишь*, ты хочешь выйти за меня *замуж*.
Алекс

Заткнись. Я хотела, чтобы ты подумал, что это от Сюзи. Так что оставь меня в покое, я слушаю миссис О'Салливан. Если она снова поймает нас за писанием записок, мы трупы.
Рози

Ага... Спасибо, я подумаю. А что с тобой такое случилось? Ты превратилась в настоящую зубрилу.
Алекс

Да, Алекс, именно поэтому я и добьюсь чего-то в жизни. например, поступлю в колледж и стану преуспевающим человеком, и буду зарабатывать кучу денег... в отличие от тебя...
Рози

Глава 2

Уважаемый Мистер Берн!

Завтра, 8 апреля, Алекс не сможет посетить школу, поскольку он записан на прием к зубному врачу.

Сандра Стюарт

Уважаемая Миссис Квинн,

завтра, 8 апреля, Рози не сможет посетить школу, поскольку она записана на прием к врачу.

Элис Дюнн

Рози!

Встретимся за углом в 8:30 утра. Не забудь взять сменную одежду. Не будем же мы шататься по городу в форме. Положись на меня, Рози Дюнн, это будет лучший день рождения в твоей жизни! Не могу поверить, что нам удалось это провернуть!

Алекс

PS: 16 лет, охренеть можно!

Больница Святого Джеймса

10 апреля

Мистер и миссис Дюнн.

высылаем Вам счет от 8 апреля за промывание желудка Рози Дюнн

Д-р Монтгомери

Рози!

Твоя мама сторожит двери, как цепной пес, так что вряд ли мы сможем увидеться в ближайшие 10 лет. Но твоя чудесная старшая сестра, которую ты так любишь, хе-хе, согласилась передать тебе эту записку. Ты перед ней в долгу…

Жаль, что все так вышло. Может быть, ты была права. Может быть, Гиннесс и текила не так уж хорошо сочетаются. А ведь это казалось отличной идеей. Беднягу бармена теперь наверняка уволят за то, что он нас обслуживал. Говорил я тебе, что документы, которые сделал мой друг, вполне сойдут за настоящие, даром что в твоих написано, что ты родилась 31 февраля!! Ха-ха.

Интересно, ты помнишь хоть что-нибудь из того, что было? Напиши мне. Можешь положиться на сестру, она передаст. Как я понял, она ужасно злится на маму за то, что та не позволила ей бросить колледж. Фил и Маргарет только что объявили, что у них будет еще один ребенок, так что я, похоже, второй раз стану дядей. Это хоть немного отвлечет от меня всеобщее внимание. Фил очень смеется над тем, что мы с тобой натворили.

Давай выздоравливай, алкаш! Ты была *совершенно зеленого цвета* — я раньше думал, что такой цвет лица бывает только у покойников. Похоже, ты нашла свое настоящее призвание, Рози, хи-хи.

Алекс! Мой бессовестный друг!

КАК МНЕ ПЛОХО. Голова гудит. У меня никогда так не болела голова, я никогда еще не чувствовала себя так ужасно. Мама с папой кроют меня на чем свет стоит. Откровенно говоря, вряд ли тебе когда-нибудь будут рады в этом доме. Они собираются лет 30 держать меня взаперти, и встречаться с тобой мне «недопустимо», потому что ты «оказываешь на меня очень плохое влияние». А, ладно.

Какая в общем-то разница, что они там навыдумывали — я же все равно завтра увижу тебя в школе. Если только они не решат, что мне «недопустимо» ходить и туда, чему я буду только рада. Не могу поверить, что в понедельник утром у нас две математики. Я бы предпочла, чтобы мне еще раз прочистили желудок. Пусть даже раз пять подряд. Ну что ж, увидимся в понедельник.

Да, кстати, отвечаю на твой вопрос — я совершенно ничего не помню, кроме громкой музыки, огней и машин и что я валялась лицом в пол в этом грязном баре, а потом меня тошнило. Но почти уверена, что ничего интересного больше не было. Или я ошибаюсь?

Рози

Рози!

Рад слышать, что у тебя все как обычно. Мои родители тоже как с цепи сорвались, ты представляешь — не могу дождаться понедельника. По крайней мере, в школе нам никто не будет капать на мозги.

Алекс

Уважаемый мистер и миссис Дюнн!

Учитывая поступок Вашей дочери Рози, нам необходимо немедленно встретиться с Вами. Мы должны обсудить ее поведение и избрать разумное наказание. Вы, без сомнения, сами понимаете необходимость этого. Родители Алекса Стюарта также будут присутствовать.

Жду Вас в понедельник в 9:00
С уважением
М-р Богарти,
директор

От кого	Рози
Кому	Алекс
Тема	Нас исключили!

Черт возьми! Я и не думала, что это старое пугало решится нас исключить! Честное слово, он вел себя так, словно мы с тобой старушку топором зарубили! Ну и ладно. Это самое лучшее наказание, какое только можно было придумать: я теперь смогу целую неделю валяться в постели, пока не пройдет похмелье, вместо того чтобы ходить в школу!

От кого	Алекс
Кому	Рози
Тема	Я в аду

Рад, что у тебя все так замечательно. А я пишу тебе из самого отвратительно места на земле — из офиса. Облизываю марки и проклинаю все на свете. Отец сказал, что мне придется остаться здесь на целую неделю. Клянусь перед богом, я НИКОГДА В ЖИЗНИ не буду работать в офисе!

Эти подонки даже денег мне не платят.
Совершенно задолбанный Алекс

От кого	Рози
Кому	Алекс
Тема	Совершенно задолбанному Алексу

Ха-ха-ха-ха-ха хм... Я даже забыла, что я собиралась написать... ах да... ха-ха-ха-ха-ха-ха-ха-ха-ха-ха-ха-ха

Ну, всего тебе самого наилучшего.

Счастливая и довольная Рози, тепло и уютно устроившаяся в собственной спальне, откуда тебе и пишу

От кого	Алекс
Кому	Рози
Тема	Ленивое

Ну и ладно. В этом **офисе** работает такая милашка. Я женюсь на ней. **Ну что**, кто смеется последним?

От кого	Рози
Кому	Алекс
Тема	Дон Жуан

Кто она?

(Я не лесбиянка, так что я и **НЕ ДУМАЛА** завидовать.)

Рози

От кого	Алекс
Кому	Рози
Тема	Нелесбиянке

Раз тебе это нравится, я буду так тебя называть, хотя неплохо бы иметь какие-то доказательства этому утверждению.

Ее зовут Бетани Вильямс, ей 17 лет (взрослая женщина!), она блондинка, у нее внушительные сиськи и самые длинные ноги, какие я когда-либо видел.

Сексуальный гигант

От кого	Рози
Кому	Алекс
Тема	Сексуальный гигант (тошнотина какая!)

По описанию она похожа на жирафа. Уверена, что она замечательный человек (хе-хе). Вы хоть словечком перекинулись, или твоя будущая жена еще не знает о твоем существовании (не считая, конечно, того, что она приносит тебе документы на ксерокопирование)?

У вас входящее сообщение от: АЛЕКС

Алекс: Привет, Рози, у меня для тебя новости.

Рози: Пожалуйста, оставь меня в покое, я пытаюсь сосредоточиться на том, что говорит Мистер Симпсон.

Алекс : Хммм с чего бы это... может быть, тому причиной его прекрасные голубые глаза, о которых говорят все девочки?

Рози: Не-а, просто меня необычайно интересует эксель. Это так увлекательно — я могла бы весь уик-энд провести за компьютером.

Алекс: Надо же, какая ты стала занудная.

Рози: ДА Я ШУЧУ ИДИОТ! Я ненавижу все это дерьмо, у меня уже ум за разум заходит от его болтовни. Но все равно отстань.

Алекс: А че, ты не хочешь узнать, что случилось?

Рози: Не-а.

Алекс: Ну ладно, а я все равно тебе скажу.

Рози: Ну валяй, и что же это за потрясающие новости?

Алекс: Можешь съесть свою шляпу, подруга, поскольку кое-кто уже больше не девственник.

Алекс: Эй?

Алекс: Ты тут?

Алекс: Рози, слышь, не валяй дурака!

Рози: Извини, я, похоже, упала в обморок. Мне приснился страшный сон — ты говорил мне, что ты больше не девственник.

Алекс: Это был не сон.

Рози: Видимо, это означает, что ты больше не будешь носить под штанами нижнее белье.

Алекс: Нижнее белье мне больше вообще не нужно.

Рози: Буэ-э! И кто же эта несчастная? Только не говори, что это Бетани, только не говори, что это Бетани...

Алекс: Черт возьми, это Бетани.

Алекс: Эй?

Алекс: Рози?

Рози: Что?

Алекс: Ну?

Рози: Что ну?

Алекс: Ну скажи что-нибудь.

Рози: Я не знаю, что ты ожидаешь от меня услышать, Алекс. Я думаю, тебе нужно завести пару приятелей среди парней, потому что я не собираюсь похлопывать тебя по плечу и выспрашивать кровавые подробности.

Алекс: Просто скажи, что ты об этом думаешь.

Рози: Честно говоря, судя по тому, что я о ней слышала, она просто шлюха.

Алекс: Ну перестань, ты же даже не знаешь ее, ты же никогда ее не видела. Для тебя все, кто с кем-то спит, уже шлюхи.

Рози: Я видела ее мельком и, хм, Алекс, если я и преувеличиваю, то совсем ЧУТЬ-ЧУТЬ. Если женщина что ни день меняет партнеров, я считаю ее шлюхой.

Алекс: Я щас с ума сойду от тебя, прекрати, ты прекрасно знаешь, что это неправда.

Рози: Надо же, а ты до сих пор делаешь все ту же ошибку. Нужно писать СЕЙЧАС, а не ЩАС.

Алекс: Тебе не надоело за 10 лет цепляться к этому?

Рози: Я все надеюсь, что ты ко мне прислушаешься.

Алекс: Все, забудь, я ничего тебе не говорил.

Рози: Алекс, я просто волнуюсь за тебя. Я знаю, что она тебе нравится, но дело в том, что она не из тех девушек, которым достаточно одного мужчины.

Алекс: Тем не менее сейчас это именно так.

Рози: Вы что, встречаетесь?!

Алекс: Да.

Рози: ДА?????

Алекс: Ты как будто чем-то удивлена.

Рози: Я не думала, что Бетани встречается с мужчинами, я думала, что она с ними только спит.

Рози: Алекс?

Рози: Ладно, ладно, извини.

Алекс: Рози, ты должна прекратить это.

Рози: Щас.

Алекс: Очень смешно.

М-р Симпсон: Молодые люди, немедленно спуститесь в кабинет к директору.

Рози: ЧТО??? СЭР, ПОЖАЛУЙСТА, НЕ НАДО, Я ВАС СЛУШАЮ!

М-р Симпсон: Рози, в течение последних 15 минут я ничего не говорил. Ты должна была в это время работать над заданием.

Рози: Ой... это не моя вина. Алекс очень плохо на меня влияет. Он никогда не дает мне сосредоточиться на учебе.

Алекс: Мне просто нужно было сказать Рози кое-что важное, и это не могло ждать.

М-р Симпсон: Да-да, Алекс, поздравляю тебя.

Алекс: А... а откуда знаете, о чем речь?

М-р Симпсон: Если бы вы время от времени меня слушали, могли бы научиться чему-нибудь полезному. Например, как сделать так, чтобы вашу переписку не мог читать остальной класс.

Алекс: Вы хотите сказать, что весь остальной класс читает это?

М-р Симпсон: Совершенно верно.

Алекс : О господи!

Рози : ха ха ха ха ха ха ха ха ха ха ха ха ха ха ха

М-р Симпсон: Рози!

Рози : ха ха ха ха ха ха ха

М-р Симпсон: РОЗИ!!!

Рози: Да, сэр.

М-р Симпсон: Немедленно выйди из класса.

Алекс: ха ха ха ха ха ха ха

М-р Симпсон: Ты тоже, Алекс.

Глава 3

От кого	Рози
Кому	Алекс
Тема	Вечеринка у Джулии

Приветик, давно не виделись... Я надеюсь, что ты не заработался до смерти в своем «офисе», я этим летом почти и не видела тебя. Сегодня вечером у Джулии будет вечеринка. Может быть, сходим вместе? Мне не очень хочется идти туда одной... Правда, я почти уверена, что ты занят чем-то очень важным, так что просто перезвони мне, когда сможешь, или напиши.

От кого	Алекс
Кому	Рози
Тема	Re: Вечеринка у Джулии

Рози, пишу тебе очень быстро, я страшно занят. Не могу сегодня, обещал Бетани сходить в кино. Извини! А ты иди, повеселись.

Рози!

Привет из Португалии! Здесь очень жарко. У папы солнечный удар, а мама целыми днями лежит у бассейна, и это ужасно скучно. Здесь мало людей моего возраста. Отель очень тихий (это он на открытке), и, как видишь, он прямо на пляже. Тебе бы так понравилось здесь работать! Я привезу домой целую коллекцию этих маленьких шампуней, шапочек для душа и прочей ерунды, которую ты так любишь. Банный халат в мою сумку не поместится. Увидимся, когда вернусь.

Алекс

От кого	Рози
Кому	Алекс
Тема	Наверстаем упущенное?

Как прошла поездка? От тебя ничего не слышно с тех пор, как ты вернулся... как думаешь, может, сходим куда-нибудь сегодня, наверстаем упущенное?

От кого	Алекс
Кому	Рози
Тема	Re: Наверстаем упущенное?

Прости, у меня совершенно не было времени писать. Привез тебе подарочек. Сегодня я занят, но свой подарочек ты обязательно получишь в ближайшее время.

От кого	Рози
Кому	Алекс
Тема	Re: Наверстаем упущенное?

Мы так и не встретились вчера вечером, а я хочу свои шампуньки, ха-ха.

От кого	Алекс
Кому	Рози
Тема	Re: Наверстаем упущенное?

Мы едем на уик-энд в Донегол, у родителей Бет там есть маленькое «любовное гнездышко». Подарочек занесу, когда вернусь.

Дорогой бесчувственный чурбан, считающий себя моим другом!

Пишу тебе письмо, потому что если я попробую сказать тебе в лицо все то, что у меня накипело, я, наверное, просто по морде тебе надаю.

Я больше ничего о тебе не знаю.

Я больше тебя не вижу.

Все, что я от тебя получаю, это наспех написанные записки, приходящие раз в несколько дней. Я знаю, что ты занят, я знаю, что у тебя теперь есть Бетани, но — послушай, я же была твоим лучшим другом!

Ты даже не представляешь себе, как я провела это лето. Помнишь, мы с тобой всегда, с самого детства, прогоняли любого, кто хотел с нами подружиться? Мы упорно отгораживались от всех до тех пор, пока не остались вдвоем. Впрочем, ты наверняка даже не задумывался над этим — ведь ты никогда не был в таком положении, в каком сейчас оказалась я. Ты никогда не был один. У тебя всегда была я. У меня всегда был ты. А сейчас у тебя есть Бетани, а у меня нет никого.

Сейчас я начинаю понимать, что чувствовали те, кто безуспешно пытался с нами подружиться. Правда, тогда мы знали, что делаем, а сейчас ты, наверное, не понимаешь, что происходит. Дело не в том, что мы с тобой тогда *не хотели* никого — нам никто *не был* нужен. А теперь, похоже, я тебе больше не нужна. Я не буду ничего писать о том, как я ненавижу ее, я просто хочу сказать, что мне не хватает тебя. И еще... мне очень одиноко.

Каждый раз, когда ты отказываешься пойти со мной куда-то, я остаюсь дома с родителями и смотрю телевизор. Это так тоскливо. Лето должно было быть веселым, а что получилось? Неужели ты не можешь дружить с нами обеими одновременно?

21

Да, я понимаю, что она — особенный человек, что у вас особенная «связь», или как там это называется. Я знаю, что у нас с тобой такого никогда не будет. Но ведь нас связывало другое, мы были лучшими друзьями. Неужели дружба исчезает, как только появляется кто-то третий? Может быть, так оно и есть, может быть, я просто ничего не понимаю, потому что пока не встретила «особенного» человека. Но я не хочу спешить. Мне слишком нравилось то, что было раньше.

Через несколько лет, случайно услышав мое имя, ты, наверное, скажешь: «Рози... сто лет о ней не слышал. А ведь когда-то мы были лучшими друзьями. Интересно, чем она сейчас занимается? Я давно ее не видел, уже и думать забыл о ней!» Так часто говорят мои родители, вспоминая с друзьями былые времена. Они говорят о самых важных днях своей жизни и называют совершенно незнакомые мне имена. Где они сейчас, эти люди? Как могло случиться, что с той, которая двадцать лет назад была подружкой невесты на свадьбе мамы и папы, они сейчас даже не разговаривают? А папа даже не знает, где теперь живет его лучший школьный друг.

Ладно, вот что я думаю по этому поводу (да-да, у меня есть кое-какие мысли!). Я не хочу быть одной из тех, кто когда-то был *так* важен, *так* много значил, чью дружбу *настолько* ценили — а через несколько лет он превратился в смутное воспоминание. Алекс, я хочу, чтобы мы навсегда остались лучшими друзьями.

Я вижу, что ты счастлив, и очень радуюсь за тебя, правда. Но я чувствую себя брошенной. Может быть, наше время вышло. Может быть, сейчас ты должен быть с Бетани. Раз так — мне не стоит, видимо, посылать тебе это письмо. А если я не собираюсь отправлять его, зачем я его пишу? Ладно, хватит этих бесполезных самокопаний.

Твоя подруга

Рози

От кого	Алекс
Кому	Рози
Тема	Лютик!!

Эй, Лютик, как дела у тебя? (*как давно я не называл тебя так!*) Сто лет тебя не видел и не слышал. Приходится писать письмо, потому что каждый раз, когда я звоню, мне отвечают, что ты в ванной или тебя нет дома! Мне надо принять это на свой счет??! Но, насколько я тебя знаю, ты сказала бы прямо, если бы у тебя были какие-то претензии ко мне.

В любом случае, лето закончилось, и теперь мы будем видеться каждый день. Нас еще успеет затошнить друг от друга! Не могу поверить, что это наш последний год в школе! С ума сойти! Ровно через год я начну изучать медицину, а ты станешь экстраординарным администратором отеля! На работе полный дурдом. Папа, похоже, решил меня повысить, и теперь я не просто наклеиваю этикетки и заполняю бумажки — теперь я еще и отвечаю на звонки. Что делать, мне нужны деньги, чтобы каждый день встречаться с Бетани. Как ты чувствуешь себя в должности главной посудомойки «Дракона»? Не могу поверить, что ты ради этого отказалась от работы гувернантки и, вместо того чтобы сидеть в тепле и смотреть телевизор, ты распухшими руками отскребаешь от вока[1] присохшую вермишель. Ладно, напиши мне или перезвони, как сможешь.

От кого	Рози
Кому	Алекс
Тема	Лучик!

Я с тобой не встречаюсь не потому, что ненавижу Бетани (хотя я ее действительно ненавижу). Дело в том, что я ей, по-моему, тоже не нравлюсь. Может быть, это связано

---

[1] Вок — китайская посуда наподобие казана.

с тем, что ей передали все, что я написала о ней в той нашей личной (вернее, не такой уж и личной) переписке в компьютерном классе год назад... Наверное, ей не понравилось, что я назвала ее шлюхой, не знаю уж почему... ах, некоторые женщины такие смешные. Ты и сам, наверное, в курсе, что ей все рассказали. Кстати, о компьютерах: ты знаешь, что мистер Симпсон этим летом женился? Я потрясена. Я больше никогда не смогу смотреть на эксель так, как раньше.

Ну что ж, у тебя скоро день рождения! Ты наконец достиг грандиозного рубежа восемнадцатилетия! Хочешь, сходим куда-нибудь? Мы теперь имеем законное право праздновать (ты, по крайней мере, имеешь такое право). Напиши мне, я буду ждать.

PS: И, пожалуйста, НИКОГДА не называй меня Лютиком!

От кого	Алекс
Кому	Рози
Тема	18й День Рождения

Приятно узнать, что ты все еще жива, а то я начал волноваться! С радостью отпраздновал бы с тобой свое восемнадцатилетие, но родители Бетани пригласили нашу семью на ужин в «Хейзел» (шикарно, правда?). Так что мы все, наконец, познакомимся. Прости, в другой раз непременно повеселимся.

~~Мой дорогой Алекс,~~
~~Ах, как я за тебя рада~~
~~К черту Бетани~~
~~К черту родителей~~
~~К черту «Хэйзел»~~
~~И тебя к черту~~
~~Целую, твоя лучшая подруга. Рози.~~

От кого	Рози
Кому	Алекс
Тема	С днем рождения!

Ну ладно, приятного ужина. С днем рождения!

От кого	Рози
Кому	Алекс
Тема	КАТАСТРОФА!

Я не могу в это поверить! Я уже говорила с твоей мамой — позвонила поболтать, а она все мне рассказала. Я не могу поверить, это *полный кошмар*! Позвони, когда сможешь. Твой шеф мне отвечает, что тебе нельзя звонить в рабочее время ПОД УГРОЗОЙ УВОЛЬНЕНИЯ! Помнится, кто-то кричал: «Я НИКОГДА В ЖИЗНИ не буду работать в офисе!»

Свяжись со мной, как только сможешь, это так ужасно, я в себя прийти не могу!

Глава 4

Уважаемый м-р Стюарт!

С радостью сообщаем Вам, что Вы приняты на должность вице-президента компании «Чарльз и Чарльз Ко». Мы счастливы отныне считать Вас одним из членов нашей команды и с нетерпением ожидаем Вашего приезда в Бостон.

Надеемся, что Вас устраивает заказанный нами перевозчик. Если наша компания может сделать для Вас что-то еще, пожалуйста, сообщите нам.

Мария свяжется с Вами, чтобы согласовать дату начала работы.

Добро пожаловать в команду!

С уважением,
Роберт Браско,
президент «Чарльз и Чарльз Ко»

От кого	Алекс
Кому	Рози
Тема	Re: КАТАСТРОФА

Я позвоню тебе, когда приеду домой. Это правда. Папе предложили какую-то очередную работу... Я не очень понял, какую именно, не слушал, когда он рассказывал. Я не знаю, зачем ему нужно ехать аж в Бостон за какой-то нудной работой, можно подумать. здесь такой нет. Я бы, например, с удовольствием уступил ему своё место.

Я так задолбался. Не хочу никуда ехать. Мне же остался последний год в школе, сейчас совсем не время переезжать. Я не хочу учиться в дурацкой американской школе. Я не хочу уезжать от тебя.

Я позвоню попозже, поговорим. Нужно придумать что-то, чтобы я мог остаться. Дела плохи, Рози.

От кого	Рози
Кому	Алекс
Тема	Останься со мной!

Не уезжай! Мама с папой сказали, что ты можешь пожить этот год у нас! Закончишь школу, а погом мы решим, что делать дальше! Ну, пожалуйста, останься! Представляешь, как будет замечательно, если мы будем жить вместе! Совсем как в детстве — помнишь, мы могли всю ночь напролет болтать по рации. Помнишь? Голоса почти не было слышно из-за помех, но нам все равно казалось, что это здорово! А помнишь, как однажды в сочельник, много-много лет назад, мы следили за Санта-Клаусом? Как мы планировали это несколько недель, составляли карты наших домов. чтобы обыскать каждый уголок и не пропустить его. Ты был на посту с семи до десяти, а я — с десяти до часу ночи. А потом ты *теоретически* должен был проснуться и принять у меня вахту, а ты не проснулся... И я не спала всю ночь, кричала в рацию, пытаясь тебя разбудить! Ладно, тебе же хуже. ведь я видела Санту, а ты нет...

Если ты останешься, Алекс, мы каждую ночь сможем разговаривать! Это будет так весело! Мы же всегда хотели жить вместе, когда были маленькими, и вот у нас есть такой шанс...

Поговори с родителями. Убеди их. В любом случае, тебе уже 18, так что ты можешь делать то, что сам считаешь нужным!

Рози!

Я не хотел тебя будить, и твоя мама пообещала передать тебе записку. Ты знаешь, как я ненавижу прощаться, но это в любом случае не прощание, потому что ты приедешь ко мне в гости. Пообещай мне. Родители не позволили бы мне остаться даже с Филом, не говоря уж о тебе. Я не смог убедить их. Они хотят присматривать за мной, пока я не окончу школу.

Мне пора... Я буду скучать по тебе. Позвоню, когда мы доберемся.

Целую,
Алекс

PS: Сколько можно говорить, я *не спал* в тот сочельник, у меня в рации батарейка села! (И я тоже видел Санту, да будет тебе известно.)

Алекс!

Удачи тебе, братишка. Не переживай, я уверен, что тебе там понравится. Ты знаешь, вот мне уже двадцать восемь, я женат и у меня двое детей, а мне все равно хочется уехать вместе с вами. Не могу дождаться, когда приеду к вам в гости. Я буду очень скучать.

Не волнуйся за Рози, она не умрет от того, что вы живете в разных странах. Но, если тебе от этого станет легче, я обещаю присматривать за ней. Она мне все равно почти как младшая сестра. И, кстати, если Сэнди не научится контролировать свой мочевой пузырь, я отправлю ее к вам первым же самолетом.

Мы будем скучать по тебе.
Фил (+ Маргарет)

От кого	Рози
Кому	Стефани
Тема	Срочно нужен сестринский совет!

Стеф, я не могу поверить, что он уехал. Я не могу поверить, что ты уехала. Почему все меня бросают? Ты не могла «поискать себя» немного ближе к дому? Почему Франция? Ты знаешь, Алекс уехал всего пару недель назад, но впечатление такое, словно он умер...

Ну зачем он поссорился со своей шлюшкой Бетани прямо перед отъездом! За эти несколько недель я так привыкла к тому, что он снова рядом со мной... Все стало как раньше, Стеф, все было просто замечательно. Мы каждый день проводили вместе, нам было так весело!

Перед отъездом Брайан-Комбайн устроил Алексу отходную. Я думаю, он просто искал повод, чтобы родители разрешили ему сделать вечеринку. Он же *никогда* не любил Алекса. И дело даже не в той истории с пиццей в Джейсоновых волосах... В общем, Комбайн устроил вечеринку у себя дома и позвал всех своих друзей. Представляешь, мы с Алексом вообще никого там не знали! То есть мы знали пару человек, но терпеть их не могли, так что сбежали и поехали в город. Помнишь паб «О'Брайенс», где мы праздновали твой день рождения, когда тебе исполнился 21 год? Туда мы и пошли, и Алексу пришла в голову блестящая идея — он вышел за двери и стал изображать вышибалу! (Настоящих вышибал не было в тот понедельник.) Ты знаешь Алекса: он запросто сойдет за охранника, он же высокий, подкачанный. В общем, мы довольно долго там простояли, отшивая посетителей, и он, по-моему, ни одному человеку не позволил войти. Потом нам надоело, мы вернулись внутрь и начали пить вдвоем в пустом пабе. Конечно, с каждым стаканом мы становились все сентиментальней и чуть не разрыдались оба, обсуждая его предстоящий отъезд. За исключением этого, ночь была замечательная. Как я сейчас вспоминаю времена, когда мы могли каждый день проводить вместе!

В школе мне ужасно одиноко. Еще немного, и я буду на коленях умолять кого-нибудь дружить со мной. Жалкое зрелище. И всем наплевать. Я же все эти годы их игнорировала, им теперь и в голову не придет заговорить со мной. Мне кажется, некоторым даже нравится наблюдать за этим. А учителя вообще в восторге. В прошлый раз мистер Симпсон попросил меня остаться после урока и начал хвалить мои успехи в учебе. Какой позор. Алекс был бы в шоке, если бы узнал, чем я теперь занимаюсь в школе. Да, раз я начала слушать учителей — значит, дела по-настоящему плохи. Честно говоря, учителя — единственные люди, которые время от времени еще разговаривают со мной. Все это очень печально.

Я каждое утро просыпаюсь с ощущением, что чего-то не хватает, что-то не так... Я мучительно пытаюсь вспомнить, в чем же дело... а потом вспоминаю. Мой лучший друг уехал. Мой единственный друг. Глупо было настолько полагаться на одного человека. Все теперь обратилось против меня.

Извини, что я без конца жалуюсь, у тебя наверняка своих проблем хватает. Расскажи лучше, как ты там поживаешь в своей Франции? Не могу поверить, что ты там живешь, ты же всегда ненавидела уроки французского. Но это только на несколько месяцев, да? А потом ты вернешься? Папа все никак не может успокоиться, что ты бросила колледж. А я так и не поняла, зачем нужно было ехать в такую даль, чтобы найти себя, когда можно просто взглянуть в зеркало... Что это за ресторан? Ты уже успела разбить пару тарелок? Долго собираешься там работать? Симпа-

тичные мужчины есть? Должны быть — французы ведь очень симпатичные. Если будет парочка лишних мужчин, посылай мне.

Целую,
Рози

PS: Папа спрашивает, хватает ли тебе денег и сколько ты еще собираешься себя искать. Мама спрашивает, хорошо ли ты кушаешь. Маленький Кевин (он уже такой большой, ты не поверишь!) просит прислать ему какую-то видеоигру. Я не знаю, о чем это он, так что не обращай внимания.

От кого	Стефани
Кому	Рози
Тема	Re: Срочно нужен сетринский совет!

Привет, сестричка!

Не волнуйся насчет Алекса. Я долго над этим думала и пришла к выводу — это даже хорошо, что его не будет здесь, когда ты заканчиваешь школу. Так ты хотя бы один год проведешь без постоянной угрозы исключения. Подумай, как будут тобой гордиться родители (ах да, кстати — скажи им, что я без гроша, умираю с голоду и пытаюсь найти себя в Интернет-кафе в Париже).

Я очень хорошо понимаю, что ты сейчас чувствуешь. Я здесь тоже совершенно одна. Но подумай сама — всего через год ты закончишь школу, а Алекс, возможно, вернется в Ирландию. Или ты поступишь в колледж в Бостоне!

Поставь себе какую-то цель, Рози. Я знаю, что ты не хочешь этого слышать, но это поможет. Поставь себе цель, и год обретет смысл. Поезжай в Бостон, если это сделает тебя счастливой. Будешь изучать гостиничный менеджмент, как ты всегда хотела.

31

Ты очень молода, Рози. Я знаю, что ты терпеть не можешь, когда тебе это говорят, но это правда. То, что сейчас кажется тебе трагедией, ты даже не вспомнишь через несколько лет. Тебе всего 17. У вас с Алексом впереди целая жизнь. Если вам суждено быть вместе, вы найдете способ. Бывшие подружки, такие, как дурочка Бетани, забываются очень легко. А лучшие друзья остаются навсегда.

Береги себя. Передай маме с папой большой привет, скажи, что я все еще ищу себя, но зато нашла кое-кого другого. Высокого, смуглого и красивого...

Глава 5

Уважаемая мисс Дюнн!

Бостонский колледж благодарит Вас за то, что Вы выбрали нас для обучения по специальности «Гостиничный менеджмент», и рад сообщить Вам, что Вы приняты

От кого	Рози
Кому	Алекс
Тема	Бостон, я иду!

У МЕНЯ ПОЛУЧИЛОСЬ! Я еду в Бостонский колледж! УРРА! Сегодня утром от них пришло письмо, я ТАК РАДА! Держитесь, мистер Стюарт, а еду к вам. Как здорово! Неважно, что мы будем учиться в разных колледжах. (Гарвард для меня, пожалуй, чересчур престижное место!) Я думаю, это даже хорошо — мы же не можем допустить, чтобы нас снова исключили...

Я так волнуюсь. Напиши мне как можно скорее или позвони. Я бы и сама позвонила, но папа отключил международную связь после того, как пришел последний счет. Мама с папой очень гордятся мною, они уже сообщили новость всей семье. Они надеются, что хоть один их ребенок сможет закончить колледж. Папа все время повторяет что я не должна «искать себя» где-то, как Стефани. Кстати, о Стеф — вряд ли она в ближайшее время появится дома. Она там познакомилась с каким-то шеф-поваром — кажется, из того же ресторана, где работает официанткой. Так что теперь она официально считается «влюбленной».

Телефон весь день разрывался от поздравлений! Ты не представляешь, Алекс, дом просто гудит! Поль и Эйлин, те, что живут через дорогу, прислали мне букет цветов. Очень мило с их стороны. Мама прибирает дом, сегодня вечером соберутся родственники — немного сандвичей и легкие закуски, все такое. Кевин очень счастлив, что я уезжаю, теперь его станут еще больше баловать. Мне будет не хватать этого непослушного мальчишки, пусть даже он со мной и не разговаривал никогда. А уж как я буду скучать по маме с папой! Все радуются, а я потихоньку приучаю себя к мысли о том, что навсегда уезжаю из этого дома. Мне кажется, до конца я это осознаю только тогда, когда помашу им рукой на прощанье... Ну что ж, а пока — праздновать!

PS: Когда-нибудь я стану управлять отелем, а ты — работать у нас врачом, чтобы откачивать постояльцев, отравившихся в моем ресторане, как мы и планировали... это будет прекрасно!

От кого	Алекс
Кому	Рози
Тема	Re: Бостон, я иду!

Это *прекрасные* новости! Я не могу дождаться, когда увижу тебя! Гарвард не так уж и далеко от Бостонского колледжа, если сравнивать с расстоянием в целый океан. Ты можешь поверить, что меня приняли в Гарвард? Наверное, эти умники просто решили приколоться.

Все, я не могу больше писать, лучше приезжай скорее! Когда ты приедешь?

От кого	Рози
Кому	Алекс
Тема	Сентябрь

Я смогу приехать не раньше сентября, за пару дней до начала семестра, потому что нужно столько всего сделать до отъезда, ты не представляешь!

В конце августа будет выпускной бал, ты сможешь приехать на него? Все будут очень рады тебя видеть и, кроме того, мне нужно с кем-то пойти на него! Мы отлично повеселимся, поиздеваемся над учителями на прощание, вспомним былое... в общем, подумай над этим.

От кого	Алекс
Кому	Рози
Тема	Re: Выпускной

Ну конечно, я приеду на наш выпускной, ни за что не пропущу!

*** * ***

Ты где??? Я в аэропорту. Мы с папой уже несколько часов тут торчим. Я пыталась тебе дозвониться на дом и моб. Не знаю, куда еще звонить. Надеюсь, ты в порядке.

Рози, привет. Получил твою смс. Отправил тебе отв. Ты можешь проверить почту из аэропорта?
Алекс

От кого	Алекс
Кому	Рози
Тема	Прости!

Рози, прости, пожалуйста. Это не день, это кошмар. Вышло какое-то недоразумение с самолетом. Я не знаю, как это могло получиться, но, когда я пришел за билетом, моего имени не оказалось в списке. Я целый день пытаюсь попасть на другой рейс. Все забронировано, люди возвращаются из отпусков, студенты едут домой и т. д. Меня внесли в резерв, но пока что ничего не предвидится. Я просто слоняюсь по аэропорту и надеюсь на чудо. Это кошмар.

От кого	Рози
Кому	Алекс
Тема	Завтрашний рейс

Папа поговорил тут с женщиной, работающей в кассе «Аэр Лингус». Она говорит, что есть самолет, вылетающий из Бостона завтра в 10:10. Полет займет пять часов, то есть будет в 15:00, плюс разница во времени пять часов, будет в 20:00. Мы можем забрать тебя в аэропорту и поехать прямиком на бал. Хотя тебе, наверное, придется сначала заехать ко мне. Ты не сможешь надеть смокинг в самолете, он будет весь мятый. Ну так что?

От кого	Алекс
Кому	Рози
Тема	Самолет

Звучит отлично. Не страшно, если мы немного опоздаем, главное, чтоб я добрался. Я попытаюсь попасть на этот рейс.

От кого	Алекс
Кому	Рози
Тема	Самолет

Плохие новости, Рози. На этот рейс нет билетов

От кого	Рози
Кому	Алекс
Тема	Самолет

Черт. Думай, думай, думай. Что я могу сделать? Черт возьми, похоже, ты можешь попасть сюда в любой день, кроме завтра. Такое впечатление, что кое-кто свыше хочет помешать. Может быть, это знак?

От кого	Алекс
Кому	Рози
Тема	Это я виноват

Это я виноват, я должен был проверить бронирование — всегда предупреждают, что нужно повторно подтверждать заказ билетов, но кто это делает? Я понимаю, что спутал тебе все карты, но очень надеюсь, что ты все равно пойдешь на выпускной. У тебя щас еще целый день, чтобы найти себе другого спутника. Повеселишься как следует. Прости, Рози.

От кого	Рози
Кому	Алекс
Тема	Re: Это я виноват

Ты не виноват. Я расстроилась, конечно, но будем реалистами — это не конец света, я приеду в Бостон всего через месяц, и мы сможем видеться КАЖДЫЙ ДЕНЬ! Не забудь потребовать у этих идиотов деньги за билет. А у нас с тобой будет еще много прекрасных дней. Ну что ж, я пошла искать мужика...

От кого	Алекс
Кому	Рози
Тема	Охота на мужика

Ну, как успехи? Нашла кого-нибудь?

От кого	Рози
Кому	Алекс
Тема	Есть мужик

Что за дурацкии вопрос!!! Ну конечно, нашла. Я неприятно удивлена, что ты задаешь такие вопросы...

От кого   Алекс
Кому   Рози
Тема   Загадочный мужик
Так кто же он?

От кого   Рози
Кому   Алекс
Тема   Таинственный мужик
А вот это тебя совершенно не касается...

От кого   Алекс
Кому   Рози
Тема   Несуществующий мужик
Ха! Ты не нашла себе спутника! Я так и знал!

От кого   Рози
Кому   Алекс
Тема   Большой сильный мужик
Нет, нашла.

От кого   Алекс
Кому   Рози
Тема   Нет никакого мужика
Нет, не нашла.

От кого   Рози
Кому   Алекс
Тема   Да, мужик!
Нашла, нашла.

От кого   Алекс
Кому   Рози
Тема   Что за мужик?
ТОГДА КТО ОН???

От кого	Рози
Кому	Алекс
Тема	Почти что мужик
Брайан.	

От кого	Алекс
Кому	Рози
Тема	Брайан?

БРАЙАН???
БРАЙАН-КОМБАЙН???

От кого	Рози
Кому	Алекс
Тема	Re: Брайан?

Может быть…

От кого	Алекс
Кому	Рози
Тема	Ха-Ха!

Ха-ха-ха-ха-ха-ха, ты пойдешь на бал с *Брайаном-Комбайном*?! Не могу поверить! Это все, что тебе удалось наскрести? Брайан, который в шесть лет задрал тебе юбку на школьном дворе у всех на глазах, чтобы показать твои трусики? Брайан, с которым ты весь второй класс сидела за одной партой, который каждый день ел сандвичи с рыбой и ковырялся в носу, пока ты ела свои? Брайан, который шел за нами со школы, распевая: «А-ЛЕКС И РО-ЗИ ЦЕ-ЛО-ВА-ЛИСЬ НА БЕРЕЗЕ!!!», из-за чего ты расплакалась и целую неделю со мной не разговаривала? Брайан, который облил пивом твою новую майку на моей прощальной вечеринке? Брайан, которого ты терпеть не можешь, единственный человек, которого ты всю школу ненавидела? Ты идешь на последний школьный бал с ним, с Брайаном?

39

От кого	Рози
Кому	Алекс
Тема	Нет, другой Брайан

Да, Алекс, *именно этот* Брайан. С твоего позволения, я хотела бы прервать нашу переписку, потому что мама как раз пытается привести в порядок мои волосы и вообще придать мне более-менее пристойный вид. Она тоже читала твои письма и просила передать тебе, что Брайан-Комбайн сегодня ночью не будет задирать мою юбку.

От кого	Алекс
Кому	Рози
Тема	Re: Брайан

Наверняка попытки будут. Удачного вечера! Ты припасла на этот случай пивозащитные очки?

От кого	Рози
Кому	Алекс
Тема	Re: Пивозащитные очки

Безусловно, в них и пойду! Брайан был единственным, кого я смогла найти в последний момент, спасибо тебе. Все, что мне нужно делать, — это стоять рядом с ним, пока родители делают фотографии. Им же нужно иметь возможность любоваться своей дочерью в бальном платье и ее спутником в смокинге! За столом будут сидеть по десять человек, так что мне даже не придется разговаривать с ним за ужином. Доволен, Алекс?

От кого	Алекс
Кому	Рози
Тема	Re: Re: Пивозащитные очки

Вовсе нет. Я предпочел бы быть на его месте. Не делай ›ичего, чего не сделал бы я...

От кого	Рози
Кому	Алекс
Тема	Re: Re: Re: Пивозащитные очки

Это мы еще посмотрим. С волосами покончено, пора приступать к остальному. Завтра расскажу, как все прошло.

От кого	Алекс
Кому	Рози
Тема	Re: Выпускной

Ну, как все прошло? Уверен, у тебя похмелье. Буду ждать твоего письма не позднее завтрашнего дня! Хочу знать *все!*

От кого	Алекс
Кому	Рози
Тема	Выпускной

Ты получила мое прошлое письмо? Я звоню тебе, но никто не берет трубку, что случилось? Надеюсь, ты просто очень занята подготовкой к грандиозному переселению!

Напиши мне скорее, пожалуйста.

Стеф: Рози, перестань избегать Алекса, расскажи ему про выпускной. Алекс даже мне написал, пытаясь выяснить, что случилось. Не мне же ему об этом рассказывать! Бедняга в полной растерянности. Он просто хочет узнать, кто что сделал, где и когда.

Рози: Я не собираюсь ему рассказывать, кто кого сделал.

Стеф: Хи-хи.

Рози: Это не смешно.

Стеф: А по-моему, ужасно смешно. Да расслабься ты, ведь уже три недели прошло!

Рози: Три недели, ты уверена?
Стеф: Ну да, а что?
Рози: Черт возьми.
Связь с РОЗИ прервана.

От кого   Алекс
Кому   Рози
Тема   Эй??

Рози, куда ты пропала? У тебя что, проблемы с почтой? Ответь, прошу тебя. Тебе уже пора садиться в самолет, иначе ты пропустишь начало семестра!

От кого   Алекс
Кому   Рози
Тема   Рози, прошу тебя!

Ты что, сердишься на меня? Прости, что я не смог приехать на бал, но я думал, что ты все понимаешь. Не могло же все пройти так плохо с Комбайном Брайаном?! Что ты делала весь этот месяц? Это уже просто смешно. Почему в вашем доме никто не берет трубку?

Я жду ответа.

Алекс

Миссис Дюнн.

Здравствуйте, Элис, это Алекс. Я пишу, чтобы узнать, что случилось с Рози. По правде говоря, я уже начинаю волноваться. Это очень странно, что от нее столько времени нет вестей. У вас дома постоянно включен автоответчик, вы получаете мои сообщения? Может быть, вы все куда-то уехали? Пожалуйста, дайте мне знать, что у вас все в порядке, и попросите Рози позвонить мне.

Всего наилучшего,

Алекс

Дорогая Сандра

Алекс всю неделю оставляет нам сообщения, он ужасно волнуется за Рози. Я знаю, что ты волнуешься из-за того, что он волнуется за Рози, поэтому и пишу, чтобы ты знала, что происходит...

От кого	Алекс
Кому	Рози
Тема	Ты не приедешь в Бостон???

Мама сегодня сказала мне, что ты не приедешь в Бостон. Пожалуйста, объясни мне, что происходит. Я не знаю, что думать. Я что, что-то не то сделал?

Рози, что бы ни случилось, я все пойму, я всегда готов тебе помочь. Расскажи мне, что с тобой, пожалуйста, я уже просто с ума схожу. Если ты не выйдешь на связь, я сам прилечу в Ирландию, чтобы увидеть тебя своими глазами.

Целую,
Алекс

От кого	Стефани
Кому	Рози
Тема	Я возвращаюсь

Сестренка,

Рози, родная, не волнуйся. Постарайся успокоиться. На все есть свои причины. Может быть, это и есть твой путь, может быть, ты и не должна была ехать в Бостон. Я вылетаю первым же рейсом. Держись, сестренка,

Целую,
Стефани.

Мисс Рози Дюнн!

Спасибо за Ваше письмо. Бостонский колледж принял к сведению Ваш отказ

С уважением,

Роберт Витворт

Рози, я не могу поверить, что ты приняла такое решение. Ты в курсе, что я против. Как я и сказал, я приеду. Надеюсь, у тебя все будет ок.

От кого	Рози
Кому	Алекс
Тема	Помоги мне

О господи, Алекс, что я наделала?

Глава 6

Алекс!

Как хорошо, что ты приехал. Прошу тебя, не отдаляйся — мне сейчас очень нужна твоя поддержка. Спасибо, что ты был так внимателен ко мне всю эту неделю. Ты знаешь, порой мне казалось, что без тебя я бы просто сошла с ума.

Смешная штука жизнь, правда? Ты мечтаешь о чем-то, строишь планы, думаешь, что все предусмотрел, знаешь, в какую сторону идти, и вдруг... все дорожные знаки сняты, земля исчезает из-под ног, север и юг меняются местами... и ты понимаешь, что потерялся. Как легко, оказывается, сбиться с пути...

Я мало что понимаю в жизни, но одно я знаю точно: за каждый свой поступок приходится расплачиваться. Есть вещи, от которых никуда не деться.

Я не умею бороться, Алекс. Я всегда выбирала легкие пути — *мы* всегда выбирали легкие пути. В моей жизни еще никогда не было ничего непоправимого. Несколько месяцев назад моей самой большой проблемой были два урока математики подряд или, не дай бог, прыщик на носу.

А теперь у меня будет ребенок. Ребенок. И этот ребенок будет со мной в понедельник, во вторник, среду, четверг, пятницу, субботу и воскресенье. У меня не будет выходных. Не будет летних каникул. Я не смогу взять отгул, притвориться больной или попросить маму написать записку. Теперь я *сама* буду мамой. Если бы я могла сама себе написать записку.

Я боюсь, Алекс.

Рози

От кого	Алекс
Кому	Рози
Тема	Дочки-матери

Ну нет, какая там математика. Это будет намного более интересно. Математика в понедельник утром — скучно, от нее болит голова и тянет в сон. Поверь мне, это даст тебе намного больше, чем весь курс математики.

Если тебе что-нибудь понадобится, я всегда готов тебе помочь. Колледж подождет, Рози, щас у тебя есть намного более важное дело.

Я знаю, что у тебя все будет хорошо.

От кого	Рози
Кому	Алекс
Тема	Re: Дочки-матери

СЕЙЧАС, а не ЩАС! Следите за орфографией, мистер Стюарт!

От кого	Алекс
Кому	Рози
Тема	Re: Re: Дочки-матери

Смотри-ка, Рози, у тебя уже проявляются воспитательные наклонности! Думаю, у тебя все получится. Береги себя.

Алекс

У вас входящее сообщение от: АЛЕКС

Алекс: Мне казалось, ты обещал присмотреть за ней, Фил.

Фил: Я тебе говорил, что, если она не научится контролировать свой мочевой пузырь, я ее выгоню. Мне кажется, ей неплохо и в саду.

Алекс: Я не про *собаку*, Фил, я про *Рози*.

Фил: А что с Рози?

Алекс: Не притворяйся, что ты не знаешь. Я слышал, как родители говорили тебе об этом по телефону.

Фил: То есть ты все знаешь... И как ты?

Алекс: Все задают мне один и тот же вопрос, а я не знаю, что ответить. Это очень странно. Рози беременна. Ей же только исполнилось восемнадцать. Она о себе самой едва ли способна позаботиться, не говоря о ребенке. Она дымит как паровоз, она никогда не ест овощи. Она ложится не раньше четырех утра и спит потом до часу дня. Она предпочла мыть кастрюли и сковородки в китайском бистро, чем нянчиться с соседскими детьми, хотя за это платили больше — но ей было невыносимо скучно. Я не думаю, что она когда-либо в жизни меняла пеленки. Я не думаю, что она вообще держала в руках ребенка, не считая малыша Кевина. А колледж? А работа? Как, черт возьми, она будет разбираться со всем этим? Как она собирается с кем-то познакомиться? Как она заведет друзей? Она превратила свою жизнь в настоящий ад.

Фил: Алекс, она научится. Ведь ей помогают родители, так? Она не одна.

Алекс: Ее родители — замечательные люди, но ведь они тоже работают, Фил. Она умная девушка, я знаю это. Но как бы она ни храбрилась, она, по-моему, сама не понимает, что это такое, когда в доме плачет ребенок. Если бы я попал на тот рейс и смог пойти вместе с ней на выпускной...

* * *

Дорогая Стефани!

Хочешь, я помогу тебе найти себя? Выслушай мои слова, позволь им проникнуть в твое сердце и озарить тебя светом мудрости. От той, кто любит тебя и желает тебе только счастья, прими этот совет.

Нет ничего хуже беременности. Как вы там говорите, «enceinte» [1]. Прочитай внимательно это слово, произнеси его вслух, привыкни к нему, повтори его про себя и запомни — никогда в жизни не делай этого. Вообще-то, лучше и сексом никогда не заниматься. А для верности стоило бы избавиться от всех половых признаков.

Поверь мне, Стеф, в этом нет ничего приятного. Я не чувствую, что это естественно, не ощущаю никаких волшебных признаков материнства — я просто растолстела. Раздулась. И устала. И еще меня тошнит. И я не знаю, что я буду делать, когда малыш родится и посмотрит на меня.

Вот же, нашла я приключений на свою задницу. Алекс учится в колледже, у всех моих одноклассников новая жизнь, а я с каждым днем становлюсь толще и толще и постоянно задаю себе один вопрос: как я могла во все это вляпаться?.. Я знаю, что сама виновата, но мне не легче. Мама водила меня на противородовые курсы, там учат правильно дышать. Там сплошные парочки, и все они старше меня как минимум лет на десять. Мама хотела, чтобы я познакомилась с кем-то из них, но я что-то сомневаюсь, что они захотят дружить со вчерашней школьницей. Я чувствую себя, как в детском саду — мама учит меня, как найти себе друзей. Она сказала, чтобы я не расстраивалась,

---

[1] Enceinte — беременная (*франц.*).

48

потому что мне просто завидуют. Это было здорово сказано. Много месяцев мы с ней так не смеялись.

Доктор запретил мне курить и велел правильно питаться. Я скоро стану матерью, но со мной по-прежнему разговаривают, как с ребенком.

Целую тебя,
Рози

М-р Алекс Стюарт!
Приглашаю Вас на крестины моей чудесной маленькой дочки Кати. Церемония состоится 28-го числа этого месяца. Купите себе костюм и постарайтесь для разнообразия выглядеть прилично, поскольку Вы — крестный отец.
Целую,
Рози

От кого	Алекс
Кому	Рози
Тема	Re: Крестины

Как я был рад тебя видеть, ты выглядишь просто потрясающе! И ты *совершенно* не толстая! Малютка Кати была немногословна, но я уже без ума от нее. Я почти решился на то, чтобы украсть ее и привезти с собой в Бостон.

Ладно, я вру. На самом деле мне очень хотелось бы остаться в Дублине. Я с трудом заставил себя сесть на самолет. Мне нравится жить в Бостоне, нравится изучать медицину. Но это не мой дом. Мой дом — Дублин. Здесь, рядом с тобой, я чувствовал себя на своем месте. Я очень скучаю по своей лучшей подруге.

Я познакомился тут с парочкой отличных ребят, но ведь мы не росли вместе, не играли в казаки-разбойники. Они не кажутся мне *настоящими* друзьями. Я не пинал их под партой, не выслеживал с ними Санту, не лазил по деревьям, не играл с ними в гостиницу и не смеялся до потери пульса, когда им промывали желудок. Я не знаю, что могло бы заменить мне все это.

Впрочем, мое место в твоем сердце уже занято. Маленькая Кати сейчас заслонила тебе весь мир. И я понимаю почему. Я не разлюбил ее даже после того, как ее стошнило на мой (новый и очень дорогой) костюм. Это что-то да значит. Очень забавно видеть, насколько она похожа на тебя. У нее твои голубые глазки (чувствую, с этим еще будут проблемы!), твои черные волосы и носик пуговкой. Хотя попка у нее вроде поменьше... Шучу, шучу!!!

Я знаю, что ты щас невероятно занята, но, если ты захочешь отдохнуть от всего этого, мы всегда будем тебе рады. Просто напиши, когда захочешь приехать. У тебя щас тяжелое финансовое положение, но мы могли бы помочь тебе с покупкой билетов. Родители были бы тебе очень рады, они по всему дому расставили ваши с Кати фотографии, которые я привез с крестин.

Я хотел бы тебя кое с кем познакомить. Мы учимся вместе в колледже, ее зовут Салли Грюбер. Думаю, вы поладите. Она из Бостона. Я обязательно вас познакомлю, когда ты приедешь.

В колледже оказалось намного труднее, чем я ожидал. Приходится очень много заниматься, очень много читать. Ни на что другое времени не остается. Мне предстоят четыре года здесь, в Гарварде, затем лет пять-семь на общем хирургическом отделении, так что квалифицированным специалистом в своей области (какой бы она ни была) я стану лет в сто, не раньше.

Вот так я и живу. Просыпаюсь в пять утра и берусь за книги. Иду в колледж, прихожу домой и снова за учебу. Каждый день. Больше и рассказать-то не о чем. Очень здорово, что мы с Салли учимся в одной группе. Если бы не она, я не смог бы справиться с этим кошмаром — вставать каждое утро, зная, что снова весь день придется учиться, учиться и учиться. Впрочем, не мне тебе рассказывать про трудности. Уверен, мне сейчас в тысячу раз легче, чем тебе. Ладно, я пойду спать, у меня уже совершенно нет сил. Спокойной ночи тебе и малышке Кати.

* * *

Памятка:

Не подбрасывать Кати на коленях после кормления.

Не кормить грудью за разговорами о футболе.

Не дышать, меняя пеленки. А еще лучше — как можно чаще позволять их менять маме с папой или даже незнакомым людям, если они проявят такое желание.

Не гулять с коляской возле школы, чтобы не попасться на глаза этой Миссис Носатой Вонючке Кейси.

Не смеяться, когда Кати падает на попу, пытаясь ходить.

Не разговаривать со старыми школьными друзьями, у которых впереди целая жизнь, поскольку это неизбежно вызовет чувство чудовищного разочарования.

Перестань плакать, когда плачет Кати.

* * *

Bonjour, Стефани!

Как дела у моей красавицы-сестры? Наверняка ты сидишь в кафе, попивая cafe au lait, на тебе берет и полосатая блузка и от тебя попахивает чесноком! Что бы ни говорили, стереотипы никуда не деваются.

Спасибо за подарок для Кати. Твоя крестница говорит, что очень по тебе соскучилась, и передает множество слюнявых поцелуев. То есть мне показалось, что она хотела сказать именно это, если я правильно разобрала вопли, вырывающиеся из ее маленького ротика. Честно говоря, я не понимаю, откуда берется весь этот шум. Я никогда в жизни не видела ничего более крохотного и хрупкого, чем она, иногда даже страшно брать ее в руки. Но, когда она открывает рот, начинается настоящий ад. Доктор говорит, у нее колики. Не знаю, что там у нее,— вижу только, что она без конца орет.

Поразительно, как такая малышка может производить *столько* шума и вони. Думаю, ее вполне можно занести в «Книгу рекордов Гиннеса» как самую вонючую, шумную и маленькую девочку на свете. Как мать, я должна гордиться.

Я совершенно измотана, Стефани. Я передвигаюсь как зомби. Я с трудом могу прочитать, что я тут написала (приношу, кстати, извинения за размазанный внизу страницы банан — маленькая авария за завтраком). Кати плачет, и плачет, и плачет всю ночь напролет. У меня все время болит голова. Я беспрерывно бегаю по дому и собираю с пола разбросанные игрушки. Кати невозможно никуда взять, она вечно кричит, и я боюсь, что люди подумают, будто я ее украла или издеваюсь над ней. А я сама все еще похожа на воздушный шар: могу влезть только в бесформенный спортивный костюм. У меня огромная задница. У меня растяжки на животе, и они не исчезают, сколько бы я их ни проклинала, так что пришлось выбросить все короткие майки. Мои волосы стали похожи на солому. У меня ОГРОМНАЯ грудь. Я на себя не похожа — не верю, что это я. Такое ощущение, что мне лет на 20 больше. Я не выходила на улицу со дня крестин. Я не помню, когда в последний раз что-то пила. Я не помню, когда в последний раз на меня смотрел представитель противоположного пола (не считая тех, кто сердито оглядывается на меня в кафе, когда Кати начинает кричать).

Я не помню, когда в последний раз меня волновало, что на меня не смотрит представитель противоположного пола. Я думаю, что я самая ужасная мать, какую видел этот свет. Мне кажется, даже Кати, глядя на меня, понимает, что я не знаю, что делать.

Она уже почти научилась ходить. Это значит, что я повсюду бегаю за ней с криками: «НЕТ! КАТИ, НЕТ! Кати, не трогай это! НЕТ! Кати, мамочка говорит „НЕТ!"»

Я не думаю, что Кати вообще есть дело до того, что там думает мамочка. Я думаю, что, если Кати чего-то захотела, она пойдет и возьмет это. Я с ужасом думаю о том, что будет, когда она станет подростком! Не верю, что это случится. Как летит время! Я и не замечу, как она вырастет. Может быть, тогда мне удастся немного отдохнуть. Впрочем, мои мама с папой тоже так думали. Бедные мама с папой, Стеф, мне так стыдно. Они просто золотые. Я очень им обязана, и дело даже не в деньгах. Хотя деньги — еще один удручающий момент. Я, конечно, получаю пособие и каждую неделю отдаю им, сколько могу, за то, что содержат нас, но ведь этого никогда не хватает. Ты сама знаешь, Стеф, что у нас всегда было плохо с деньгами. Я не представляю, как я смогу *одновременно* и работать, и присматривать за Кати. Мы с папой на неделе ходили в одну контору, где папа разговаривал с каким-то человеком, и теперь, может быть, меня внесут в списки и когда-нибудь у меня будет свой угол. Мама все время уговаривает меня остаться с ними, но мне нужна хоть какая-то независимость.

Мама такая хорошая. Кати любит ее. Кати ее слушается. Если мама говорит: «НЕТ, КАТИ!»,— Кати знает, что нельзя. Если так говорю я, Кати только смеется. Когда, интересно, я начну чувствовать себя настоящей мамой?

Алекс с кем-то познакомился в Бостоне, ей столько же лет, сколько мне, и у нее хватило мозгов поступить в Гарвард на медицинский факультет. Интересно, она — *по-на-стоящему* счастлива? Ладно, мне пора, Кати уже ревет

Я еще напишу.

Целую,

Рози

***

Рози!

Я рад, что с Кати все хорошо. Спасибо за фотографии, они просто чудо. Это с ее третьего дня рождения? Я поставил их в рамочке на камин. Мама с папой были очень рады, что смогли тебя навестить, они теперь все время говорят о вас с Кати.

Поздравляю, тебе уже 21! Жаль, что я не могу приехать и отпраздновать с тобой, у нас тут в колледже просто сумасшедший дом. У меня щас последний год, и работы очень много. Я с ужасом думаю о выпускных экзаменах. Я не знаю, что со мной будет, если я провалюсь. Салли спрашивает о тебе, хоть вы никогда не встречались, но я столько рассказывал ей о нашем детстве, что она словно сама с тобой знакома.

Алекс

Алекс!

~~У Кати режутся зубы, и это ужасно~~

~~Кати скоро пойдет в детский садик~~

~~Кати сегодня сказала «бабушка»~~

В этот уик-энд папе исполнилось пятьдесят, и мы ужинали в ресторане «Хэйзел» — помнишь, много лет назад, когда тебе исполнилось 17, ты был там с этой шлюшкой Бетани и ее богатенькими родителями. Как здорово было снова почувствовать себя человеком, расслабиться, провести хоть один вечер без Кати! Я наняла для нее няню, и это было мне лучшим подарком.

Рози

54

От кого	Алекс
Кому	Рози
Тема	(нет)

Ты что, Рози! Ты меня разочаровываешь! В следующий раз напиши мне, пожалуйста, о чём-нибудь более сумасшедшем!

От кого	Рози
Кому	Алекс
Тема	Трёхлетний ребёнок

Ты, может быть, не знаешь, но у меня на руках трёхлетний ребёнок, о котором нужно заботиться, и поэтому я не могу позволить себе напиться до чёртиков, проснуться утром с головной болью и просидеть весь день в туалете лицом в унитаз.

От кого	Алекс
Кому	Рози
Тема	Прости

Прости, Рози, я не хотел показаться бестактным. Я только хотел напомнить тебе, что ты тоже должна иногда наслаждаться жизнью. Заботься о себе, не только о Кати.

Прости, если я тебя обидел.

* * *

От кого	Рози
Кому	Стефани
Тема	Минута слабости

Стефани, иногда мне кажется, что я не выдержу. Я люблю Кати. Я не жалею о принятом решении, но я устала.

Я так устала, черт возьми. Я никак не могу отдохнуть.

И это при том, что мама с папой помогают мне. Я не знаю, как я буду справляться одна. А мне придется в конце концов это сделать — не могу же я вечно жить с родителями. Хотя это было бы здорово.

Но я не хочу, чтобы *Кати* настолько же зависела от меня, когда *она* станет взрослой. Конечно, я всегда буду помогать ей, всегда буду любить ее, но я хочу, чтобы она выросла независимой.

И мне тоже нужно ыть независимой. Мне пора повзрослеть, Стеф. Я все оттягиваю этот момент, все надеюсь этого избежать. Кати скоро пойдет в школу. Представляешь? Мой ребенок пойдет в школу. Как быстро бежит время. Кати познакомится с новыми людьми и начнет собственную жизнь, а я свою жизнь упустила. Нужно собраться с силами и перестать жалеть себя. Жизнь — сложная штука, что ж теперь? Ведь всем трудно, правда? И любой, кто скажет обратное, — лжец.

Между мной и Алексом теперь огромная пропасть. Такое ощущение, что мы живем в разных мирах, я больше не знаю, о чем с ним говорить. А когда-то мы могли болтать всю ночь напролет. Он звонит раз в неделю, рассказывает, чем занимался, а я слушаю его и бью себя по губам каждый раз, когда мне хочется рассказать еще что-нибудь о Кати. По правде говоря, кроме нее, мне больше не о чем рассказать, но я знаю, что слушать об этом скучно. А ведь я, кажется, была когда-то интересным человеком.

Ты знаешь, я решила наконец съездить в Бостон. Хочу посмотреть, какой стала бы моя жизнь, если бы Алекс попал на тот самолет и пошел со мной на выпускной вместо... вместо ты знаешь кого. У меня уже был бы диплом. Я могла бы сделать карьеру. Я знаю, что глупо сваливать все случившееся на то, что Алекс не смог приехать на выпускной, но ведь иначе я не пошла бы с Брайаном. Не переспала бы с ним, и не было бы никакого ребенка. Я хочу увидеть то, чем я могла бы стать. Возможно, тогда я смогу понять и принять то, чем я стала.

Целую крепко,
Рози

Глава 7

Стефани!

Милая, это мама. Скажи, ты не могла бы связаться с Рози? Она только что вернулась из Бостона на неделю раньше, чем мы ожидали, и она, похоже, чем-то расстроена, но не признается, в чем дело. Я боялась, что что-то в этом роде случится. Я знаю, она чувствует себя так, словно упустила свой шанс стать счастливой. Я бы очень хотела, чтобы она научилась видеть то хорошее, что есть сейчас в ее жизни. Ты можешь поговорить с ней? Тебе она точно будет рада.

Целую тебя, дорогая.

Мама

У вас входящее сообщение от: СТЕФ

Стеф: Эй, ты почему не отвечаешь на звонки?

Стеф: Рози, я знаю, что ты здесь, я вижу, что ты в сети!

Стеф: Ладно, я буду надоедать тебе, пока ты не ответишь.

Стеф: Эээээээй!

Рози: Привет.

Стеф: Ну привет! Почему-то мне кажется, что меня игнорируют.

Рози: Прости, я так устала, не хочу ни с кем разговаривать.

Стеф: Прощаю. У тебя все в порядке? Как Бостон? Он действительно такой красивый, как на тех фотографиях, что присылает Алекс?

Рози: Да, очень красивый. Алекс мне все показал, он ни на минуту не оставлял меня одну, он так обо мне заботился.

Стеф: Молодец какой. Так где ты была?

Рози: Он показал мне Бостонский колледж, так что я могла представить себе, каково было бы там учиться, и все было так потрясающе, так красиво, просто волшебно, и погода была замечательная...

Стеф: Ух ты, звучит здорово. Похоже, тебе понравилось.

Рози: Понравилось, ага. Я видела фотографии, когда поступала туда, но в жизни там намного красивей. Было бы так здорово учиться там.

Стеф: Да, наверняка. А где ты жила?

Рози: В доме родителей Алекса. Они живут в таком шикарном районе, совсем не то, что мы. Дом очень красивый — видимо, отец Алекса зарабатывает кучу денег.

Стеф: А чем вы еще занимались? Я уверена, что что-то интересное должно было случиться! Когда вы вместе, скучно не бывает!

Рози: Ну, мы ходили по магазинам, от отвел меня на игру «Рэд Сокс»[1] в Фэнвэй-парк. Я, правда, совершенно ничего не поняла в игре, но зато съела вкусный хот-дог, мы ходили в клубы... даже не знаю, что тебе рассказать, Стеф, ничего особо интересного не было...

---

[1] «Рэд Сокс» — бостонская бейсбольная команда

Стеф: Поверь мне, это во много раз интересней, чем то, как я провела прошлую неделю! А что Алекс? Как он выглядит? Я сто лет его не видела! Встретила бы — не узнала, наверное.

Рози: Алекс выглядит отлично. У него появился легкий американский акцент, хотя он это отрицает. Но сам он все тот же. Все такой же милый. Всю неделю меня баловал, не позволял ни за что платить, каждый вечер водил куда-то. Было очень здорово хоть ненадолго почувствовать себя свободной.

Стеф: Ты свободна, Рози.

Рози: Я это знаю, но я не чувствую себя свободной. А там я чувствовала себя так, словно мне наплевать на весь мир. Я уже много лет столько не смеялась. Я ощущала себя на свои 23, Стеф. Ты не представляешь, как давно этого не было. Я понимаю, это звучит странно, но я словно *стала* той Рози, которой могла бы стать.

Ты понимаешь, я шла по улице, и мне не нужно было ни за кем следить. Не нужно было по десять раз на дню хвататься за сердце, оттого что Кати потерялась или засунула в рот что-то несъедобное. Не нужно было метаться по проезжей части, пытаясь выхватить ее из-под колес. Не нужно было исправлять ее оговорки, учить, воспитывать, предупреждать... Когда кто-то шутил, можно было просто смеяться, и никто не дергал меня за рукав с требованием объяснений. Можно было разговаривать, не прерываясь на то, чтобы похвалить за дурацкий танец или объяснить новое слово. Я могла быть собой, Рози, а не «мамочкой», я должна была думать только о себе самой, я могла говорить о том, что мне нравится, ходить куда хочу и не вспоминать о пеленках, бутылочках с кашей и полуночных истериках. Ужасно, правда?

Стеф: Ничего ужасного, Рози. Хорошо, что у тебя было время побыть одной, но ведь ты рада, что вернулась к

Кати? И если там было так здорово, почему ты вернулась так рано? Тебя ждали не раньше, чем через неделю. Что-то случилось?

Рози: Ничего, о чем стоит говорить.

Стеф: Ну перестань, Рози, я чувствую, что тебя что-то беспокоит. Расскажи мне.

Рози: Просто пора было уезжать, Стеф.

Стеф: Вы с Алексом поссорились?

Рози: Нет. Мне неловко говорить об этом.

Стеф: Почему? Что ты имеешь в виду?

Рози: Я просто в один из вечеров выставила себя дурой.

Стеф: Ну, не глупи, наверняка ничего страшного! Алекс твой старый друг, он много чего видел.

Рози: Нет, Стеф, в этот раз все было совсем по-другому. Поверь. Это совсем не то, что мы обычно вытворяли с Алексом. Понимаешь, между нами произошло кое-что, за что мне очень стыдно.

Стеф: ЧТО?? Ты что, хочешь сказать, что…? *Вы что с Алексом…???*

Глава 8

Рози: Успокойся, Стефани!

Стеф: Я не могу! Это невозможно! Вы же как брат и сестра! Алекс мне как младший брат! Вы не могли!

Рози: СТЕФАНИ! У НАС НИЧЕГО НЕ БЫЛО!

Стеф: Да?..

Стеф: А в чем же тогда дело?

Рози: Теперь-то я уже вряд ли тебе расскажу, раз ты принимаешь все так близко к сердцу!

Стеф: Ой, ну не вредничай, рассказывай скорее!

Рози: Ладно... В общем, я совершила большую глупость, мне очень стыдно об этом вспоминать. Ты не психуй, пожалуйста...

Стеф: Так, продолжай...

Рози: Это намного более невинно, чем ты думаешь, но настолько же неловко. Я поцеловала Алекса.

Стеф: *Я так и знала! И что?*

Рози: А он ничем не ответил мне.

Стеф: О... а ты этого ждала?

Рози: Самое печальное — да, ждала.

Стеф: Ой, Рози, как неприятно... но я уверена, что Алекс исправит ситуацию. Он, скорей всего, просто растерялся, наверняка он чувствует к тебе то же самое!!! Как здорово! Я всегда знала, что однажды между вами произойдет что-то в этом роде.

Рози: Если честно, я не понимаю, как это случилось. Я каждый вечер с тех пор, как вернулась домой, лежу в постели, смотрю в потолок и пытаюсь понять, что же со мной произошло. Может быть, я что-то не то съела? Откуда взялась во мне решительность? Может быть, он сказал что-то, что я неправильно поняла? Я пытаюсь убедить себя, что было что-то еще, что-то еще кроме той странной тишины.

Сначала нам нужно было столько обсудить, мы тараторили без умолку, перебивая и не слушая друг друга. И смеялись. Очень много смеялись. А когда перестали смеяться, наступила эта тишина. Странная спокойная тишина. Я никак не могу понять, что же это было.

Словно на мгновение весь мир застыл. Словно все люди вокруг нас исчезли. Словно мы вдруг забыли обо всем, что ожидало нас дома. Словно те несколько минут были созданы только для нас двоих. И все, что мы могли,— это смотреть друг на друга. Словно он увидел мое лицо впервые в жизни. Он смутился и в то же время обрадовался. И я тоже. Это был мой лучший друг, Алекс, он сидел на траве рядом со мной, и это было его лицо — его нос, его глаза, его губы, но все это было каким-то другим. И я поцеловала его. Я воспользовалась моментом и поцеловала его.

Стефани: Ух ты... и что он сказал?

Рози: Ничего.

Стефани: Ничего?

Рози: Не-а. Абсолютно ничего. Он просто посмотрел на меня.

Стефани: Тогда откуда ты знаешь, что он не почувствовал то же самое?

Рози: Потому что в это время прискакала Салли. Мы ждали ее, чтобы вместе пойти куда-то. Она была такая счастливая. Сразу же спросила, сообщил мне Алекс хорошие новости или еще нет. Казалось, он даже не сразу ее услышал. Ей пришлось щелкнуть пальцами перед нашими лицами. И тогда она спросила снова: «Алекс, милый, ты уже сообщил Рози хорошие новости?»

А он только моргнул, так что она обняла его и сказала сама. Они женятся. И я уехала домой.

Стефани: Рози...

Рози: Но что же это была за тишина?

Стефани: Мне понравилось то, как ты говоришь обо всем. Это было что-то очень хорошее.

Рози: Очень хорошее. Да...

***

Фил: Что за тишина?

Алекс: Просто странная тишина.

Фил: Да, но что ты имеешь в виду, говоря «странная»?

Алекс: Необычная, ненормальная.

Фил: Да, но это было хорошо или плохо?

Алекс: Хорошо.

Фил: И это плохо?

Алекс: Да.

Фил: Потому что...?

Алекс: Я помолвлен с Салли.

Фил: А у тебя была с ней такая «тишина»?

Алекс: У нас бывают *минуты тишины...*

Фил: У нас с Маргарет тоже, не всегда же нужно разговаривать.

Алекс: Но это было *другое*, Фил. Это была не просто тишина, это было... ох, я не знаю.

Фил: Черт возьми, Алекс.

Алекс: Да, Фил, да...

Фил: Ну хорошо — не женись на Салли.

Алекс: Но я люблю ее.

Фил: А Рози?

Алекс: Я не уверен.

Фил: Ну, тогда я не вижу проблем. Если бы ты любил Рози и не был уверен насчет Салли, *вот тогда* у тебя были бы проблемы. Женись на Салли и забудь про эту чертову тишину.

Алекс: Ты всегда умеешь расставить все по местам, Фил...

Дорогая Рози!

Мне очень жаль, что все так вышло. Ты не должна была так быстро уезжать из Бостона, нам нужно было поговорить... Прости, что я не сказал тебе про Салли до того, как ты приехала, но я хотел, чтобы вы сначала познакомились, и не хотел рассказывать по телефону. Видимо, зря...

Пожалуйста, не отдаляйся от меня, я уже несколько недель ничего от тебя не слышал. Я был очень рад видеть тебя... пожалуйста, напиши мне.

Не пропадай,

Целую,

Алекс

Алексу, или вернее — доктору Алексу!

ПОЗДРАВЛЯЕМ!

КАК СЛЕДУЕТ ХЛОПНИ САМ СЕБЯ ПО ПЛЕЧУ...

ТЫ СДЕЛАЛ ЭТО!!!

МЫ ЗНАЛИ, ЧТО ТЫ СМОЖЕШЬ!

Поздравляем тебя с окончанием Гарварда, юный гений!!'

Извини, что не можем поздравить лично.

Целуем, Рози и Кати

У вас входящее сообщение от: АЛЕКС

Алекс: Рози, я хочу, чтобы ты первая узнала об этом! Я решил стать кардиохирургом!

Рози: А за это хорошо платят?

Алекс: Рози, дело не в деньгах.

Рози: Там, откуда я родом, дело *всегда* в деньгах. Может быть, потому что у меня их нет. «Фабрика скрепок Энди-Кренделя» платит совсем не так солидно, как называется.

Алекс: Знаешь, а в моем мире речь идет о спасении жизней Так что скажешь? Ты одобряешь мой выбор?

Рози: Хммм… мой лучший друг будет лечить сердца… Ты можешь рассчитывать на мое одобрение.

***

От кого   Алекс
Кому   Рози
Тема   Спасибо!

Когда мы в последний раз разговаривали, я забыл поблагодарить вас с Кати за открытку. Эта открытка — единственная моя вещь в новой квартире. Мы с Салли переехали несколько недель назад. Будем очень рады, если вы с Кати приедете в гости… Кати обязательно должна навестить своего крестного папу! Это будет ее первый полет на самолете. Здесь прекрасный парк прямо через дорогу, там есть детская площадка. Кати понравится.

Квартира не очень большая, но я все равно почти не бываю дома, слишком много работы. Нужно выдержать еще

одно пожизненное заключение, на этот раз — в центральной больнице Бостона, и тогда я смогу стать настоящим
кардиохирургом. Я живу только этой надеждой, получая
гроши и работая от зари до зари.

Ладно, хватит обо мне. Что-то в последнее время я
слишком много говорю о себе. Напиши мне, расскажи, как
у тебя дела. Я не хочу, чтобы между нами было какое-то
напряжение, Рози.

Не пропадай.

Алекс

Алекс,
Счастливого Рождества!
*Пусть этот праздник будет наполнен любовью и ра-
достью для вас и ваших близких.*

Целуем,
Рози и Кати

Рози и Кати,
С НОВЫМ ГОДОМ!
Пусть этот год принесет вам много радости, любви и
счастья!

Целуем,
Алекс и Салли

Дорогая Стефани!

Ты не представляешь, какую открытку я получила сегодня утром. Я ужасно себя чувствовала и как раз устра-
няла разгром, оставшийся после рождественской вечеринки родителей, когда эта открытка прошествовала в
нашу дверь. Удивительно, что она пришла без оркестра!
«Па-ба-бам, встречайте прибытие невероятно печальной
поздравительной открытки!» (Кстати, на вечеринке был
наш замечательный дядюшка Брендон, как обычно, за-

глядывал мне в декольте. Он расспрашивал о тебе... много расспрашивал. Господи, какой он противный!) Когда я спустилась по лестнице, я обнаружила на полу не меньше тысячи бутылок из-под вина, к тому же чуть не убилась, споткнувшись о коробку от «Погони за призом»[1] (да, вот такая была ночка). В гостиной везде были дурацкие бумажные колпаки — висели на люстре, лежали в тарелках... и еще хлопушки, и эти дрянные игрушечки из них, знаешь, маленькие такие, в которые никто никогда не играет, и все это прямо на столе, поверх недоеденной еды, *такой бардак!*

Ты знаешь, Стеф, мы тоже, конечно, по молодости устраивали вечеринки, но мы все же старались не вести себя, как животные. А они кричали, пели (вернее, *пытались петь*), плясали (вернее, топали ногами, как дикари во время ритуальных танцев), и так *всю ночь*. Бедняжка Кати до того перепугалась от всего этого шума (она определенно не моя дочь!), что плакала всю ночь. Пришлось взять ее к себе в постель, и она раз десять за ночь двинула мне локтем под ребра. Наконец, часам к 6 или 7 утра все потихоньку начали расходиться, и я уже почти заснула, когда этот маленький монстр начал прыгать по мне и требовать еды!..

В общем, не самое лучшее настроение для того, чтобы читать это послание. У меня раскалывалась голова, я устала и мечтала только об одном — покончить с разгромом (в котором, впрочем, ничего страшного нет — в конце концов, это дом родителей, и они позволяют мне жить в нем совершенно бесплатно, так что я не жалуюсь), лечь в постель и хоть немного поспать в тишине.

Но тут пришла открытка.

---

[1] «Погоня за призом» — популярная настольная игра, ее телевизионный аналог в России назывался «Счастливый случай».

А на ней — чудная маленькая фотография Алекса и Салли в зимней одежде, в шапках, перчатках и т. д.... они стоят в парке, вокруг снег, и они вдвоем обнимают... снеговика. Снеговика, черт возьми.

И выглядят счастливыми до тошноты. Выпусклички Гарварда. Тьфу.

Как же это глупо — посылать фото, на котором ты со своей подружкой делаешь снеговика! Очень, очень глупо. Вот. А тем более посылать это мне! Какая наглость!

Надо будет отправить им фотографию меня и... меня и... Джорджа (воспитатель из детского садика, единственный мужчина, с которым я разговаривала за последние несколько дней), на которой мы прыгаем по лужам, дрожа от холода. Что бы они сказали, интересно?

О господи, никак не могу закончить. Извини. Надо успеть до того, как Кати допьет остатки вина из какой-нибудь закатившейся бутылки.

Да, кстати. Было очень приятно наконец познакомиться с Пьером, он очень милый парень. Вам нужно почаще приезжать домой. Мне очень нравится хоть иногда разговаривать с людьми примерно моего возраста.

С Новым годом тебя. Кто, интересно, выдумал такое поздравление?

Целую,
твоя праздничная и чрезвычайно радостная младшая сестра Рози

Рози!
С днем рождения, дорогая моя!
Добро пожаловать в ряды двадцатипятилетних! Мы взрослеем, Рози!
Пиши мне чаще!
Целую,
Алекс

АЛЕКС!

ПРЕГЛАШАЮ ВАС НА МОЕ 7-Е ДЕНЬ РОЖДЕНИЕ 4-ГО МАЯ У МИНЯ ДОМА. У НАС БУДЕТ ВАЛ-ШЕБНИК. НЕМОГУ ДОЖДАТЬСЯ. НАЧАЛО В 2 ЧАСА И УЙТИ МОЖНО БУДЕТ В 5 ЧАСОВ.

ЦЕЛУЮ КАТИ

Дорогая Кати!

Прости, но я не смогу приехать к тебе на день рожде-ния. Судя по тому, что будет волшебник, должно быть очень весело. Но у тебя будет столько друзей, что ты даже не заметишь, что меня нет!

У меня щас очень много работы в больнице, и мне не разрешают взять выходной. Я сказал, что у тебя день рож-дения, но меня не послушали!

Я послал тебе маленький подарок, надеюсь, он тебе по-нравится. С днем рождения, Кати, позаботься для меня о своей мамочке. Она у тебя необыкновенная.

Крепко целую тебя и маму,

Алекс

АЛЕКСУ

СПАСИБО ЗА ПОДАРОК НА ДЕНЬ РОЖДЕНИЕ. МАМОЧКА ПЛАКАЛА КОГДА Я ЕГО ОТКРЫЛА. У МЕНЯ РАНЬШЕ НИКОГДА НЕ БЫЛО МЕДАЛЬО-НА. ВАШИ С МАМОЧКОЙ ФОТОГРАФИИ ОЧЕНЬ МАЛЕНЬКИЕ.

ВАЛШЕБНИК БЫЛ ХОРОШИЙ НО МОЙ ЛУЧ-ШИЙ ДРУК ТОБИ СКАЗАЛ ЧТО ОН МОШЕННИ-ЧАЕТ И ПОКАЗАЛ ВСЕМ ГДЕ ОН ПРЯЧЕТ КАРТЫ. ОН ОЧЕНЬ РАЗОЗЛИЛСЯ НА ТОБИ. МАМОЧКА ТАК СМИЯЛАСЬ ЧТО ВАЛШЕБНИКУ ОНА НАВЕР-НО ТОЖЕ НЕПОНРАВИЛАСЬ. ТОБИ НРАВИТСЯ МАМА.

МНЕ ПОДАРИЛИ МНОГО ЧУДЕСНЫХ ПОДАР-
КОВ НО ЭВРИЛ И ШИНЕЙД ПОДАРИЛИ ОДНО И ТО
ЖЕ. МЫ С МАМОЧКОЙ СКОРО ПЕРЕЕЖЖАЕМ
Я БУДУ ОЧЕНЬ СКУЧАТЬ ПО БАБУШКЕ И ДЕДУШКЕ
И Я ЗНАЮ МАМОЧКА ТОЖЕ ГРУСТИТ ПОТОМУ ЧТО
Я СЛЫШАЛА КАК ОНА ВЧЕРА ПЛАКАЛА В ПОСТЕЛИ.

НО МЫ НЕ ОЧЕНЬ ДАЛЕКО ПЕРЕЕЖЖАЕМ. ОТ
БАБУШКИ И ДЕДУШКИ ДО НАС МОЖНО ДОЕХАТЬ
НА АВТОБУСЕ. ЭТО НЕ ОЧЕНЬ ДОЛГО И МЫ ЩАС
ЖИВЕМ БЛИЖЕ К МАГАЗИНАМ И МОЖЕМ ХОДИТЬ
ПЕШКОМ.

ОНА НАМНОГО МЕНЬШЕ ЧЕМ КВОРТИРА В КО-
ТОРОЙ МЫ ЩАС. МАМОЧКА ГОВОРИТ ЧТО МЫ
БУДЕМ ЖИТЬ В КОРОБКЕ ОТ ТЕЛЕВИЗОРА! ТАМ
2 СПАЛЬНИ И МАЛЕНЬКАЯ КУХНЯ. ТАМ МОЖНО
ТОЛЬКО ЕСТЬ И СМОТРЕТЬ ТЕЛЕК. У НАС ЕСТЬ
БАЛКОН И ЭТО ЗДОРОВО НО МАМА НЕРАЗРЕША-
ЕТ МНЕ СТОЯТЬ НА НЕМ ОДНОЙ.

ЗА ОКНОМ ВИДНО ПАРК. МАМОЧКА ГОВОРИТ
ЧТО ПАРК ЭТО НАШ САД И ЧТО У НАС САМЫЙ
БОЛЬШОЙ САД В МИРЕ.

МАМОЧКА ГОВОРИТ ЧТО Я МОГУ РАСКРАСИТЬ
СВОЮ КОМНАТУ ЛЮБЫМ ЦВЕТОМ КАКИМ ХОЧУ.
Я ДУМАЮ Я РАСКРАШУ ЕЕ РОЗОВЫМ ИЛИ ФИО-
ЛЕТОВЫМ ИЛИ ГОЛУБЫМ. ТОБИ ГОВОРИТ НУЖНО
ПОКРАСИТЬ В ЧЕРНЫЙ. ОН СМЕШНОЙ.

У МАМОЧКИ НОВАЯ РАБОТА. ОНА РАБОТАЕТ
ВСЕГО НЕСКОЛЬКО ДНЕЙ В НЕДЕЛЮ И МОЖЕТ
ИНОГДА ЗАБИРАТЬ МЕНЯ СО ШКОЛЫ А В ОС-
ТАЛЬНОЕ ВРЕМЯ НЕМОЖЕТ. Я ИГРАЮ С ТОБИ
ПОКА ОНА НЕ ПРИДЕТ ДОМОЙ. ЕГО МАМА ВСЕ-
ГДА ПРИВОДИТ ЕГО И ЗАБИРАЕТ ПОТОМУ ЧТО
ОНИ ГОВОРЯТ ЧТО МЫ ЕЩЕ СЛИШКОМ МАЛЕНЬ-
КИЕ ЧТОБЫ ЕЗДИТЬ НА АВТОБУСЕ. Я НЕ ДУМАЮ

ЧТО МАМЕ НРАВИТСЯ РАБОТА. ОНА ВСЕ ВРЕМЯ УСТАВШАЯ И ПЛАЧЕТ. ОНА ГОВОРИТ ЧТО ОНА БЫ ПРЕТПОЧЛА ВЕРНУТСЯ В ШКОЛУ И ХОДИТЬ НА ДВА УРОКА МАТЕМАТИКИ ПОДРЯД. Я НЕ ЗНАЮ ЧТО ОНА ИМЕЕТ В ВИДУ. МЫ С ТОБИ НИ-НАВИДИМ ШКОЛУ НО ОН ВСЕГДА МЕНЯ СМИ-ШИТ. МАМОЧКА ГОВОРИТ ЧТО ОНА УСТАЛА ХО-ДИТЬ К МОЕЙ УЧИТЕЛЬНИЦЕ МИССИС КЕЙСИ. БАБУШКА И ДЕДУШКА СЧИТАЮТ ЧТО ЭТО СМЕШНО. У МИССИС КЕЙСИ САМЫЙ БОЛЬШОЙ НОС НА СВЕТЕ. ОНА НЕНАВИДИТ НАС С ТОБИ. Я ДУМАЮ ЧТО ЕЙ МАМА ТОЖЕ НЕНРАВИТСЯ ПО-ТОМУ ЧТО ОНИ ВСЕГДА РУГАЮТСЯ КОГДА ВИ-ДЯТ ДРУГ ДРУГА.

У МАМЫ НОВАЯ ПАДРУГА. ОНИ РАБОТАЮТ В ОДНОМ ЗДАНИИ НО В РАЗНЫХ КОМНАТАХ. ОНИ ВСТРЕЧАЮТСЯ СНАРУЖИ НА ХОЛОДЕ ПОТОМУ ЧТО ОНИ ДОЛЖНЫ КУРИТЬ СНАРУЖИ. МАМА ГО-ВОРИТ ЧТО ЭТО ЛУЧШАЯ ПАДРУГА В ЕЕ ЖИЗНИ. ЕЕ ЗОВУТ РУБИ И ОНА ОЧЕНЬ СМЕШНАЯ. Я ЛЮБ-ЛЮ КОГДА ОНА ПРИХОДИТ К НАМ. ОНИ С МАМОЙ ВСЕ ВРЕМЯ СМИЮТСЯ. МНЕ НРАВИТСЯ КОГДА РУ-БИ ЗДЕСЬ ПОТОМУ ЧТО МАМА НЕ ПЛАЧЕТ.

В ДУБЛИНЕ ЩАС ОЧЕНЬ СОЛНЕЧНО. МЫ С МА-МОЙ БЫЛИ НА ПЛЯЖЕ В ПОРТМАРНОКЕ НЕ-СКОЛЬКО РАЗ. МЫ ЕХАЛИ НА АВТОБУСЕ И ТАМ ВСЕГДА МНОГО ЛЮДЕЙ В КУПАЛЬНИКАХ ОНИ ЕДЯТ МОРОЖЕНОЕ И СЛУШАЮТ ГРОМКО МУЗЫ-КУ. Я БОЛЬШЕ ВСЕГО ЛЮБЛЮ ЕХАТЬ НАВЕРХУ В АВТОБУСЕ, Я САЖУСЬ ВПЕРЕДИ И ДЕЛАЮ ВИД, ЧТО РУЛЮ, А МАМА ЛЮБИТ СМОТРЕТЬ В ОКНО НА ВСЮ ЭТУ ВОДУ ПО ДОРОГЕ. Я УЧУСЬ ПЛАВАТЬ. НО МНЕ НУЖНО В МОРЕ НАДЕВАТЬ НАДУВНЫЕ ПОВЯЗКИ НА РУКИ. МАМА ГОВОРИТ ЧТО ОНА ХО-

ЧЕТ ЖИТЬ НА ПЛЯЖЕ. ОНА ГОВОРИТ ЧТО ОНА ХО-
ТЕЛА БЫ ЖИТЬ НА ОСТРОВЕ!

КОГДА ТЫ ПРИЕДЕШЬ К НАМ В ГОСТИ? МАМОЧ-
КА ГОВОРИТ ЧТО ТЫ ЖЕНИШЬСЯ НА ДЕВУШКЕ ПО
ИМЕНИ БИМБО[1]. ОЧЕНЬ СМЕШНОЕ ИМЯ.

ЦЕЛУЮ,
КАТИ

---

[1] Bimbo — баба, девка (*англ.*).

Глава 9

У вас входящее сообщение от: РУБИ

Руби: Приветик, поздравляю с началом рабочей недели.

Рози: Вот спасибо, подожди минутку, я открою шампанское.

Руби: Что делала в выходные?

Рози: *О, ты только послушай! Я так хотела тебе рассказать, это потрясающе! Ты даже не поверишь, я...*

Руби: Мне чудится сарказм. Дай-ка догадаюсь, ты смотрела телевизор.

Рози: Позвольте представить вам Руби — величайшую ясновидящую нашего времени!!! Мне пришлось включить его на полную мощность, чтобы хоть как-то заглушить истошные вопли этой семейки из соседней квартиры. Когда-нибудь они друг друга поубивают. Не могу дождаться этого дня. Бедняжка Кати очень нервничала, мне пришлось отправить ее к Тоби.

Руби: *Как странно, неужели есть люди, которые не знают слова РАЗВОД?*

Рози: Ну да, твое любимое слово.

Руби: Я буду тебе признательна, если ты перестанешь устраивать из этого цирк. Между прочим, это был самый

74

тяжелый период моей жизни, я до сих пор чувствую себя разбитой и опустошенной.

Рози: Ой, не надо! День развода был счастливейшим днем твоей жизни! Ты купила бутылку самого дорогого шампанского, мы назюзюкались, пошли в клуб, и ты подцепила самого уродливого мужика, какого только можно себе представить...

Руби: Каждый горюет по-своему...

Рози: Ты уже закончила печатать эту чушь для Энди-Кренделя?

Руби: Еще нет. А ты?

Рози: Нет.

Руби: Ну и хорошо, давай в качестве вознаграждения за отличную работу выпьем кофе. Нам не стоит особо перетруждаться. Я слышала, что это очень опасно. Захвати сигареты, а то я свои забыла.

Рози: Хорошо, встретимся внизу через пять минут.

Руби: Это свидание. Боже, как волнующе. У нас так давно этого не было...

У вас входящее сообщение от: РУБИ

Руби: Ну и где ты, черт побери? Я полчаса ждала в кафе! Мне пришлось заставить себя съесть *целых две* шоколадные булочки и, *кроме того,* кусок яблочного пирога. Это *ужасно,* Рози... если бы ты видела...

Рози: Прости, Энди-Крендель не дал мне выйти.

Руби: Ах он рабовладелец проклятый! Ты должна пожаловаться начальству, пусть этого придурка уволят.

Рози: Он и есть начальство.

Руби: Ах, ну да.

Рози: Ну, если честно, Руби, он, конечно, скотина, но мы всего час назад делали перерыв... и это был третий перерыв за последние три часа...

Руби: Ты превращаешься в одну из НИХ!

Рози: А что делать, мне надо кормить ребенка.

Руби: Мне тоже.

Рози: Твой ребенок уже сам себя кормит, Руби.

Руби: Ах, не трогай моего пупсика.

Рози: Ему уже 17.

Руби: Да, и он достаточно взрослый, чтобы иметь собственного ребенка, если судить по тебе…

Рози: Не волнуйся, с ним все будет в порядке. Главное, чтобы ему не пришлось идти на выпускной с самым скучным мужчиной на свете, с самым страшным уродом, какой только может быть, а то он выпьет весь имеющийся алкоголь, и этот мужчина покажется ему и привлекательным, и остроумным, и… в общем, остальное ты знаешь.

Руби: Ты думаешь, мой сын — латентный гомосексуалист?

Рози: Нет! Я просто хотела сказать…

Руби: Да знаю я, что ты хотела сказать. А я тебе скажу, что мой бедняжка сынок и будет тем мужчиной, на которого покусится только самая пьяная девушка на балу…

Рози: РУБИ!! Нельзя так говорить про своего сына!!

Руби: Ну а почему нет, я же люблю его всем сердцем, но лучше бы он унаследовал внешность не от матери. Ладно, скажи-ка мне, когда ты собираешься с *кем-нибудь*, *хоть с кем-нибудь* встречаться?

Рози: Руби, мы *не будем* снова это обсуждать. Все, кого ты мне пыталась всучить, были настоящими уродами! Я не знаю, где ты берешь этих мужчин, и *совершенно* не хочу этого знать, но после прошлого уик-энда, уверяю тебя, я никогда больше не пойду в «Джойз». Впрочем, кто бы говорил! Когда, интересно, ты сама в последний раз ходила на свидание?

Руби: Это совсем другое дело! Я на десять лет тебя старше, и к тому же только что прошла через тяжелый бракоразводный процесс, и еще у меня 17-летний сын, который объясняется со мной исключительно невнятными хрюкающими звуками — его отец, похоже, был обезьяной (то есть я знаю это наверняка)... в общем, у меня нет времени на мужчин!

Рози: Ну, у меня тоже.

Руби: Рози, дорогая, тебе всего 25, у тебя впереди как минимум лет десять. Ты должна наслаждаться жизнью. Не пытайся в одиночку справиться со всеми мировыми проблемами — это моя участь. И перестань ждать его.

Рози: Перестать ждать кого?

Руби: Алекса.

Рози: Я не понимаю, о чем ты! Я не жду Алекса!

Руби: Ждешь, дорогая моя. Похоже, он стоящий мужик, раз никто другой не может с ним сравниться. Ты ведь именно этим занимаешься каждый раз, когда знакомишься с кем-то: ты сравниваешь. Я уверена, что он чудесный друг, что ты видела от него только хорошее, но ведь его здесь нет. Он за тысячу миль отсюда, работает доктором в огромной больнице, живет в шикарной квартире со своей чудесной юной докторшей. Маловероятно, чтобы он планировал в ближайшее время все это бросить, вернуться сюда и жить в крохотной комнатушке с матерью-одиночкой, работающей на фабрике скрепок, сумасшедшая подруга которой присылает ей письма каждые несколько минут. Так что перестань ждать и иди дальше. Живи своей жизнью.

Рози: Я не жду.

Руби: Рози...

Рози: Мне нужно работать.

Связь с РОЗИ прервана.

Дорогие Рози и Кати Дюнн!
Шелли и Бернард Грюбер счастливы пригласить Вас на церемонию бракосочетания своей любимой дочери Салли и Алекса Стюарта.

Ты меня очень расстроила своим письмом! Ты не можешь не пойти на свадьбу Алекса! Это немыслимо!

Это же *Алекс*! Алекс, который спал у тебя на полу в спальном мешке, кто забирался в мою комнату, читал мой дневник и копался в моем белье! Маленький Алекс, за которым ты гонялась по улице, стреляя в него из банана вместо пистолета! Алекс, с которым ты двенадцать лет сидела за одной партой!

Он был рядом с тобой, когда появилась Кати. Он так старался помочь тебе, хотя ему наверняка было очень трудно смириться с тем фактом, что это ребенок Рози, малышки Рози, которая спала в спальном мешке *у него* на полу.

Поезжай к нему, Рози. Празднуй вместе с ним. Раздели с ним его счастье и радость. Будь счастлива за него! Пожалуйста! Я уверена, что ты сейчас очень нужна ему, для него важно, чтобы его лучшая подруга была рядом с ним. Постарайся подружиться с Салли — она теперь главный для него человек. Ведь он подружился с главным для тебя человеком — с Кати. Если ты не поедешь, ты своими руками разрушишь самую крепкую дружбу из всех, что я видела.

Я знаю, тебе все еще неловко за то, что случилось несколько лет назад, но постарайся проглотить свою гордость. Ты должна быть на этой свадьбе, потому что *Алекс* хочет, чтобы ты была там *ради него*; и ты будешь там, потому что *тебе* это нужно *для тебя самой*.

Прими правильное решение, Рози.

Дорогая Рози!

Привет! Я уверен, что ты уже получила наше чудесное приглашение. Салли месяца три его выбирала. Я не знаю — наверное, золотой ободок на кремовой открытке сильно отличается от такого же ободка на белой... ох, эти женщины...

Я думаю, не пора ли уже начинать волноваться, ведь мама Салли все еще не получила от тебя RSVP[1]! Мне-то, конечно, этого не нужно — я ни секунды не сомневаюсь в том, что ты приедешь!

Я хочу кое о чем попросить тебя. Не хотел говорить по телефону, чтобы дать тебе время подумать. Рози, для нас с Салли было бы большой честью, если бы ты позволила Кати нести цветы на нашей свадьбе[2]. Подумай над этим, но не тяни с ответом, ведь нужно будет выбрать платье.

Кто мог представить, что все так сложится, Рози?! Если бы десять лет назад кто-то сказал нам, что *твоя дочь* будет нести цветы на *моей свадьбе*, мы бы с ума сошли от смеха. Видишь, как все повернулось. Я сам не могу в это поверить.

У меня есть еще одна просьба. Ты моя лучшая подруга, Рози, самая близкая моя подруга, ты знаешь об этом. Проблема в том, что у меня нет шафера. Ты согласишься быть моим шафером, подружкой жениха? Сможешь встать рядом со мной у алтаря? Я очень хочу, чтобы ты была там рядом со мной! Я уверен, что и мальчишник ты организуешь куда лучше, чем любой из моих здешних приятелей!

Подумай об этом. И соглашайся!

Целую тебя и Кати,

Алекс

---

[1] RSVP — Respondez s'il vous plaiet (*франц.*) — «Просьба ответить», отметка на официальном приглашении, указывающая на необходимость ответа.

[2] По сложившейся традиции, во время церемонии бракосочетания впереди невесты идут «девочки с цветами», которые несут букеты, корзины с цветами или разбрасывают лепестки роз.

Рози: Черт, ты не поверишь.

Руби: У тебя свидание.

Рози: Нет, еще более невероятные новости. Алекс попросил меня быть у него шафером.

Руби: Но это же не значит, что ты будешь стоять слева от него в церкви???

Рози: Ну... нет... справа.

Руби: А как же его брат?

Рози: Он будет церемониймейстером или что-то в этом роде.

Руби: Да ты что, он это серьезно?

Рози: Ага. Похоже на то.

Руби: Я думаю, тебе пора перестать ждать его, дорогая.

Рози: Да. Видимо, да.

Глава 10

Моя речь подружки жениха

Добрый вечер всем, меня зовут Рози, и, как вы видите, Алекс пошел нетрадиционным путем и попросил меня
быть сегодня его шафером — подружкой жениха. Хотя
все мы, конечно, знаем, что с нынешнего дня лучшей подружкой этого жениха может зваться только одна женщина — Салли.

Я могла бы назвать себя «лучшим другом», но думаю,
что и это звание больше не принадлежит мне. Оно тоже отныне переходит к Салли.

Однако есть кое-что, что принадлежит только мне и останется у меня навсегда. Это — мои воспоминания. Я помню Алекса и ребенком, и подростком, и почти мужчиной,
и хотя я уверена, что он с удовольствием забыл бы об этом,
сегодня я ему напомню. (Надеюсь, здесь они все рассмеются...)

Мы знакомы с пяти лет. Я в первый раз пришла в школу, у меня были заплаканные глаза и красный нос, к тому
же я опоздала на полчаса.... (Почти уверена, что Алекс
выкрикнет: «Давай что-нибудь новенькое!») Меня посадили на последнюю парту рядом с растрепанным сопливым

мальчишкой, который не разговаривал со мной и даже не смотрел в мою сторону. Я его возненавидела.

Я знала, что он тоже меня ненавидит. Он пинал меня под столом и жаловался учительнице, что я списываю. Таким было начало нашей дружбы. Мы сидели рядом каждый день в течение двенадцати лет, обсуждали учителей, друзей и подружек, мечтали скорее повзрослеть, поумнеть и закончить школу, мечтали о другой жизни, в которой у нас никогда не будет двух уроков математики подряд.

Сейчас я очень горжусь Алексом. Я счастлива за него, счастлива, что в ~~противной умненькой~~ Салли он нашел все то, что искал.

Я прошу вас поднять бокалы и выпить за Алекса и за его нового лучшего друга, лучшую подругу и жену Салли. Пожелаем им удачи и счастья и развода!

За Алекса и Салли!

КАК-ТО ТАК. ЧТО СКАЖЕШЬ, РУБИ?

У вас входящее сообщение от: РУБИ

Руби: Невероятно тошнотворно. Им должно понравиться. Удачи, Рози. Не плачь и главное — НЕ ПЕЙ

* * *

Рози!

Привет с Сейшельских островов! Рози, спасибо тебе огромное за прошлую неделю! Как было весело! Я даже не ожидал, что будет такая прекрасная свадьба, ведь ты превратила ее в настоящий праздник. Не переживай — вряд ли кто-то на церемонии заметил, что ты была пьяна (могли заметить во время речи — но это только забавно), разве что священник слегка опешил, когда ты икнула в тот момент, когда я должен был сказать: «Да».

Я не очень хорошо помню, что происходило на мальчишнике, но говорят, что было здорово, и ребята все еще продолжают обсуждать его. По-моему, Салли немного расстроилась, что ей пришлось выходить замуж за мужчину с одной бровью (я знаю, что это твои проделки!), но мне наплевать, что там кто говорит. На всех свадебных фото я снят с левой стороны, но это не страшно — Салли утверждает, что это моя лучшая сторона. А ты, помнится, всегда считала, что лучше всего я выгляжу с затылка. Свадьба удалась, правда? Я думал, что весь день проведу на нервах, но ты так меня смешила, что я даже не успел поволноваться. Правда, нам не стоило так хохотать, когда делали свадебные фото: нет ни одного снимка, на котором у нас не перекошены лица. Семья Салли от тебя в шоке. Если честно, они не были в восторге от самой идеи, что моим шафером будет девушка, но зато ты очень понравилась папе Салли. Это правда, что ты заставила его выпить залпом стакан текилы?!

Мои родители были *так* рады увидеть вас с Кати. Забавно, мама сказала, что Кати — вылитая ты в восемь лет. Я думаю, что она втайне считает, что это *и есть* ты и что мне тоже всего лишь восемь. У нее весь день глаза были на мокром месте! И они все никак не могут успокоиться, какая ты была красивая в этом платье! Как будто невеста — это ты!

Ты правда была очень красивой, Рози. Кажется, я никогда раньше не видел тебя в платье (не считая тех времен, когда ты была в возрасте Кати). Наверное, увидел бы, если б попал тогда на выпускной. Господи, ты только послушай, что я говорю! Как старик, честное слово.

Все вспоминают твою чудесную речь, и по-моему, все мои друзья от тебя без ума. Не знаю, что ты будешь делать с их телефонными номерами. Кстати, Рози, что бы ты там ни говорила, ты моя лучшая подруга. Ты всегда будешь моей лучшей подругой. Знай это.

Семейная жизнь пока идет отлично. Мы женаты десять дней, так что пока у нас было, щас посчитаю... всего десять ссор. Во как. Мне кажется, я где-то читал, что так и должно быть в нормальных отношениях... Так что я не беспокоюсь. Этот остров, где мы щас, — сказочное место, что не может не радовать, потому что оно обошлось нам в целое состояние. Мы живем в маленьком деревянном домике на высоких сваях, вроде хижины. Здесь очень красиво. Вода — бирюзового цвета и настолько прозрачная, что можно рассматривать рыбок внизу. Это просто рай, тебе бы понравилось. Вот это — *тот самый* отель, в котором ты должна была бы работать, Рози. Представь себе — твой офис прямо на берегу моря...

Знаешь, я бы с удовольствием валялся на пляже целыми днями, попивая коктейли, но Салли все время хочет что-то делать, так что меня то волокут в море, то я уже болтаюсь в небесах, чудом держась на какой-то загадочной конструкции. Я не удивлюсь, если обедать мы будем под водой в аквалангах.

Я купил вам с Кати маленькие подарки, надеюсь, они в целости доберутся до вашего дома. Здесь они считаются своего рода талисманами, и я верю, что они принесут тебе удачу. Помнишь, в детстве ты всегда собирала на пляже ракушки? Теперь у тебя будет ожерелье из самых красивых ракушек, какие только бывают.

Ну что ж, мне пора. Наверное, во время медового месяца не принято рассылать открыток, не говоря уж о том, чтобы писать целые романы (по крайней мере, по мнению Салли — так что я лучше пойду). Наверняка у нее опять какие-то сумасшедшие планы: например, запрячь дельфина в водные лыжи.

Помоги мне, господи, во что я ввязался...

Целую,

Алекс

PS: Я скучаю по тебе!

У вас входящее сообщение от: РУБИ

Руби: Я видела тебя через окно, что это у тебя за чертовщина на шее? Это что, ракушки?

Рози: Это на удачу.

Руби: Держите меня!.. И что, уже повезло в чём-нибудь?

Рози: Сегодня утром я не опоздала на автобус.

Руби: Ой, не могу!

Рози: Отстань.

Связь с РОЗИ прервана.

От кого	Рози
Кому	Руби
Тема	Ты не поверишь.

Я тебе сейчас пришлю письмо, которое Кати получила от Салли. Мне очень интересно, что ты скажешь.

Кати!

Спасибо, что приехала на мою свадьбу. Все говорят, что ты была очень красивая, совсем как маленькая принцесса.

Мы с Алексом сейчас отдыхаем в чудесном месте под названием Сейшельские острова, как раз там, где хотела бы жить твоя мамочка. Передай ей, что здесь чудесно, очень тепло и солнечно, можешь показать ей нашу с Алексом фотографию на пляже, чтобы она могла представить себе, как всё это выглядит. Мы очень счастливы и очень любим друг друга.

Посылаю тебе ещё одну фотографию со свадьбы, где мы вместе — ты, я и Алекс. Можешь поставить её в рамочку у себя дома. Надеюсь, она тебе понравится.

Позвони нам,

целую,

Салли

У вас входящее сообщение от: РУБИ

Руби: Похоже, эта красавица просто пытается пометить территорию.

Рози: И для этого нужно отправлять письмо восьмилетней девочке???

Руби: Ну, она же знала, что оно попадет тебе в руки. Довольно глупо, конечно. Не позволяй Салли действовать тебе на нервы. Она пытается дать тебе понять, кто теперь девушка Алекса. Кстати, почему она это делает, ты что, дала ей какой-то повод для подозрений?

Рози: Да нет же! Если бы!

Руби: Рози?

Рози: Ну, может быть, она нервничает из-за того, что на свадьбе мы с Алексом больше веселились, чем она сама.

Руби: В точку!

Рози: Руби, но мы всегда так себя ведем, это не флирт, это ничего не значит. Нам хорошо вместе. Она, кстати, даже улыбки из себя не выдавила за целый день, только поджимала губы и фыркала на всех.

Руби: Я-то тебе верю, а вот другие не поверят. В любом случае, не злись и не обращай на нее внимания.

Рози: Да не волнуйся, я не собираюсь отвечать. Просто неприятно, что у нее не хватило мозгов не втягивать в свои интриги мою дочь.

Руби: Не волнуйся за Кати, она умница. Вся в мать.

Салли!

Спасибо за письмо. Я рада, что Вам понравилось мое платье, хотя на Вашем месте я бы выбрала для свадьбы более красивое платье, например, как у моей мамы. Все говорили, что оно очень хорошо подходит к смокингу Алекса. Они прекрасно смотрелись вместе, правда? Я показала маме и Тоби (это мой лучший друг) фотографию, где Вы с Алексом на пляже, и Тоби сказал, что у Вас, наверное, все очень болело после этих солнечных ожогов. На вид действительно очень больно.

На этом пока все. Мне нужно идти, потому что скоро сюда придет мамин новый приятель. Передайте Алексу привет от меня, мамы и Тоби.

Целую,
Кати
Ххх

Глава 11

От кого	Алекс
Кому	Рози
Тема	Тайный приятель

Я только вернулся после медового месяца, а ты, коварная девица, даже словом не обмолвилась про своего нового приятеля! Салли не могла дождаться момента, чтобы рассказать мне. Это было очень мило с ее стороны. А ты знала, что Кати и Салли переписываются? Я очень удивился.

Так почему же ты ничего не сказала про этого парня, когда приезжала на свадьбу? Ты же всегда мне все рассказываешь. Ну, давай! Какой он? Как его зовут? Где вы познакомились? Как он выглядит? Чем занимается? Надеюсь, он зарабатывает кучу денег и хорошо с тобой обращается, а иначе я приеду и задушу его собственными руками.

Видимо, мне нужно будет слетать в Дублин, чтобы познакомиться с этим парнем. Как лучший друг я должен дать свое одобрение.

В общем, расскажи мне все подробно (ну, может быть, не во *всех* подробностях).

Привет, Стефани!

Пишу узнать, как у тебя дела, дорогая, и поделиться с тобой хорошей новостью. Я уверена, что Рози еще ничего тебе не говорила, она вообще предпочитает об этом помалкивать — но у нее появился мужчина! Мы все так рады за нее, она выглядит такой счастливой, эти голубые глазки больше не грустят. Теперь она снова похожа на прежнюю Рози.

Вчера она пригласила его к нам на обед, и я должна сказать, что он очень обаятельный. Его зовут Грег Коллинз, он работает менеджером в банке «AIB» в Фэйрвью.

Он немного выше Рози, у него приятное лицо. Ему тридцать с чем-то, насколько я поняла, и он изумительно обращается с Кати. Он без конца придумывает для нее какие-то игры, и это очень забавно выглядит. Ты же понимаешь, как сложно Рози найти кого-то, кто нравился бы и ей самой, и Кати. Я всегда говорила, что здесь ни в коем случае не должно быть компромиссов. Она часто ходила на свидания с каким-то человеком только потому, что тот нравился Кати! Но, как я уже сказала, Кати обожает Грега. Я так рада, что Рози наконец нашла хорошего парня.

Как твоя работа? Конечно, ни минуты свободной? Не перетруждайся в этом ресторане, дорогая, оставляй немного времени и для себя. Мы с твоим папой собираемся ненадолго навестить тебя. Что скажешь? Напиши нам, когда будешь свободна, мы подстроимся под твои планы. Передавай привет Жан-Пьеру.

Я очень соскучилась по тебе.

Целую,
мама

От кого	Рози
Кому	Алекс
Тема	Re: Тайный приятель!

Ну вот, моя маленькая тайна раскрыта, большое спасибо болтушке Кати! На свадьбе я ничего не сказала тебе про Грега (так его зовут), потому что тогда мы еще не встречались. Мы познакомились в ночном клубе «Танцующая Корова» (это очень длинная история!) прямо перед моим отъездом в Бостон, он взял у меня телефон и предложил встретиться, но тогда я отказалась. Видимо, свадьба настроила меня на романтический лад, потому что сразу же по возвращении я позвонила ему.

Ах, Алекс, обо мне никогда никто так не заботился! Он водил меня по ресторанам, о которых я раньше только читала в журналах, он такой романтичный, мы провели удивительный уик-энд за городом... ладно, ладно, я помню, что ты просил не рассказывать *во всех* подробностях.

Итак: ему тридцать пять, он работает в банке в Фэйрвью, он не очень высокий (примерно моего роста), но и не очень маленький... в общем, если бы вы встали рядом, ты мог бы рассмотреть его макушку во всех подробностях. У него волосы песочного цвета и голубые глаза!

Он каждый раз приносит Кати подарки. Я знаю, что это неправильно, но мне нравится видеть, как он балует ее, ведь все эти годы я не могла себе такого позволить. Не могу поверить, что встретила мужчину, который не возражает, что у меня есть дочь. Обычно мужчины, узнав об этом, сразу начинают искать предлог, чтобы откланяться. И еще поразительно, что нам с Кати наконец понравился один и тот же человек. Она же предпочитает всяких молоденьких красавчиков, как будто подбирает их для себя. По ее мнению, идеальный мужчина — это тот, кто всегда готов играть, постоянно строит рожи, дурачится и носит разноцветную одежду, как ведущие в воскресных телешоу. А если смотреть правде в глаза, я не могу себе позволить быть слишком привередливой.

Но, похоже, я нашла его. Он очень добрый, заботливый и чуткий. Я думаю, мне очень повезло. Может быть, это и не навсегда, но сейчас я очень счастлива, Алекс. Последние лет, наверное... десять (!) мне было очень трудно, но сейчас я начала понимать. что мы с Кати — одно целое, и если мужчина не будет любить нас обеих, пусть идет своей дорогой.

Мне кажется, что сейчас я встретила именно того, кого искала. Остается только молиться.

PS: Я обратила внимание, что ты больше не говоришь про Ирландию как про свой дом... теперь твое сердце — в Бостоне.

От кого	Алекс
Кому	Рози
Тема	Ого, Рози влюбилась!

Ооооо, судя по всему, Рози влюбилась!

В банковского служащего, который ходит в клуб под названием «Танцующая Корова»??? Какой банковский служащий (какой вообще нормальный мужчина) пойдет в «Танцующую Корову»? Откровенно говоря, вы со своей Руби, похоже, совершенно слетели с катушек, хотя я ничего другого от вас и не ждал. Что-то я не уверен, что этот мужчина — именно тот, кто тебе нужен.

И еще. Меня немного задело твое прошлое письмо. Что ты хочешь сказать вот этим: «Я наконец встретила мужчину, который не имеет ничего против того, что у меня есть дочь»? По-моему, я всегда очень заботился о вас с Кати. Я всегда вас навещаю, когда есть возможность, и вожу тебя по всем твоим любимым ресторанам, и приношу подарки своей крестнице.

Ладно, мне пора — было две смены в больнице, я очень устал.

От кого	Рози
Кому	Алекс
Тема	Спасибо за заботу!

Спасибо тебе за твою заботу, за то, что порадовался за меня. Может быть, ты не заметил, но у час с тобой нет никаких романтических отношений. А дружба и любовь, как ты понимаешь,— две совершенно разные вещи. Да, ты прекрасный друг (внимательный и добрый), ты прощаешь мне все мои недостатки, и мало кто из мужчин способен на это. Но тебя нет рядом со мной.

Ладно, я не хочу выяснять отношения. Надеюсь, в семейной жизни все прекрасно!

У вас входящее сообщение от: РУБИ

Руби: Что Кати сказала Салли???

Рози: Так странно, правда? Кати написала об этом, когда я сходила с Грегом всего лишь на *одно* свидание!

Руби: Ух ты, наверное, он действительно ей понравился, раз она сразу же начала о нем рассказывать. Зато теперь Салли уверена, что ты наконец уберешь свои лапы от ее мужа.

Рози: Наплевать мне на нее, у меня теперь есть Грег!

Руби: Тьфу, меня уже тошнит от тебя. Ты становишься похожа на кого-то из этих омерзительных парочек, которых мы раньше ненавидели. Вы с Грегом — хуже, чем влюбленные подростки. Похоже, мне пора искать себе другую подружку. Когда мы вместе куда-то ходим, я каждый раз чувствую себя третьей лишней.

Рози: Ой, ну не ври совсем-то уж! Когда бы я на тебя ни посмотрела, за тобой вечно кто-то увивается. Ты всегда в центре внимания!

Руби: А что мне еще остается... да и что ты могла видеть, вы же с Грегом беспрерывно целовались... Кстати, мне звонил вчера вечером тот парень, так что я подумала...

У вас входящее сообщение от: ГРЕГ

Грег: Здравствуй, моя красавица, как твои дела?

Рози: Ой, привет! Все как обычно... хотя сейчас уже намного лучше!

Руби: Эй? Ты еще здесь, или на тебя напал Энди-Крендель?

Рози: Грег, минуточку, я сейчас разговариваю с Руби.

Грег: А вы работаете когда-нибудь?!

Рози: Ровно столько, чтобы нас не уволили.

Грег: Ладно, я позже напишу.

Рози: Нет-нет! Не глупи! Я вполне могу разговаривать с вами обоими одновременно. Кроме того, я очень хочу поговорить с тобой, но, если я скажу об этом Руби, она еще больше разозлится на меня и скажет, что я стала одной из *них*...

Грег: Из кого из «них»?

Рози: Из тайного общества влюбленных...

Грег: Ах, ты про *них*! Как это я сразу не сообразил...

Рози: Прости, Руби, у меня тут Грег на связи, дай мне пару минут.

Руби: Вы что, не можете и пару часов прожить друг без друга?!

Рози: Нет!

Руби: Ох, как я скучаю по Рози... кто ты, проклятое чудовище, что ты сделало с моей подругой-мужененавистницей?

Рози: Не переживай, твоя Рози здесь, просто она ушла на заслуженный отдых. Ну, что ты рассказывала про того парня?

Руби: Так вот, его зовут Тед (похож на медвежонка Тедди[1]), он малость полноват, но ведь я тоже, так что мы отлично смотримся вместе. Он водитель-дальнобойщик и, кажется, довольно милый парень, судя по тому, что он все заказывал и заказывал мне выпивку, в соответствии с чем

---

[1] Медвежонок Тедди — популярная мягкая игрушка.

вырастала и его ценность по моей шкале Достойных Мужчин. К тому же он единственный, кто обратил на меня внимание в тот вечер.

Рози: И это все, что ты знаешь? Ты меня извини, но обычно, когда знакомишься с новым человеком, хочется узнать о нем *все-все*.

Руби: Нет, я не особо хочу узнавать все про Теда... боюсь разочароваться.

Рози: Ну что, Грег, что будем делать сегодня?

Грег: Рози, дорогая, сегодня я весь твой! Может быть, купим бутылочку вина, закажем на дом какую-то еду и проведем романтический вечер? Для Кати можем взять какой-нибудь фильм.

Рози: Как хорошо звучит! У меня при одной мысли об этом заурчало в животе! Я умираю с голоду. Энди-Крендель сегодня всего два раза выпустил меня на обед. Кати будет ужасно рада видеть тебя.

Руби: Так что, позвонить ему?

Рози: Кому?

Руби: ТЕДУ!

Рози: Ах да, ну конечно! Звони своему медвежонку! Зови его на свидание, я попрошу Кевина посидеть с дочкой, и мы сможем встретиться вчетвером, я всегда мечтала о двойном свидании!

Руби: Да ну брось, это забава для детишек. У этих ребят нет вообще ничего общего, они как небо и земля. Банковский служащий и потенциальный грабитель банка. Они возненавидят друг друга с первого взгляда, всем станет неловко, наступит мертвая тишина, нарушаемая только стуком вилок, десерта никто не захочет, мы молча проглотим кофе, заплатим по счету, выйдем за двери и разойдемся, пообещав себе никогда больше не встречаться.

Рози: Как насчет пятницы?

Руби: Нормально, давай в пятницу.

Грег: Я надеюсь, Руби не обижается за прошлый вечер. Мы с тобой немного увлеклись друг другом.

Рози: Не говори глупости, она только рада за нас. Она там познакомилась с каким-то парнем по имени Медвежонок Тедди. Кстати, как насчет встретиться вчетвером в пятницу вечером? Если мне удастся найти няню для Кати.

Грег: Поужинать с Руби и мужчиной по имени Медвежонок Тедди? Звучит интересно.

Рози: Грег сказал, что он в пятницу свободен.

Руби: Отлично, только я еще не спросила Теда. А что сказал Алекс про то, что ты влюбилась в Грега?

Рози: Я не говорила, что я *влюбилась*, Руби! Мы с Грегом даже *друг другу* еще этого не говорили! Но Алекс прислал мне какое-то очень странное послание: будто Грег кажется ему полным уродом, и ему обидно, что я считаю его плохим другом. По-моему, он слегка перегнул палку, но я не приняла этого всерьез — он всю ночь проработал в больнице и очень устал...

Руби: Да-да.

Рози: Что ты хочешь сказать?

Руби: Именно это я и подозревала.

Рози: Что Вы подозревали, уважаемая Джессика Флетчер[1]?

Руби: Он ревнует.

Рози: Алекс *не ревнует*!

Руби: Алекс ревнует тебя к Грегу, он боится, что ты забудешь его.

---

[1] Джессика Флетчер — автор популярных детективных романов, героиня телесериала.

Грег: Так во сколько тебе позвонить? В 7 или в 8?

Рози: Нет, Алекс *не ревнует* меня к Грегу! С чего ему ревновать? Он женат на своей куколке Салли и счастливо женат (если верить Салли), в доказательство чего у меня есть фотография с их медового месяца. У него был шанс стать частью моей жизни, но он предпочел остаться моим другом, и мне пришлось это принять. Отлично. А теперь у меня появился Грег, и он замечательный, так что мне наплевать на Алекса, *как бы там ни было, совершенно* наплевать! Вот и все, что я хотела сказать тебе! Алекс в прошлом, я его не интересую, и я влюблена в Грега! Вот так!

Грег: Ну что ж... спасибо, Рози, что поделилась со мной всем этим. Не могу передать, как я заинтригован тем, что ты больше не любишь мужчину по имени Алекс — *«совершенно, как бы там ни было»*, как ты недвусмысленно заявила...

Рози: О господи, Руби!! Я только что отправила Грегу то, что писала для тебя! Черт, черт, ЧЕРТ ВОЗЬМИ, ЧЕРТ! Я СКАЗАЛА ЕМУ, ЧТО *ЛЮБЛЮ* ЕГО!!!

Грег: Хм... все это... Рози, ты где?.. прости...
Рози: Ой...
Руби: Что ой??

Глава 12

Рози: Ты понимаешь, это самая неловкая ситуация *за всю мою жизнь*, точно тебе говорю, *самая-самая неловкая*!!!

Руби: А помнишь, как ты однажды пошла в клуб в белом платье на голое тело, а там тебя кто-то случайно облил водой, и платье стало просвечивать насквозь?

Рози: Ну да, это тоже было довольно неловко.

Руби: А помнишь, как однажды в супермаркете ты по ошибке схватила за руку другую девочку и потащила ее в машину, а бедняжка Кати рыдала навзрыд посреди магазина?

Рози: А мама этой девочки сказала, что она совершенно не возражает и даже готова мне приплатить.

Руби: А помнишь —

Рози: Большое спасибо, вполне достаточно! Беру свои слова назад — пусть это не самая неловкая ситуация в моей жизни, но близко к тому. Пожалуй, самым неловким был тот случай, когда я поцеловала Алекса.

Руби: Ха-ха-ха-ха-ха-ха-ха.

Рози: Ну перестань, ты же должна меня поддержать.

Руби: Ха-ха-ха-ха-ха-ха-ха.

Рози: Приятно иметь таких чутких друзей. Все, мне пора. Энди-Крендель так таращится на меня поверх своих сексапильных коричневых очков, что я снова чувствую себя школьницей.

Руби: Может быть, он как раз хочет поиграть с тобой в строгого учителя и непослушную школьницу.

Рози: Он опоздал на пару лет. Слушай, я боюсь, он задумал что-то нехорошее. Он так тяжело дышит и яростно раздувает ноздри.

Руби: А руки на столе?

Рози: Тьфу! Руби, прекрати!

Руби: А что такое? За что, по-твоему, его прозвали Кренделем?

Рози: Как я ненавижу этот дурацкий офис — Энди меня видит из любого угла комнаты, и ноги мои видит под столом. О боже, он смотрит на мои ноги.

Руби: Рози, тебе пора валить из этого офиса. У вас нездоровая атмосфера.

Рози: Да, я думаю над этим, но сначала нужно найти другую работу, а это не так просто.

Тот факт, что я работаю секретаршей на фабрике скрепок, почему-то ни на кого не производит впечатления.

Руби: Хм... очень странно... а ведь это звучит так эффектно, что можно подумать... Знаешь, *некоторые*...

Рози: О господи, он подвинул свой стул, чтобы лучше видеть. Ну, с меня хватит, подожди минутку, я отправлю ему сообщение!

Руби: Не надо!

Рози: Почему не надо? Я просто вежливо попрошу его не смотреть на меня так, потому что это отвлекает от работы.

У вас входящее сообщение от: РОЗИ.

Рози: Хватит таращиться на мои сиськи, старый извращенец.

Рози: Ну все, Руби, я отправила.

Руби: Считай, что тебя уже уволили. Энди-Крендель не церемонится с теми, кто пытается дать ему по рукам.

Рози: Да пошел он! Он не сможет уволить меня за это!

Миссис Рози Дюнн!

Уведомляем Вас о том, что «*Фабрика скрепок Энди Шиди*» больше не нуждается в Ваших услугах и Ваш контракт не будет продлен на следующий месяц.

Вы остаетесь сотрудником «Фабрики скрепок Энди Шиди» до конца этого месяца, т. е. до 30-го июня.

«Фабрика скрепок Энди Шиди» благодарит Вас за работу в нашей компании и желает Вам всего наилучшего.

С уважением,

Энди Шиди,

владелец «Фабрики скрепок Энди Шиди»

У вас входящее сообщение от: РОЗИ.

Рози: Я переслала тебе письмо, ты видела его?

Руби: Ха-ха-ха-ха-ха-ха-ха.

Рози: Знаешь что? Читаю я это письмо, и чем больше читаю, тем больше рада, что ухожу. Чего стоит одно название — «Фабрика скрепок Энди Шиди». Кто, интересно, печатал это письмо? Ведь я же его секретарша, это я обычно выполняю такие поручения. Наверное, я сама его напечатала и не обратила внимания. Я никогда не обращаю внимания на ерунду, которую он мне приносит. Так что ты скажешь?

Руби: Лучшего способа уволиться нельзя было и придумать. Рози Дюнн, ты войдешь в историю этого заведения как женщина, пославшая Энди-Кренделя на три буквы. Я всем расскажу об этом, твое увольнение не пройдет даром! Я буду по тебе скучать. Так какие у тебя планы?

Рози: Не имею ни малейшего понятия.

Руби: Может быть, попробуешь найти работу в отеле? Насколько я знаю, ты всегда бредила отелями.

Рози: Ну да, у меня это что-то вроде навязчивой идеи. Пока не появилась Кати, я больше всего на свете хотела управлять отелем. Теперь это уже вряд ли реально, но мне нравится мечтать об этом. У человека должны быть мечты. Всегда нужно надеяться на то, что когда-нибудь ты сможешь добиться большего.

Понимаешь, в отелях почему-то так уютно. Может быть, из-за гигантской мебели — все эти огромные вазы в человеческий рост, диваны, ни один из которых не влез бы в мою квартиру, даже если бы я снесла все стены. Среди них я чувствую себя Алисой в Стране чудес. Ладно, у меня целый месяц на то, чтобы что-то найти. Не думаю, что это будет так уж сложно. Пойду писать резюме.

Руби: Это много времени не займет.

От кого	Рози
Кому	Алекс
Тема	Как тебе мое резюме?

Приложение: Резюме.doc

Пожалуйста, пожалуйста, пожалуйста, помоги мне составить резюме, или мы умрем с голоду вместе с моей несчастной маленькой дочкой. Похоже, я здорово поглупела на этой паршивой работе. Можешь придать моей писанине пристойный вид? Пожалуйста, пожалуйста, помоги мне!

От кого	Алекс
Кому	Рози
Тема	Re: Резюме

Приложение: Резюме.doc

В принципе, ты все отлично сделала, щас я исправлю пару ошибок... ты же знаешь, у меня всегда было хорошо с орфографией!

Рози, я вот что тебе хочу сказать. Ты не занимаешься «паршивой работой», как ты чудесно выразилась. Видимо, ты сама не понимаешь, насколько тяжелую ношу тебе приходится тащить. Ты — *мать-одиночка*, что само по себе непросто, а кроме того, ты еще и личный секретарь преуспевающего бизнесмена. Ты слышишь, как это звучит? Я просто поражаюсь, как ты ухитряешься нести все это на своих плечах. Знаешь, когда я прихожу с работы, я настолько измотан, что падаю на кровать и не могу пошевелиться, я не в силах даже для себя самого что-то сделать, не говоря уже о том, чтобы заботиться о другом человеке.

Не нужно себя недооценивать, Рози, выше нос. Когда ты пойдешь на собеседование, помни о том, что ты можешь быть прекрасным работником (если сама этого захочешь). У тебя сейчас есть отличная возможность начать работать с людьми. Тебе всегда это нравилось. (Помнишь, нам задали групповой проект в школе — нарисовать планеты, а ты уговорила меня изобразить на Марсе маленького мужчину, а на Венере — маленькую женщину, и мы испортили картинку Сьюзи Корриган, а она, бедняжка, несколько недель над ней корпела? В знак протеста все члены нашей группы вышли из нее, так что нам с тобой пришлось вдвоем делать новый рисунок. Почему, интересно, когда мы с тобой вдвоем, нас все так ненавидят?) Ты замечательная, ты красивая, умная и талантливая. Клянусь, если бы ты хоть что-нибудь знала о коронарных болезнях сердца, я бы сам тебя нанял.

Знаешь, я *настоятельно* советую тебе в этот раз устроиться на работу, которая действительно будет тебе *по душе*. Ты сама удивишься, как легко будет вставать по утрам. Нельзя заставлять себя ходить на работу, от

101

которой хочется выброситься с верхнего этажа автобуса (я, кстати, немного забеспокоился, когда получил это письмо). Может, наконец попробуешь устроиться в отель? Я помню, что ты мечтаешь об этом с тех пор, как в семь лет родители отвезли тебя в Лондон и ты увидела «Холидей Инн».

Попробуй, Рози. Напиши мне, что получилось.

Глава 13

От кого	Алекс
Кому	Рози
Тема	Как насчет приехать в Бостон?

Пользуясь маленькой передышкой между двумя лоботомиями, пишу тебе письмо, чтобы узнать, что там с работой. Осталась ровно неделя до того, как Энди-Крендель вышвырнет тебя прочь из своей скрепочной империи, так что времени еще достаточно, но если ты пока ничего не нашла, я могу прислать чек, чтоб вы могли продержаться какое-то время (но только если ты захочешь принять мою помощь).

С каким удовольствием я сейчас пошел бы домой и лег спать! Как я устал! Я отработал две смены подряд, так что завтра выходной, и мне не придется пачкать руки в крови, какое счастье… Плохо только, что, когда я вернусь домой, Салли как раз будет собираться на свою смену. Нам редко выпадает возможность нормально поговорить, обычно мы в течение дня общаемся только с пациентами, бьющимися в агонии на больничных кроватях. Извини, это не смешно.

Я ужасно устал. Мы почти не видимся с Салли, а если и видимся, мы, как правило, настолько измотаны, что просто падаем с ног.

Мне вот тут пришла в голову идея. Может, вы с Кати и этим твоим как-бишь-его приедете в гости? Я возьму несколько выходных, покажу вам город, мы как следует повеселимся, и я смогу *отоспаться*. Заодно познакомлюсь с как-бишь-его. Последние несколько недель все как-то слишком уж паршиво. Пусти в ход свои чары, Рози Дюнн, развесели меня.

От кого	Рози
Кому	Алекс
Тема	Рози с тобой!

Не бойся, друг мой, Рози с тобой! Жаль, что у тебя все так паршиво в последнее время. Мне кажется, это специально задумано, чтобы мы не расслаблялись. Жизнь периодически устраивает человеку хорошую взбучку, и как только тебе начинается казаться, что ты дошел до предела и больше не выдержишь — в этот момент все меняется. Но пока все не изменилось, я постараюсь немного повеселить тебя историями о моих собственных злоключениях.

В первую очередь хочу сказать, что ты очень, очень плохо на меня влияешь. После того как я увидела шедевр, в который ты превратил мое резюме, после того как я прочла твое напутственное письмо, я так воодушевилась, что немедленно облачилась в спортивный костюм, надела бандану, напульсники и кроссовки (то есть все было немного не так, ну да ладно) и помчалась по Дублину, изображая суперагента.

Ты чудовище. Ты заставил меня ощутить, что я могу сделать все, что захочу, что я смогу завоевать весь мир (никогда, *никогда* больше так не делай), и поэтому я вышла в город с твердым намерением немедленно разнести свое резюме по всем без исключения приглянувшимся отелям. Но вера в собственные силы исчезла так же быстро, как и появилась, а я осталась одна перед лицом тысячи неминуемых собеседований во всех этих гнусных компаниях. Я знала, что они сотрут меня в порошок уже за то, что я вообще имела наглость претендовать на работу у них.

С чего же начать свой позор, с какого из собеседований? Хм... богатый выбор. Наверное, начнем с самого свежего, да? Итак, вчера я была на собеседовании по поводу должности администратора в отеле «Два озера» — знаешь, такой шикарный, в самом центре? У него фасад из стекла, и огромные сверкающие люстры в холле видно за несколько кварталов. Ночью он так сияет, что напоминает пожар. А на крыше расположен ресторан, из окон которого виден весь город. Действительно, очень красиво.

Но в этом отеле, разумеется, у входа стоит специальный парень (вернее, джентльмен) в длинном плаще и цилиндре, который никого не пускает внутрь. Мне пришлось минут десять его уговаривать — он меня не слушал и все повторял как попугай, что для того, чтобы зайти, необходимо проживать в отеле. Черт возьми, ну как же можно проживать в этом отеле. если в двери никого не пускают? В общем, с большим трудом я пробилась внутрь и прямо на входе чуть не растянулась во весь рост — у них там не пол, а настоящий каток.

Представляешь, внутри так тихо, что слышно паденье иголки. Нет, я серьезно: администратор *действительно* уронила иголку. Я слышала. То есть там не то чтобы мертвая тишина — из холла доносились звуки фортепиано, а в фойе журчал фонтан — но все звучит до того ненавязчиво, что не обращаешь внимания. И повсюду эта гигантская мебель, которую я полюбила в детстве,— огромные зеркала, исполинские люстры, двери в два моих роста. А ковер так пружинил, что я опять еле удержалась на ногах.

И вот меня усадили за самый длинный на свете стол (еле сдержалась, чтобы не попросить передать мне соль). На противоположном конце уселись двое мужчин и одна дама, если я правильно рассмотрела — они сидели ужасно далеко.

Как ты велел, я хотела произвести впечатление человека, искренне интересующегося компанией, и первым делом спросила, почему у отеля такое странное название, ведь в этой части города нет ни одного озера. Мужчины хором рассмеялись и представились — Билл и Боб Лэйк[1]. Владельцы отеля. Представляешь, как неловко вышло?

Я стала им рассказывать, как ты советовал, что я очень люблю работать в команде, что умею ладить с людьми, как я хочу управлять отелем, какой я трудоголик, как я тщательно обдумываю каждое задание и всегда довожу задуманное до конца. Не меньше часа, наверное, я распространялась о том, что я с раннего детства обожаю отели и мечтаю там работать (конечно, я бы с большим удовольствием *жила* в отеле, но мы же оба знаем, что *этого* я себе позволить не могу).

Но они все испортили одним-единственным вопросом: «Скажите, Рози, а что вы вынесли из работы на „Фабрике скрепок Энди Шиди“? Что вы сейчас можете предложить нам?»

Неужели об *этом* вообще стоило спрашивать?

Ладно, я должна бежать, тут Кати пришла из школы, и, судя по всему, настроение у нее хуже некуда, а я еще не приготовила ужин.

От кого	Алекс
Кому	Рози
Тема	Отель «Два озера»

Ай, как жалко, что тебе пришлось отвлечься, мне так понравилось письмо. Очень рад, что твои собеседования проходят успешно, меня это ободряет!

---

[1] Lake — озеро (*англ.*).

Но мне не терпится узнать, что же ты им ответила?

От кого	Рози
Кому	Алекс
Тема	Re: Отель «Два озера»

Алекс, разве это не очевидно???

Скрепки!

(Они расхохотались, так что будем считать, что я легко отделалась.) Ладно, мне действительно пора, а то Кати сует мне в лицо картинки, которые она нарисовала в школе. Там, между прочим, и ты тоже есть... правда, слегка похудевший. Я отсканирую их и пришлю...

Уважаемая миссис Рози Дюнн!

Мы рады сообщить Вам о том, что Вы можете занять должность главного администратора в отеле «Два Озера».

От себя лично я хочу добавить, что, учитывая, насколько успешно Вы прошли собеседование, мы с Бобом очень рады видеть Вас в нашем отеле. Вы произвели на нас впечатление яркой, способной и остроумной девушки.

Мы всегда стараемся принимать на работу таких людей, с которыми сами хотели бы встречаться, приезжая в отель. На собеседовании Вам удалось подарить нам прекрасное настроение, и мы верим, что это настроение отныне разделят и наши посетители. Мы гордимся тем, что Вы стали членом нашей команды, и надеемся, что наше сотрудничество будет успешным и долговременным.

Свяжитесь, пожалуйста, с Шауной Симпсон из администрации относительно униформы.

С уважением,

Билл Лэйк,
владелец и управляющий

Боб Лэйк,
владелец

PS. Мы также будем признательны, если Вы захватите с собой упомянутые скрепки, поскольку наши поставщики оставляют желать лучшего!

У Вас входящее сообщение от: РОЗИ

Рози: Руби, ты представляешь, неужели у меня теперь будет *приятный* босс — или боссы? Похоже, жизнь наконец входит в нормальное русло.

Руби: И она сразу же старается сглазить… жизнь ничему ее не учит…

***

От кого	Рози
Кому	Стефани
Тема	Поздравляю!

Я так рада узнать о вашей помолвке! Не могу сдержаться и пишу тебе письмо, хоть мы и проболтали полночи по телефону. Поздравляю!

Знаешь, Стефани, с моей жизнью происходит что-то странное. У меня появился мужчина, который любит меня и которого люблю я, на днях я начну работать в отеле своей мечты, Кати — умница и красавица, она такая смешная, и я наконец стала чувствовать себя хорошей матерью. Я счастлива. Я хотела бы просто наслаждаться этим ощущением, поверить в то, что все хорошо, но мне не дает покоя какое-то смутное беспокойство. Как будто кто-то шепчет на ухо: «Все слишком хорошо». Это похоже на затишье перед бурей.

Как ты думаешь, нормальная жизнь именно такая? Потому что я привыкла к трагедиям, трагедиям и еще раз трагедиям. Я привыкла, что ничто никогда не получается как я хочу, я привыкла бороться, выбиваясь из сил, в лепешку разбиваться, прежде чем получить хоть какой-то результат. Не такой, какого хочу, а просто хоть какой-то.

А сейчас — не «хоть какой-то» результат, сейчас все прекрасно, все идет именно так, как я хотела. Я хотела, чтобы кто-нибудь любил меня, чтобы Кати перестала без конца спрашивать, почему у нее нет папы, как у других детей, и ее ли это вина; я хотела чувствовать, что мы с ней — не одни на этом свете, что есть кто-то, кому мы небезразличны. Я хотела чувствовать себя нужной, чувствовать себя *кем-то*, знать, что, когда я заболею, на работе меня будет не хватать. Я хотела перестать жалеть себя, и, похоже, мне это удалось.

Все идет прекрасно. Я очень довольна собой, и это очень странное чувство! Я стала совсем другим человеком. Юной растерянной Рози больше нет. В моей жизни начался другой этап...

ЧАСТЬ 2

Глава 14

Уважаемая миссис Дюнн!

К сожалению, вынуждена сообщить Вам, что поведение Вашей дочери Кати с каждым днем стремительно ухудшается. Не могли бы Вы зайти в школу и обсудить со мной этот вопрос?

Как насчет среды, после занятий? Позвоните мне в школу, телефон Вы знаете.

Миссис Кейси

Кати!
Что значит «мама только посмеялась»?!
Тоби

* * *

От кого	Рози
Кому	Алекс
Тема	Наш рейс

Значит, так — наш самолет приземляется в 13:15, номер рейса EI-4023. Думаю, ты должен меня узнать: на одной руке у меня будет висеть до смерти перепуганный мужчина, а другой я буду ловить обезумевшего от радости ребенка. Плюс двадцать чемоданов в зубах. (Грег боится летать, а Кати, напротив, в таком восторге, что я боюсь, как бы она не лопнула от счастья, и еще я не смогла решить, какой брать костюм, поэтому упаковала весь свой гардероб.)

Ты уверен, что Салли понимает, во что она ввязалась, пустив в свой дом мою сумасшедшую семейку?

От кого	Салли
Кому	Алекс
Тема	Re: Про Рози

Конечно же, я против, Алекс. Как ты не понимаешь, что сейчас совсем не время для гостей?

От кого	Алекс
Кому	Рози
Тема	Re: Наш рейс

Разумеется, Салли не возражает. Не могу дождаться. когда наконец увижу тебя и Кати, и познакомлюсь с как-бишь-его. Я встречу вас в аэропорту.

* * *

Дорогой Алекс!

Спасибо тебе огромное за наш отпуск! Я изумительно провела время. Бостон, оказывается, еще красивей, чем мне запомнилось, так что я очень рада, что мне не пришлось в этот раз возвращаться домой раньше времени. Кати вне себя от счастья, целыми днями только о тебе и говорит!

Грегу тоже все очень понравилось. Я рада, что вы познакомились, и ты убедился, что он не всегда зеленого цвета, а только первые полчаса после самолета. Как здорово, что я смогла наконец собрать своих любимых мужчин в одной стране, и даже более того — в одной комнате! Ну как он тебе? Может ли он рассчитывать на одобрение моего лучшего друга?

Не считая того факта, что твоя жена терпеть меня не может, все остальное было очень мило и весело. Ничего страшного, Алекс, я смирилась с этим. Это только подтверждает мои прежние выводы: по какой-то неведомой причине все твои подруги и жены всегда будут единодушно меня ненавидеть. Ну и ладно. Я переживу.

Я только надеюсь, что она позволит мне увидеть твоего ребенка, когда он или она родится. Вот уж чего я никак не ожидала! Алекс Стюарт станет папой! Сколько об этом думаю, столько смеюсь. Господь, видно, очень любит этого ребенка, раз дал ему такого отца! Ладно, шучу — ты знаешь, как я рада за тебя! Не могу поверить, что ты три месяца это от меня скрывал. Не стыдно?

Кстати, мне очень жаль, что Кати облила соком новое платье Салли. Не знаю, что на нее нашло, обычно она совсем не такая! Я уже велела ей написать Салли письмо и извиниться. Может быть, после этого твоя жена будет ненавидеть нас чуточку меньше.

Итак, веселье закончилось, пора возвращаться к реальности. В понедельник я выхожу на новую работу. Всю свою жизнь я хотела работать в отеле и отгоняла от себя эту мысль, как и другие свои мечты. Теперь остается надеяться, что на поверку это не окажется адским мучением. Будет жаль, если моя маленькая мечта лопнет как мыльный пузырь.

Да, вот еще, чуть не забыла: Грег предложил нам с Кати жить у него. Я пока не решила окончательно. Конечно, я на седьмом небе от счастья, но знаешь, как говорят — от добра добра не ищут. У нас сейчас и без того все замечательно, к тому же я не могу думать только о себе, есть еще Кати. Грег ей очень нравится, она обожает играть с ним (может быть, в Бостоне это было не так заметно, потому что она в восторге от тебя), но я не уверена, что она готова к переменам. Мы всего два года живем в отдельной квартире и только-только научились жить вдвоем. Я не уверена, что будет правильно снова срывать ее с места. Как ты думаешь?

Наверное, проще спросить у нее самой. Ну, а если она откажется? Мне будет нужно сказать Грегу: «Прости, я тебя люблю и все такое, но моя восьмилетняя дочь не хочет жить с тобой»? Или, напротив, сказать Кати: «Как это ни печально, но мы переезжаем»? Или сделать так, как захочет она? Я не могу поступить так, как хочу я, ведь дело касается двух дорогих мне людей. Мне придется хорошенько над этим подумать.

Еще раз спасибо тебе за отдых, он оказался очень кстати. Я прослежу, чтобы Кати написала Салли письмо.

Целую,

Рози

***

Дорогая Рози!

Добро пожаловать в «Два Озера». Я надеюсь, Вам уже помогли освоиться на новом месте. Очень жаль, что я не смог поприветствовать Вас лично, в настоящий момент я в Штатах, заканчиваю пару дел, касающихся нового отеля «Два Озера» в Сан-Франциско.

Амадор Рамирес, управляющий отелем, все Вам объяснит. Если у Вас будут какие-то проблемы, обязательно сообщайте мне.

Еще раз — добро пожаловать!

Билл Лэйк

* * *

У Вас входящее сообщение от: РУБИ

Руби: Помнишь меня?

Рози: Руби, прости, я не могу долго сидеть за компьютером, здесь довольно сложно притворяться, что я работаю.

Руби: Даю тебе месяц на это...

Рози: Спасибо за поддержку, ты знаешь, как я это ценю.

Руби: Да пожалуйста. Как тебе живется с Грегом?

Рози: Отлично, спасибо.

Руби: Еще не возненавидели друг друга?

Рози: Еще нет.

Руби: Даю вам месяц на это...

Рози: Опять же, спасибо большое.

Руби: Делаю что могу, я же твоя подруга. Чего новенького?

Рози: Кое-что новенькое есть. Я пока сказала только
Алексу, так что никому не говори, пожалуйста.

Руби: Ооо, как мне это нравится! Это самые чудесные
слова, какие только можно услышать в начале разговора!
Так о чем речь?

Рози: В общем, пару недель назад, когда я пришла домой с работы, Грег приготовил прекрасный ужин, накрыл
стол, зажег свечи, включил музыку...

Руби: Дальше...

Рози: И предложил мне —

Руби: Выйти за него замуж!

Рози: Вообще-то нет. Он спросил, интересует ли меня
возможность жить вместе.

Руби: «Интересует»?

Рози: Ну да.

114

Руби: Так и сказал?

Рози: Да, а что?

Руби: И ты считаешь, что это романтично?

Рози: Ну, он так старался, приготовил всю эту еду, накрыл на стол и —

Руби: Господи, Рози, ты делаешь это каждый день и не считаешь это подвигом. Тебе не кажется, что это немного похоже на деловое предложение?

Рози: На деловое предложение? Почему?

Руби: Если бы я хотела открыть совместный банковский счет вместе с Тедди, я бы сказала: «Тедди, тебя интересует возможность открыть общий банковский счет?» А если бы я хотела жить вместе с Тедди, я не стала бы говорить: «Тедди, тебя интересует возможность жить вместе?» Ты понимаешь, о чем я?

Рози: Да, но я думаю, что —

Руби: Об этом так не говорят. А как насчет брака? Что он сказал? А Кати? Если вы поженитесь, он удочерит Кати? Вы вообще говорили об этом?

Рози: Послушай... нет, мы не обсуждали брак. Вообще-то раньше мне казалось, что ты против браков.

Руби: Я-то против, но я не мечтаю выйти замуж, встречаясь при этом с мужчиной, который не хочет жениться. Вот в чем проблема.

Рози: Я не говорила, что хочу за него замуж.

Руби: То есть ты не хочешь за него замуж, а он не хочет на тебе жениться. Пожалуй, тогда вам действительно стоит съехаться и жить вместе, это изумительная идея!

Рози: Слушай, что-то я не припоминаю, чтобы кто-то говорил, будто Грег не хочет на мне жениться! Кстати, вы с Тедди все время друг другу это говорите.

Руби: Я уже была замужем, и Тедди тоже был женат, и нам обоим не хочется повторять старые ошибки. Для меня это — пройденный этап, а для тебя все только начинается.

Рози: Хорошо, какая разница, я все равно сказала ему, что пока не готова. Сейчас неудачный момент, я пытаюсь освоиться на новой работе, Кати привыкает к новой квартире... Ей нужно время, чтобы ко всему привыкнуть. Это очень серьезная перемена для нее —

Руби: Да-да, рассказывай...

Рози: Ну, что такое, Руби?

Руби: Ты живешь в этой квартире уже два года, на новом месте ты работаешь уже несколько недель, а я недавно видела Кати, и у меня создалось впечатление, что она в полном порядке. Рози, она счастлива. Она вполне готова к «серьезной перемене», вот разве что *тебе* следует еще к чему-то привыкнуть.

Рози: *К чему* мне следует привыкнуть?

Руби: Алекс женат, Рози. Научись жить без него, научись быть счастливой!

Связь с РОЗИ прервана.

***

Стеф: Почему Грег не сделал тебе предложение?

Рози: А я и не знала, что он должен был сделать мне предложение.

Стеф: Но ты же хотела этого?

Рози: Ты меня знаешь, Стеф. Если даже совершенно незнакомый мужчина встанет на колени и сделает мне предложение (на берегу моря и с квартетом музыкантов на заднем плане), я буду счастлива. Я неисправимый романтик.

Стеф: Ты не разочаровалась, что он предложил тебе жить вместе. но не сделал предложение?

Рози: Я предполагаю, что, если бы он сделал предложение, я все равно бы к нему переехала, так что не могу сказать, что он разбил мне сердце. Мне повезло, что я встретила такого человека, как Грег.

Стеф: Перестань, Рози, тебе не «повезло», что ты встретила Грега. Ты *заслуживаешь* того, чтобы быть счастливой. Это нормально, когда человек хочет большего. чем ему предлагают.

Рози: Я решила переехать к нему. Всему свое время.

Стеф: Хорошо. Если это сделает тебя счастливой...

Рози: *А потом*, если между нами все будет по-прежнему прекрасно, тогда я действительно буду ждать, что однажды он уставит комнату цветами, зажжет свечи. и...

* * *

Дорогая Салли!

Извините, что я пролила на ваше новое платье апельсиновый сок. Я просто услышала, как вы ругаете новое платье моей мамы, и это так меня потрясло, что я облила соком ваше. Будем считать это несчастным случаем — я слышала, как вы на следующий день говорили эту фразу своей подруге. Насколько я поняла, вы обсуждали то, как я появилась на свет.

Надеюсь, ваше платье не испортилось, оно же такое дорогое. Приглашаю вас к нам в гости — мы переезжаем в новый дом и теперь мы будем жить у Грега. Его дом больше, чем ваша квартира.

Целую,
Кати.

PS: Вам привет от моего друга Тоби. Он сказал, что однажды он тоже облил свою рубашку апельсиновым соком. а пятно так и не отстиралось. Так что его маме пришлось эту рубашку выбросить. Она тоже была белая. К счастью, его рубашка была не такая дорогая, как ваше платье.

У вас входящее сообщение от: АЛЕКС

Алекс: Привет! Что делаешь?

Фил: Да вот брожу по сети уже несколько часов, пытаюсь отыскать родную выхлопную трубу на форд «мустанг» 1968 года. Вот как ты думаешь, реально найти оригинальный значок и двухцветные кожаные сиденья на «корвет» 1978 года?

Алекс: Ну... наверное, нет?

Фил: Вот именно. Ладно, вряд ли тебе это интересно. Как все прошло с Рози? Тишины больше не было?

Алекс: Брось, Фил.

Фил: Хе-хе. Так что у нее за приятель?

Алекс: Нормальный. Ничего особенного. Я бы хотел видеть Рози не с таким человеком.

Фил: Ты хочешь сказать, что он — не ты.

Алекс: Нет, я не это хочу сказать. Он не из тех, кого можно назвать душой компании.

Фил: А он должен быть душой компании?

Алекс: Мне казалось, Рози нужен именно такой человек.

Фил: Зато он, может быть, в каком-то смысле сдерживает ее.

Алекс: Может быть, и так. Он вежливый, дружелюбный, но о себе почти ничего не рассказывает. Я так и не смог его растормошить. Он из тех людей, у кого нет собственного мнения, он готов согласиться с чем угодно. Его сложно раскусить. Впрочем, они с Салли быстро нашли общий язык.

Фил: Тогда, может быть, проблема не в нем, а в тебе.

Алекс: Спасибо, Фил, ты всегда знаешь, как меня подбодрить.

Фил: Именно поэтому ты и обсуждаешь со мной все свои проблемы.

Алекс: Видимо, да. Как Маргарет, как дети?

Фил: Отлично. Мэгги подозревает, что она снова беременна.

Алекс: Господи, что — еще один?

Фил: Ааа, одним больше, одним меньше...

Алекс: Так держать, Фил.

Связь с АЛЕКС прервана.

От кого	Алекс
Кому	Рози
Тема	Переезжаешь к Грегу?

Итак, ты переезжаешь к Грегу. Салли получила на днях письмо от Кати, но почему-то не позволила мне его прочитать. Сказала только, что они нашли общий язык. Я рад, что бы это ни означало.

Что касается Грега, он показался мне довольно милым. Правда, я не ожидал увидеть рядом с тобой именно такого человека. Слишком уж он скрытный и молчаливый. И к тому же, он намного старше тебя. Сколько ему... 37? А тебе 27. Десять лет, Рози. Каково тебе будет, когда он превратится в дряхлого старика, а ты будешь все такой же молодой и красивой? Каково тебе будет смотреть в его потускневшие глаза и целовать высохшие морщинистые губы? Каково будет видеть по утрам его бледные варикозные ноги? Каково будет ходить с ним по магазинам, в глубине души постоянно беспокоясь — выдержит ли все это его слабое сердце?

Тебе стоит над этим задуматься, Рози.

У Вас входящее сообщение от: РОЗИ

Рози: Ты что, принимаешь наркотики???!

Алекс: Ага, знаешь, есть такие маленькие розовые таблеточки...

Рози: Ну так сделай что-нибудь, ты же врач. В общем, друг мой, как я поняла из твоего якобы-смешного-и-совершенно-недвусмысленного ответа, Грег тебе не понравился. Но мне, честно говоря, порядком надоели твои ехидные комментарии. Если уж мы решили говорить начистоту, я совершенно не переношу Салли. Вуаля!

Я ненавижу Салли, а ты ненавидишь Грега. Мы можем больше это не скрывать. Я переезжаю к нему на следующей неделе. У нас все замечательно. Мы счастливы как дети. Я никогда в жизни не была так влюблена. И т. д. и т. п. Так что хватит морочить мне голову, смирись с тем, что Грег теперь никуда не денется из моей жизни. Ты понимаешь меня?

Связь с АЛЕКС прервана.

Рози, Кати и Грег!
Счастливого Рождества и с Новым годом!
Целуем,
Алекс, Салли и маленький Джош

Алекс, Салли и маленький Джош!
Примите наши наилучшие пожелания в Новом году!
С любовью,
Кати, Рози и Грег

Глава 15

Сестренка!

Хватит волноваться! Я уже и сама вся изнервничалась! Поверь мне, у многих людей такие же проблемы, не все могут найти общий язык с супругой (или супругом) своего друга, в этом нет ничего страшного. Я, например, на стену лезу, когда к нам приходит сестра Пьера, но это ничего не значит. Вы не можете с Алексом поссориться из-за этого.

Проблема в том, что вы слишком откровенны друг с другом. Не могу себе представить, чтобы я вот так запросто сказала кому-то из своих друзей: «Я ненавижу твоего мужа (или жену)». Да если я хоть раз заикнусь Пьеру о том, насколько меня раздражает его сестра, он меня задушит собственными руками.

Друзьям очень сложно угодить, Рози. Алекс считает, что ты могла бы найти кого-нибудь получше Грега, ты думаешь то же самое про Салли. А Салли и Грег ведь тоже не идиоты, они чувствуют, что происходит. Грег знает, что Алекс был самым важным человеком в твоей жизни (и он знает, что ты была влюблена в него, что никак не облегчает ситуацию). А Алекс видит, что его место теперь занято. Поэтому они оба — и Алекс, и Грег — чувствуют себя в некотором смысле соперниками. Это совершенно нормально.

Так что хватит морочить себе голову, просто позвони ему, или напиши, или как вы там обычно общаетесь... кстати, если тебе не нравится Пьер, меня это совершенно не касается. Я его люблю, так что держи свое мнение при себе!

И пришли мне, пожалуйста, свои мерки. Только не ври, Рози, мне же нужно заказать для тебя платье! Так что не надо притворяться, что ты весишь на дюжину килограммов меньше, чем на самом деле. Если ты не влезешь в него, пеняй на себя, другое я тебе обеспечить не смогу. Тебе какой цвет больше нравится — красный или темно-красный?

Целую,
Служба психологической помощи

PS: Кстати, ты не могла бы позвонить Алексу и передать, что они с женой приглашены на свадьбу? Вот тебе и повод заговорить с ним.

* * *

Дорогой крестный!
Поздравляю тебя с днем рождения!
Надеюсь, тебе понравится подарок — мама сказала, что ты любишь красные автобусы! Разве ты не староват для игрушек?
Целую,
Кати

Рози!
Поздравляю тебя с днем рождения!
Тебе уже 28 — догоняешь меня!
Целуем,
Алекс, Салли и Джош

Кати,
ТЕБЕ ИСПОЛНЯЕТСЯ 9 ЛЕТ!
Всего тебе самого наилучшего! Надеюсь, на подарочные деньги ты сможешь купить себе что-нибудь хорошее.

Целуем,
Алекс, Салли и Джош

* * *

От кого	Рози
Кому	Алекс
Тема	У меня отличные новости!

Алекс Стюарт, почему ты никогда не берешь трубку? Я уже успела подружиться с няней вашего Джоша, и мы обе пришли к выводу, что вы с женой чересчур много работаете. Бедняжка Джош знает, что вы его мама и папа? Или он только видит, что какие-то незнакомые люди периодически вытаскивают его из кроватки и принимаются тискать?

Ну ладно, ближе к делу. Пишу тебе письмо, потому что, как я уже сказала, ты *никогда* не бываешь дома, а я хочу рассказать тебе кое-что потрясающее! Но не письмом. Так что позвони мне, как только сможешь. Мне, в конце концов, просто нужно с тобой посоветоваться!

Позвони мне, позвони, позвони!

От кого	Алекс
Кому	Рози
Тема	Re: У меня отличные новости!

Звонить я тебе не буду, поскольку ты меня несколько разозлила своей критикой. Если еще хоть один человек начнет меня учить, как надо воспитывать моего собственного ребенка, я просто взорвусь.

В последнее время дела идут довольно туго. Проблема в работе — мы обычно приходим домой, когда Джош уже спит, и я еле сдерживаюсь, мне так хочется разбудить его, обнять... У нас никогда не совпадают выходные, мы вообще почти не видимся, все наше семейное счастье состоит из коротких встреч в коридоре, мы перекидываемся парой слов и снова разбегаемся.

Это, конечно, не очень хорошо для Джоша, но мы же не можем бросить работу и целыми днями сидеть дома с ним. И знаешь, что я тебе скажу? *Никогда, никогда* не выходи замуж.

От кого	Рози
Кому	Алекс
Тема	Сюрприз!

Блин, ты взял и испортил мне весь сюрприз.

От кого	Алекс
Кому	Рози
Тема	Re: Сюрприз!

Рози Дюнн, ты что, выходишь замуж?!

Глава 16

От кого	Рози
Кому	Алекс
Тема	Сюрприз!

Сюрприз! Правда же, отличный способ поделиться с тобой этой прекрасной новостью? Я бы и сама лучше не придумала...

От кого	Алекс
Кому	Рози
Тема	Свадьба!

Ну, прости меня, это прекрасные новости. Не обращай внимания на то, что я сказал, я просто очень устал и от этого всем недоволен. Как все произошло? И когда состоится великий день? Я думал, как-бишь-его не хочет жениться.

От кого	Рози
Кому	Алекс
Тема	Re: Наконец свадьба

Нет, Алекс, не надо притворяться, что тебя это интересует. Я не обижусь. И, кстати, его зовут Грег. У тебя сейчас куча других дел, так что я не буду тебе надоедать, скажу только, что «великий день» не будет таким уж великим.

Просто соберутся близкие друзья и родственники. Грег не хочет ничего слишком уж ШИКАРНОГО, а я так счастлива, что мне все равно.

Кати понесет букет и одновременно будет за подружку невесты, а тебя я хотела бы видеть в роли своего шафера. Грегу можно иметь шафера? Значит, и мне можно. Соглашайся, пожалуйста. И, конечно, мы будем очень рады Салли и Джошу. Сделайте себе семейные каникулы, вы же еще никуда вместе не ездили. Отдохнете, повеселитесь, это пойдет вам на пользу. Хоть несколько дней проведете как одна семья.

Не буду надоедать тебе описаниями того, как именно он сделал предложение. Я, в принципе, знала, что это случится, так что не скажу, что была потрясена...

От кого	Рози
Кому	Стефани
Тема	Такая романтика!

Ах, Стефани, это была *такая* романтика. Я и понятия не имела, что он собирается сделать предложение! Он увез меня на уик-энд в крохотную деревеньку где-то на западе, такую маленькую, что я никогда не слышала о ней, а название даже не буду пытаться вспомнить. Мы остановились в очаровательной маленькой частной гостинице, поужинали в ресторане под названием «Веселый рыбак». Мы были одни на весь ресторан, так что могли расслабиться на всю катушку. Атмосфера была просто волшебная, и во время десерта он сделал мне предложение! А потом мы прогулялись вокруг озера и вернулись в гостиницу. Все было так романтично!

От кого	Стефани
Кому	Рози
Тема	Re: Романтика

Забавно, Рози, но я всегда думала, что ты мечтаешь о том, чтобы тебе сделали предложение, стоя на коленях, на глазах у потрясенной и растроганной толпы, под аккомпанемент скрипок, фейерверков и розовых лепестков. То, что ты рассказала, звучит очень мило, но ведь ты мечтала совсем о другом, разве нет?

От кого	Рози
Кому	Стефани
Тема	Фейерверк и розовые лепестки...

Все это не в его стиле — ты же знаешь, какой он. Было бы глупо, если бы Грег повис на люстре, распевая Синатру и посыпая мне голову лепестками (хотя это все же было бы довольно мило). Впрочем, я не думаю, что стоит столько времени обсуждать это. В конце концов, это обычное предложение руки и сердца.

* * *

Руби: Он сделал тебе предложение в Боджер-Риф??
Рози: Да, это такая симпатичная маленькая деревенька —
Руби: Да ты же НЕНАВИДИШЬ симпатичные маленькие деревеньки! Ты любишь *города, огромные города, шум, грязь, огни, суету и небоскребы!!!*
Рози: Но мы остановились в такой славной частной гостинице, очень милая хозяйка —
Руби: Ты НЕНАВИДИШЬ частные гостиницы! Ты помешана на отелях. Ты работаешь в отеле. Ты мечтаешь управлять отелем, владеть отелем и жить в отеле. Как он мог затащить тебя в какую-то занюханную гостиницу у черта на куличках!
Рози: Послушай, если бы ты видела, какой там был ресторанчик. Он назывался «Веселый рыбак», представь себе — весь потолок затянут рыбацкими сетями —

Руби: Когда Кати принесла в дом золотую рыбку, ты засунула ее в грязную банку и морила несчастное животное голодом до тех пор, пока она не всплыла кверху брюхом, и тогда ты с нескрываемым облегчением вылила ее в унитаз. Тебя тошнит, если кто-то ест при тебе устриц (из-за чего, кстати, каждый раз становится неловко, когда мы приходим в ресторан). Ты демонстративно затыкаешь нос, когда я ем тунца, ты считаешь копченого лосося делом рук дьявола, а от вида креветок тебя немедленно выворачивает наизнанку.

Рози: Послушай, я съела отличный салат —

Руби: Ты всегда говорила, что салат — это еда для кроликов!

Рози: Мы гуляли вдоль озера под луной, держались за руки —

Руби: Ты же ОБОЖАЕШЬ МОРЕ! Ты мечтаешь жить на пляже. Я знаю, что в глубине души ты хотела бы стать русалкой. Ты всегда говорила, что озера нагоняют на тебя скуку, им не хватает «драматизма», присущего морю.

Рози: Перестань, Руби, прошу тебя!

Руби: Нет, Рози Дюнн, это ты перестань. *Перестань* обманывать себя.

Связь с РОЗИ прервана.

* * *

От кого	Рози
Кому	Алекс
Тема	SOS

Алекс, пожалуйста, спаси меня от моих друзей и родственников, они доведут меня до сумасшедшего дома.

У Вас входящее сообщение от: АЛЕКС

Алекс: Тук-тук. В чем проблема?

Рози: Мне не очень хочется об этом говорить. Давай лучше о чем-нибудь другом.

Алекс: По крайней мере, честный ответ. Ну давай, мне тоже будет полезно немного отвлечься. Тогда расскажи, что там устроил для тебя как-бишь-его?

Рози: Ладно… рассказываю еще раз. *Грег* отвез меня в тихую деревеньку. Мы остановились в восхитительной маленькой гостинице. Мы обедали в прелестном ресторане под названием «Веселый рыбак». Он сделал предложение в тот момент, когда мой рот был набит шоколадными профитролями, я согласилась, и мы пошли гулять вдоль озера, любуясь лунной дорожкой. Разве не романтично?

Алекс: Да, романтично.

Рози: И это все, что ты можешь сказать?? Всего два слова про самую важную ночь в моей жизни?!

Алекс: Могло бы быть и получше.

Рози: Куда лучше? Что бы ты сделал лучше? Давай, я умираю от любопытства! Все почему-то считают, что знают меня намного лучше, чем я сама, так что валяй, удиви меня!

Алекс: О, это звучит как вызов! Ну, во-первых, я отвез бы тебя в *отель* где-нибудь на побережье, чтобы из твоего *люкса* был самый лучший *вид на море*. Ты заснула бы, слушая, как волны бьются о берег, я бы усыпал твою постель *розовыми лепестками*, зажег по всей комнате *свечи* и тихонько включил твою любимую музыку.

Но я не стал бы делать предложение в номере. Я отвел бы тебя куда-нибудь, где будет очень много людей, чтобы все они ахнули, когда я встану на колени и попрошу тебя быть моей женой. Или что-то в этом роде. Обрати внимание, что я выделил курсивом все самые важные для тебя слова.

Рози: О.

Алекс: О? Это все, что ты можешь сказать? Всего одно слово про самую важную ночь в нашей жизни? Я встал на колени и просил тебя остаться со мной до конца наших дней, а ты отвечаешь «О»? Могла бы придумать что-нибудь получше!

Рози: Да, это *тоже* было бы чудесно, Алекс. Скажи мне, я что, так много болтала о том, как нужно делать предложения?

Алекс: Ты постоянно об этом говоришь, Рози. Любой, кто хоть немного тебя знает, может дословно пересказать все твои мечты. Но уик-энд в частной гостинице — это тоже неплохо.

* * *

Алекс, Салли и маленький Джош,
ДЭННИС И ЭЛИС ДЮНН
Счастливы пригласить вас на бракосочетание своей любимой дочери
РОЗИ И ГРЕГА КОЛЛИНЗА,
8 апреля сего года.

Глава 17

Дорогая Рози!

Итак, ты решилась и сделала это. Ты вышла за как-бишь-его. Ты была такая красивая, Рози! Как я счастлив, что мог быть рядом с тобой в этот день. Спасибо, что позволила мне стать другом невесты, но, как ты заметила на моей свадьбе, самым близким твоим другом в этот день был не я. Теперь им стал как-бишь-его. Вы прекрасная пара.

В церкви, когда ты повернулась ко мне спиной и пошла к Грегу, меня посетило очень странное чувство. Что-то вроде укола ревности. Это нормально? У тебя было такое чувство на моей свадьбе, или это я с ума схожу? У меня в голове крутилась одна и та же мысль: «Теперь все будет по-другому, теперь все будет по-другому». Теперь Грег — твой лучший друг, теперь он будет знать все твои секреты, а кто же тогда я? Странное чувство, Рози. Потом оно прошло, конечно, но я до сих пор не могу его забыть.

Я не хочу ни с кем это обсуждать, особенно с Салли. Она будет счастлива увидеть подтверждение своей теории о том, что мужчина и женщина не могут быть «просто друзьями». Я не потому ревную, что хочу быть твоим мужем, но... ох, я не знаю, как это объяснить. Может быть, я почувствовал, что я тебе больше не нужен.

Я рад, что нога Джоша наконец коснулась ирландской земли. Конечно, в основном он касался ее не ногой, а попой, но все же. Я давно хотел привезти его домой, но эта работа... забавно, я только что назвал Ирландию домом. Я давненько этого не делал. На прошлой неделе я действительно чувствовал себя дома. Хорошо, что Джош смог побывать там. Мне показалось, что Кати была рада повозиться с ним.

Она вылитая ты, Рози. Я помню ту девочку, вместе с которой ходил в школу, — иссиня-черные волосы, бледная кожа... Это потрясающе. Когда я разговаривал с ней, я снова чувствовал себя маленьким Алексом. А Тоби очень внимательно за мной следил — наверное, боялся, что я уведу у него подружку. Я тоже следил за ним, словно он пытается увести подружку у меня. Мне пришлось постоянно напоминать себе, что это не ты.

Не могу сказать, что твой план объединить нашу семью прошел успешно. Салли была не в лучшем настроении, как ты, наверное, заметила. Я надеялся, что смена обстановки поможет, но ошибся. Единственное, что дала нам эта поездка, — возможность поговорить друг с другом, но ничего хорошего мы друг другу сказать не смогли. Да, мы уже восемь лет живем вместе, и, похоже, медовый месяц закончился.

А вот вы с Грегом как раз наслаждаетесь медовым месяцем, и мое письмо будет ждать вас на коврике перед дверями. Знаешь, я всегда думал, что ты захочешь провести медовый месяц на каком-нибудь экзотическом побережье. Я понятия не имел, что ты заинтересуешься достопримечательностями Рима. Они, конечно, грандиозны, но ты же слишком приземленная, чтобы всем этим интересоваться! Шучу, шучу.

Я хочу верить, что есть вещи, которые никогда не меняются, и что ты напишешь мне, как только вернешься.

Целую,

Алекс

Привет из Рима!

Привет, Алекс!

Здесь тепло,

прекрасная архитектура, и что самое важное — восхитительные отели!

Целую,

Рози

***

От кого	Рози
Кому	Алекс
Тема	Я верну-у-у-ула-а-ась!

Вернулась после медового месяца, пару минут назад зашла в дом и прочитала твое письмо. Мне показалось, что ты малость мрачноват, так что я решила позвонить. Угадай, что мне ответили? Правильно, тебя не было дома. Поэтому пишу письмо.

Я не слишком люблю Салли, но искренне желаю вам справиться с вашими проблемами. Когда появляется ребенок, все очень сильно меняется, я знаю это по собственному опыту. Вам трудно привыкнуть к таким изменениям, ведь вы, кроме того, еще и работаете с утра до ночи.

Со временем все наладится само собой, а может быть, вам стоит сходить к психоаналитику. Ты не представляешь, сколько мне понадобилось времени, чтобы смириться с появлением Кати. Как бы я ее ни любила, все равно, это было очень тяжело. Просто делай, что должен, и поверь мне — у тебя все получится.

Я не хочу строить из себя всезнайку, но позволь мне дать тебе совет. Если ты перестанешь говорить о своих чувствах *мне* и начнешь рассказывать о них *Салли*, будет намного лучше. И помни: ты всегда можешь на меня рассчитывать, независимо от того, замужем я или нет.

* * *

Дорогой Алекс!

Надеюсь, у тебя все хорошо. Здорово было увидеть вас на свадьбе, Джош очень клевый. Мамочка выглядела чудесно, и ты тоже. Мы с Тоби поссорились. Ему на следующей неделе будет десять лет, и он думает, что очень крутой только потому, что он немножко старше меня. Он не пригласил меня на день рождения, хотя я ничего плохого ему не сделала. Правда, на прошлой неделе я первая села за компьютер, хотя была его очередь, но он про это не помнил, так что не мог на меня за это обидеться. А больше ничего плохого я не сделала.

Мама звонила маме Тоби, чтобы разобраться, но она тоже ничего не знает. Тоби щас со мной не разговаривает. Я его ненавижу. Я найду себе другого друга. Мама сказала мне написать тебе письмо, потому что ты мой крестный и все об этом знаешь.

Мама считает, что Тоби поступил очень-очень плохо и что, когда я вырасту, у меня будет логическая травма из-за того, что он не пригласил меня на день рождения. Она сказала, что ты знаешь, что она имеет в виду.

Целую,
Кати

Дорогая моя Кати,

твоя проницательная и мудрая мать как всегда совершенно права. Я согласен, что Тоби — чудовищно холодный и расчётливый тип. Это просто отвратительно — не пригласить своего лучшего друга на день рождения, когда тебе исполняется десять лет. Я считаю, что это должно быть уголовно наказуемо. Он поступил, как настоящий эгоист, он совершил непростительный поступок, и чувство вины за содеянное будет, без сомнения, преследовать его в течение многих лет. Может быть, даже лет до тридцати.

Я думаю, что нет на свете наказания, которое было бы достаточно суровым для него. Но так это оставлять нельзя. Тоби поступил жестокосердно, не по-взрослому и очень, очень... самонадеянно. Так что передай маме и Тоби, что я сделаю все для того, чтобы мы с ним смогли искупить свою вину и идти дальше по жизни с гордо поднятой головой.

Целую,
Алекс

Дорогой Алекс,
ты прислал совершенно непонятное письмо. Я не знаю, что все это значит, но мама сказала, что Тоби еще хуже, чем ты написал. Но она смеялась, когда читала письмо, так что я не знаю, серьезно ли она говорила. Я не думаю, что Тоби *такой уж* плохой.

Странные вы оба.
Целую,
Кати

Дорогой Тоби,
пишет тебе Алекс (друг мамы Кати, из Америки).
Я слышал, что на следующей неделе тебе исполнится десять лет. С днем рождения! Ты, наверное, думаешь, что это очень странно — то, что я тебе пишу. Но до меня дошли слухи, будто ты не пригласил на праздник Кати, и я ушам своим не поверил.

Ведь Кати твоя лучшая подруга! Я абсолютно точно знаю, что без нее праздник не удастся. У меня самого такое было. Я уверен: ты будешь, как коршун, весь вечер смотреть на дверь и надеяться, что она все же придет. Какая разница, кто твой лучший друг — девочка или мальчик? Какое тебе дело, если остальные ребята будут смеяться? Главное, что у тебя есть настоящий друг. Поверь мне, жить без такого друга — очень тяжело, особенно щас, когда приходится ходить в дурацкую школу, где носатая миссис Кейси целыми днями на всех орет. Если ты щас не пригласишь Кати, ты очень сильно ее обидишь, и это будет очень плохой поступок.

Найти лучшего друга — самая большая удача в жизни, даже если это девочка. Напиши мне, пожалуйста, что ты решил.

Алекс

PS: На эти деньги купи себе что-нибудь хорошее...

От кого	Тоби
Кому	Кати
Тема	СЕЙЧАС а не ЩАС.

Друг твоей мамы пишет «сейчас» точно как ты. Он пишет ЩАС вместо СЕЙЧАС. Кстати, хочешь придти на следующей неделе на мой праздник?

* * *

От кого	Рози
Кому	Алекс
Тема	Женщины из семьи Дюнн

Это был очень разумный поступок, м-р Стюарт, но вы пока не искупили свою вину. Нас, женщин из семьи Дюнн, очень сложно удовлетворить, знаете ли...

От кого	Алекс
Кому	Рози
Тема	Женщины из дюн

Вижу, вижу. Это не женщины, это стихийное бедствие. Слушай, у меня тут есть одна теория. Поделиться с тобой?

От кого	Рози
Кому	Алекс
Тема	Теория-Фигория

Если хочешь, давай. Я почитаю, когда будет время.

От кого	Алекс
Кому	Рози
Тема	Моя теория

Да, я хочу, и ты это *прочитаешь*. Значит, слушай. Если бы я пригласил тебя тогда на свой день рождения, то не стал бы звать Брайана-Комбайна. Если бы Брайан не пришел, он не размазал бы пиццу по спальному мешку Джеймса, а если бы не этот поступок, совершенно испортивший мне праздник, мы с тобой не стали бы его ненавидеть. Если бы мы не стали его ненавидеть, тебе не пришлось бы столько пить, чтобы выдержать его компанию на выпускном. А если бы ты этого не сделала... тогда... возможно, ты не была бы настолько пьяной, и твоя чудесная маленькая Кати не появилась бы на свет. Так что выходит, ты мне обязана!

Вот такая у меня теория, Рози Дюнн.

От кого	Рози
Кому	Алекс
Тема	А теперь моя теория

Отлично придумано, Алекс, просто отлично. Но поверь мне, если ты хочешь взять на себя ответственность за появление Кати, совершенно незачем так глубоко копать. Вот тебе моя теория.

Не подведи ты меня перед выпускным, мне не пришлось бы идти с Брайаном-Комбайном. Сумей ты в тот день сесть на самолет, наша жизнь могла бы сложиться совсем по-другому.

От кого	Алекс
Кому	Рози
Тема	Жизнь

Ты знаешь, в последнее время я очень часто об этом думаю.

***

Руби: ЧТО??? Они *разошлись???*

Рози: Да, они расстались. Грустно, правда?

Руби: Да не то чтобы. А почему они разошлись?

Рози: Не сошлись характерами. Так, кажется, всегда говорят.

Руби: Ну не всегда, в моем случае во всем был виноват этот маленький паршивец. А с кем остался Джош?

Рози: Салли забрала его и переехала к родителям.

Руби: Бедняга Алекс. Ну так расскажи, что случилось.

Рози: Я не все знаю.

Руби: Врешь. Алекс все тебе рассказывает, и это, кстати, может быть одной из причин.

Рози: Не пытайся, пожалуйста, взвалить на меня вину за его неудачный брак. Это очень неприятно. У них было достаточно своих собственных проблем. Видимо, в один прекрасный момент они просто не смогли с ними справиться.

Руби: И когда ты к нему едешь?

Рози: На следующей неделе.

Руби: А назад вернешься?

Рози: РУБИ! ПРЕКРАТИ!

Руби: Ладно, ладно. Все это довольно печально, правда?

Рози: Да. Алекс совершенно разбит.

Руби: Нет, я не об этом. *Лично меня* больше всего расстраивает, что все вышло так нелепо. Даже не представляю, что ты чувствуешь по этому поводу.

Рози: Что значит «нелепо»?

Руби: Послушай... ты столько лет его ждала, и как только ты сдалась, решила начать свою собственную жизнь и вышла за Грега — через пару недель после этого Алекс расходится с Салли. В который раз вы уже разминулись, Рози? Может, в следующий раз вам просто договориться заранее?..

Глава 18

Тебе исполнился годик!
С Днем Рожденья, милый Джош!
Ты на папочку похож,
И поэтому все мы
В крошку Джоша влюблены!

Дорогой Джош (и его папочка)!
Мы вас очень любим и желаем вам весело отпраздновать день рождения и День Благодарения.
С любовью,
Рози и Кати

Дорогие Рози и Кати!
Спасибо за игрушку, которую вы прислали мне на день рождения. Я назвал ее «Медведь». Это папа придумал имя, он вообще очень умный. Я люблю жевать ухо Медведя и всячески его слюнявить, чтобы потом, когда папа возьмет его в руки, он весь измазался в слюнях. Еще я люблю посреди ночи выбрасывать Медведя из кровати и громко звать папочку, чтобы он принес его об-

ратно. Я это просто для смеха делаю, ведь папочке не нужно спать. Главное — чтобы он меня кормил и менял подгузники.

Щас мне пора, у меня очень напряженное расписание: в девять меня покормят, потом я рыгну, а затем попытаюсь сделать несколько шагов в гостиной. Я знаю, что могу это сделать... не вечно же мне падать на попу.

Спасибо за Медведя.

Целую и скучаю по вам обеим,

Джош (и папочка)

* * *

От кого	Рози
Кому	Алекс
Тема	С днем рождения!!

Не могу поверить, что ты решил не праздновать свое тридцатилетие! Или ты празднуешь, просто меня не пригласил? Помнится, ты уже был однажды замечен в подобном. Господи, это было двадцать лет назад. Я и не думала, что мы доживем до момента, когда сможем вспомнить что-то настолько давнее. Ладно, с днем рождения, съешь за меня кусочек торта.

От кого	Алекс
Кому	Рози
Тема	Спасибо

Прости, Рози, я давно не писал. Я почти отбыл свой срок здесь, теперь мне предстоит еще два года стажировки в кардиотерапевтическом отделении. Еще чуть-чуть, и мои сто лет обучения закончатся! Праздника в этом году не будет, у меня сейчас слишком много хлопот — нужно возвращать многомиллионную студенческую ссуду.

У Вас входящее сообщение от: **ГРЕГ**

Грег: Привет, дорогая, как работается?

Рози: Ты знаешь, сегодня один из тех дней, которые никак не закончатся. Отель переполнен, здесь настоящая давка из-за дня святого Патрика. С утра туристы шли нескончаемым потоком, и всех нужно было поселить. Сейчас вроде немного *поутихло*, и я наконец добралась до компьютера — делаю вид, что заношу данные о занятых номерах, так что не смеши меня, пожалуйста, иначе моя маскировка будет раскрыта.

Когда я сказала поутихло, я имела в виду, что пока что никого не нужно регистрировать, но это совсем не значит, что здесь на самом деле тихо. В баре сидит огромная толпа американцев, распевающих ирландские песни. Они притащили в отель целый ансамбль, представляешь? Никогда в жизни не видела столько крашеных рыжих людей одновременно.

Самое плохое, что из Чикаго прилетел кто-то из семьи Билла Лэйка. В количестве тридцати человек. Так что я стараюсь изо всех сил. Похоже, его племянник играет на тромбоне в чикагском школьном оркестре, и они будут выступать в воскресенье на параде.

Скорей бы закончился этот день! У меня уже щеки болят от улыбок и глаза слезятся от компьютера. Ты представляешь, Билл дал мне целых два выходных! Я в таком восторге! Он просто лапочка. Я и не помню, когда в последний раз отдыхала в субботу, не говоря уже про все выходные целиком. Значит, сегодня мы сможем сходить куда-нибудь, не беспокоясь о том, что завтра рано вставать. Ты еще не говорил с Тедом, когда они встречаются с Руби? И я вот что еще думаю: надо будет отвести Кати и Тоби на парад в воскресенье. Что скажешь?

Извини, что я так бессвязно все это выпалила. Радуюсь как ребенок. В школе я тоже каждую пятницу не могла дождаться, когда прозвенит последний звонок и наступят выходные. Да, уроки математики вряд ли когда-то пригодятся мне в жизни, зато они дали мне представление о том, что такое тоска рабочих будней.

Грег: Извини, Рози, я не хочу портить тебе твое чудесное настроение, но я должен сегодня уехать в Белфаст. Мне только утром об этом сказали, в самую последнюю минуту. Прости.

Рози: Да ты что! Зачем тебе Белфаст?

Грег: Ну, там будет семинар, мне обязательно нужно на нем быть.

Рози: Какой семинар?

Грег: Финансовый.

Рози: Разумеется, финансовый. Я и не думала, что это будет семинар по французской кулинарии. А ты обязательно должен туда ехать? Они вообще заметят, есть ты там или нет?

Грег: Да вряд ли кто-то заметит, но я сам хочу поехать. Там обсуждаются довольно интересные вещи. Ты же понимаешь, что мне нужно быть в курсе событий.

Рози: Ну что ты еще хочешь знать про эти проклятые банки? Я тебе сама все расскажу: банк дает деньги взаймы, а назад просит в десять раз больше. Вот и все!

Грег: Прости, Рози.

Рози: Ой, как мне это надоело. Почему, черт возьми, именно в те дни, когда мне не нужно выходить на работу, ты обязательно должен уехать? Неужели ты не понимаешь, что у меня теперь целый год не будет двух выходных подряд?

Грег: За что я тебя люблю, так это за то, что ты никогда не преувеличиваешь. Слушай, мне пора, ладно? Потом поговорим, люблю тебя.

Рози: Ой, погоди, утром не приходил счет за телефон?

Грег: Как обычно, огромный?

Рози: Скорее всего.

Грег: Черт. Это все ты виновата, ты без конца торчишь в Интернете. Я не понимаю, почему вы с Руби не можете просто *встретиться* как нормальные люди.

Рози: Потому что нет таких заведений, где можно было бы курить и валяться на диване в пижаме. В любом случае, этот счет все равно *даже близко не сравнится* с теми, которые приходят за твои разговоры с матерью, когда ты пытаешься убедить ее в том, что она вполне способна жить одна.

Грег: Дорогая моя, мне почему-то кажется, что ты не против, чтобы я потратил несколько часов, убеждая ее в этом!

Рози: И то правда! Ах, если бы у меня был знакомый банковский служащий, который мог бы дать нам ссуду... как легко было бы жить...

Грег: К сожалению, все не так просто, Рози.

Рози: Представь себе мое разочарование, когда я обнаружила это после того, как мы поженились.

Грег: Но ты все равно торчишь со мной, и спасибо тебе за это. Все, мне пора, нужно срочно отказать кому-нибудь в закладной — ты понимаешь, о чем я. Люблю тебя.

Рози: Люблю тебя.

* * *

От кого	Кевин
Кому	Рози
Тема	Моя любимейшая сестра

Здравствуй, моя самая лучшая на всем белом свете старшая сестра! Пишет тебе Кевин. Напиши мне, если можешь, я тут сижу в колледже за компьютером, интернет бесплатный, так что я хочу кое о чем тебя спросить.

От кого	Рози
Кому	Кевин
Тема	Re: Re: Моя любимейшая сестра

Почему ты появляешься, только когда тебе что-то нужно?

От кого	Кевин
Кому	Рози
Тема	Re: Re: Моя любимейшая сестра

Ты говоришь, как моя бывшая девушка. А почему ты решила, что мне что-то нужно? Может быть, я просто хочу узнать, как поживает моя сестра. Как Кати? Передай, что я о ней спрашивал. Как Грег? Передай, что я о нем спрашивал. Как Алекс? Передай, что я о нем спрашивал. Видишь, как я интересуюсь твоей жизнью? Если тебе нужно будет когда-нибудь посидеть с Кати, только попроси, я буду ужасно рад помочь тебе. Ну вот и все, береги себя и не пропадай.

PS: Слушай, ты случайно не могла бы попросить босса взять меня на работу?

От кого	Рози
Кому	Кевин
Тема	АГА!

АГА! Я знала, что дело нечисто! Ты никогда раньше не интересовался моей жизнью. Большое спасибо. у Кати все в порядке, у Грега тоже и у Алекса тоже. Можешь сам в этом убедиться, если наконец соберешься заехать в гости. Да, я была бы очень рада, если бы ты посидел с Кати, большое спасибо за предложение, но я что-то не уверена, что могу тебе доверять. Хватит с меня прошлого раза.

От кого	Кевин
Кому	Рози
Тема	6 лет прошло!

Да ладно, Рози! Это же случилось шесть лет назад. мне было всего семнадцать! Как можно было оставить отдельную квартиру на семнадцатилетнего парня и ожидать. что он не пригласит парочку своих друзей? Это же совершенно нормально.

От кого	Рози
Кому	Кевин
Тема	Нормально?

Кевин, ты разгромил всю квартиру! Бедняжка Кати была просто в ужасе, да и я не сильно обрадовалась, обнаружив тебя в своей постели с этой... как ее там...

От кого	Кевин
Кому	Рози
Тема	Сколько воды утекло!

Но ведь ты сама сказала — чувствуй себя как дома... Ладно, с тех пор уже столько воды утекло, мы теперь оба взрослые разумные люди (ты даже малость старовата — в следующем месяце будет тридцать!). Было бы очень здорово, если бы ты могла мне помочь. Я бы вечно тебя благодарил, честное слово.

От кого	Рози
Кому	Кевин
Тема	Будешь должен!

Ладно, ладно, но чудес не обещаю. И имей в виду. Кевин: если ты не справишься, Билл отнесет это на мой счет, и мой грандиозный план прибрать к рукам этот отель рухнет как карточный домик.

От кого	Рози
Кому	Алекс
Тема	Жизнь идет

Господи, Алекс, кто мог себе представить, что Кевин научится ходить и разговаривать? Мне все казалось, что он по-прежнему школьник, а он неожиданно повзрослел. Впрочем, я никогда толком ничего не знала о его жизни. Он такой скрытный. Если кого и следует остерегаться, то таких, как он.

Как быстро все меняется. Только-только ты к чему-то привыкнешь, и тут — ррраз! Все изменилось. Только-только начинаешь кого-то понимать — ррраз! И он вырос. Вот и с Кати происходит то же самое. Каждый раз, когда я смотрю на нее, я вижу, что ее лицо стало еще чуточку взрослее. Иногда я даже перестаю *делать вид*, что мне интересно с ней разговаривать, потому что понимаю, что мне *и правда* интересно. Мы ходим по магазинам, и я советуюсь с ней, мы вместе ходим куда-то ужинать и хихикаем без перерыва. Я никак не могу понять, в какой же момент мой ребенок перестал быть ребенком и стал человеком.

И ты знаешь, она становится прекрасным человеком. Не знаю, Алекс, куда заведет меня этот разговор, но в последнее время я столько думаю, что у меня в голове полная неразбериха. Так сложно понять суть происходящего — жизнь намного быстрее, чем твои мысли, она проскальзывает между пальцев в одно мгновение, и ты снова ничего не понимаешь.

Вся наша жизнь измеряется временем: дни состоят из часов, эти часы определяют нашу зарплату, годы определяют наше сознание. Мы с трудом выкраиваем пару минут, чтобы выпить кофе, и бежим обратно к рабочему столу, смотрим на часы и планируем нашу жизнь по ежедневнику. А время уходит, и рано или поздно ты начинаешь задумываться — эти секунды, минуты, часы, дни, недели, месяцы, годы и десятилетия — так ли ты потратил их, как должен был?

Все вертится — работа, семья, друзья, любимые... и хочется крикнуть: «СТОП!», оглянуться вокруг, что-то изменить и только потом идти дальше. В твоей жизни сейчас очень трудный период. Знай, что если я нужна тебе — я здесь.

Целую,
Рози

Глава 19

Дорогой Алекс!

Значит, так. Ты, наверное, в курсе, что маме в следующем месяце исполнится тридцать лет. Мы с Тоби щас готовим для нее праздник. Ты приедешь?

Мы уже пригласили бабушку, дедушку, тетю Стефани, дядю Кевина (хоть мы и не хотим его видеть, он нас пугает), Руби, Тедди, маму и папу Тоби, Тоби и меня. Пока все. Ах да, еще Грег — если он будет здесь. Он все время работает, и они с мамой постоянно из-за этого ругаются. На прошлой неделе у мамы было два выходных, и она до самой пятницы радовалась, что сможет куда-то пойти с Руби и Грегом. Я ее понимаю, я сама ненавижу школу и очень люблю, когда наконец приходит конец недели. А Грег снова уехал в последнюю минуту. А потом позвонила Руби и сказала, что она заболела, так что маме пришлось остаться дома и смотреть телевизор со мной и Тоби, и она позволила ему остаться на ночь.

Тоби принес очень классный новый фонарик, самый лучший, какие только бывают. Мама легла спать, а мы стали светить на улицу, и свет доставал до туч, такой сильный. Потом мы начали светить через дорогу и увидели мистера и миссис Галлахер. Тоби сказал, что они играют в лягушек. Это было очень смешно, только миссис Галлахер пришла к нам прямо в ночной рубашке и была ужасно злая, начала стучать в дверь и кричать на маму. Мама тоже очень разозлилась и сказала, что не возьмет нас на парад. Но все-таки взяла. В городе мы с Тоби раскрасили лица и выглядели очень классно. Мы даже уговорили маму нарисовать на лице маленький трилистник, она нарисовала, но потом об этом пожалела, потому что начался дождь, и грим потек по лицу, как разноцветные слезы. У Тоби все размазалось по волосам, а я случайно потерла глаза, и в них попала краска. Мне так щипало глаза, что я не могла их открыть, поэтому мама и Тоби взяли меня за руки и повели домой. Нам пришлось уйти, хотя парад еще не начался.

Мы промокли до нитки, а мамин новый наряд, который она купила для дня рождения, весь испачкался зеленым. Женщина, которая нас раскрашивала, сказала, что краска отстирывается. Но ничего не отстиралось. У Тоби целую неделю были зеленые волосы, и Миссис Носатая Вонючка Кейси была недовольна. Ты представляешь, она теперь директор! Мама говорит, что эта школа совершенно безнадежна.

В общем, мы вернулись домой и смотрели парад по телеку, но смогли увидеть только конец, потому что очень долго добирались домой из-за этих долбаных туристов. Так мама сказала.

Так ты приедешь на вечеринку? Можешь взять с собой Джоша, нам нужно как можно больше народу. Тетя Стефани не смогла приехать, потому что она рожает в следующем месяце, и я думаю, что она такая тяжелая, что летчик не пустит ее в самолет. Бабушка с дедушкой едут в гости к ней, Пьеру и ребенку, если он родится, дядя Кевин не может прийти, потому что у него работа — он начальник нового отеля где-то за городом. Так что остались только Руби и Тедди. Но Руби сказала, что не может обещать, что Тедди придет, поскольку она не любит планировать свидания с ним так задолго. Хотя осталось всего две недели.

Я хотела бы устроить че-нибудь особенное для мамы, потому что она на этой неделе снова была очень грустная. В последнее время у нас происходит че-то странное. Я думаю, это из-за того, что сломался телефон. Каждый раз, когда звонит телефон и мама берет трубку, там тишина. И когда я беру, то же самое. А когда Грег берет трубку, такого не бывает.

Грег сказал, что он может вызвать мастера, чтобы починить телефон, а мама вылила ему на голову чай. Я не думаю, что он сломался. Я думаю, звонит кто-то, кто хочет говорить только с Грегом, а не со мной или мамой.

Было бы здорово, если бы ты приехал, ты ужасно веселый. Ты сможешь даже спать у нас. Правда, соседняя комната занята — это теперь комната Грега. Ты можешь спать на диване или на раздвижной кровати в моей комнате. Только не звони, потому что это секрет, и мама все равно перестала отвечать на звонки, она бросает трубку. Напиши мне, если захочешь приехать.

Целую,
Кати

От кого	Алекс
Кому	Кати
Тема	Re: День рождения Рози

Спасибо за письмо. Вы с Тоби здорово придумали, но, если ты не против, я не буду ждать до дня рождения. Я приеду, как только смогу.

* * *

С днем рождения, сестричка!
Прости, что не можем приехать.
Целуем,
Стефани, Пьер и Жан-Луи!

Доченька!
С днем рождения!
Прости, что не можем приехать, отпразднуй хорошенько, дорогая, увидимся, когда мы вернемся.
Целуем, мама и папа

С днем рождения, сестричка!
Прости, не могу приехать, но спасибо, что нашла мне работу, я твой должник.
Желаю удачного вечера.
Кевин

С днем рождения, Рози!
Прости, что не сможем прийти, но нам приходится тебя заменять!
Целуем, твои коллеги по работе Ххх

Рози!
Прости, пожалуйста, прости меня, я был таким дураком.
Давай забудем об этом и отпразднуем твой день рождения.
Целую,
Грег

С днем рождения!
Давай нажремся.
Целую, Руби

* * *

Рози!

Завтра я возвращаюсь в Бостон. Прежде чем уехать, я хочу написать тебе это письмо, хочу выразить на бумаге все мысли и чувства, что накопились у меня внутри. Я решил сделать это письменно, чтобы не давить на тебя с принятием решения. Я понимаю, что тебе нужно будет как следует обдумать то, что я щас скажу.

Я вижу, что происходит, Рози. Я твой лучший друг, и я способен разглядеть печаль в твоих глазах. Я знаю, что Грег не в командировку уехал на эти выходные. Ты никогда не умела мне врать. Не нужно притворяться, что все хорошо, я же *вижу*, что происходит. Я вижу, что Грег — просто самовлюбленный эгоист, совершенно не понимающий, как ему повезло с тобой. И мне очень тяжело все это видеть.

Он недостоин тебя, Рози. А ты заслуживаешь *намного большего*. Ты заслуживаешь того, кто будет любить тебя всем сердцем, того, кто будет помнить о тебе каждую секунду, кто будет постоянно думать о том, где ты сейчас, что ты делаешь, с кем ты и все ли у тебя хорошо. Тебе нужен тот, кто поможет тебе осуществить твои мечты и сможет избавить тебя от твоих страхов. Тот, кто будет уважать тебя, любить тебя как ты есть, *особенно твои слабости*. Рядом с тобой должен быть тот, кто сделает тебя счастливой, по-настоящему счастливой, *себя не помнящей от счастья*. Тот, кто еще много лет назад должен был использовать свой шанс быть с тобой, но испугался и так и не сумел решиться.

Я больше не боюсь, Рози. Я решился.

Я знаю теперь, что за чувство разрывало мне сердце на твоей свадьбе. Это была ревность. Я видел, как женщина,

153

которую я люблю, идет к алтарю с другим мужчиной, с мужчиной, с которым она готова провести всю свою жизнь. Это было как смертный приговор: знать, что я никогда не смогу обнять тебя, никогда не смогу рассказать тебе, что же ты для меня значишь.

Мы *дважды* стояли рядом у алтаря, Рози. Дважды. И мы дважды ошибались. Я понимал, что в день моей свадьбы я хочу видеть тебя рядом со мной, но я так и не понял, что это должна была быть *и твоя свадьба тоже.* Как мы ошиблись, Рози.

Когда много лет назад, в Бостоне, ты коснулась губами моих губ, я не должен был отпускать тебя. Я не должен был отступать. Я не должен был теряться. Как я мог прожить все эти годы без тебя? Дай мне шанс наверстать их. Я люблю тебя, Рози, я хочу, чтобы мы всегда были вместе — ты, я, Кати и Джош. Всегда.

Прошу тебя, подумай. Забудь про Грега, ведь мы с *тобой можем быть вместе.* Давай перестанем бояться и наконец используем свой шанс. Я обещаю, что сделаю тебя счастливой.

С любовью,
Алекс

Глава 20

Руби: Я решила. Я сажаю Гэри на диету.

Рози: *Ты* сажаешь *его* на диету? Ему же двадцать один год! Как ты собираешься контролировать его питание?

Руби: Ну, это не проблема. Повешу замок на холодильник.

Рози: И что за диета?

Руби: Еще не решила. Я купила журнал, но там столько дурацких диет, что я не знаю, какую выбрать. Помнишь ту идиотскую, на которой мы с тобой сидели в прошлом году? Алфавитная диета, когда можно было есть только еду, начинающуюся на определенную букву, и так по алфавиту.

Рози: Да-да-да! И сколько мы на ней просидели?

Руби: Я не помню... то есть, конечно же, двадцать шесть дней, Рози[1].

Рози: А... да... точно. Ты тогда, вместо того чтобы похудеть, наоборот, поправилась.

Руби: Все потому, что мы дошли до чудесной буквы «П»... Пирожные... ням-ням

---

[1] В английском алфавите 26 букв.

Рози: Ну, буква «Э» все это компенсировала. Я чуть с голоду не умерла на этой проклятой «Э», готова была целиком проглотить Эверест.

Руби: Ну так слушай, Рози. По-моему, я придумала свою собственную диету. Думаю, ее можно будет продать в какой-нибудь из дурацких журналов.

Рози: И что за диета?

Руби: Ну... в общем, есть можно только... еду, на которую ты сам похож.

Рози: Какая отличная идея! Я уверена, редакторы журналов просто из штанов выпрыгнут от счастья...

Руби: Выслушай меня! В этом определенно что-то есть! Например, Тедди всегда напоминает мне помидор — у него такое спелое, сочное красное лицо, и хохолок на макушке похож на черенок... Мне так и хочется засунуть его голову в блендер вместе с водкой и «Табаско». Это будет мой фирменный коктейль — «Кровавый Тедди». А Саймон из офиса похож на брюссельскую капусту. Он вонючий и...

Рози: Зеленый?

Руби: Нет, просто вонючий.

Рози: А я на что похожа?

Руби: Хороший вопрос... хмм... я думаю, ты немного похожа на лук.

Рози: На лук?! Почему, я что, воняю и заставляю людей плакать?! На лук?! Почему, я что, воняю и заставляю людей плакать?!

Руби: А чего это ты повторяешься?

Рози: А мы, луковицы, всегда все за всеми повторяем.

Руби: Какая смешная луковица. Нет, дело просто в том, что у тебя очень много слоев, наверняка даже больше, чем я думаю. А я кто?

Рози: Ты.... пирожное.

Руби: *Пирожное??*

Рози: Сладкое-сладкое, и сверху вишенка.

Руби: При этом жирное и вредное.

Рози: Руби, ну ты же сама придумала эту диету. Так что раз ты похожа на пирожное, тебе можно их есть... подумай над этим...

Руби: Мысль интересная... Я давно заметила, что даже маленький кусочек пирожного значительно улучшает мое самочувствие. Ладно, дурацкая идея. Эта диета будет работать, только если ты сам похож на фрукт или овощ, а мой Гэри совсем не похож (образом жизни разве что).

Рози: А как по-твоему, на что похож Грег?

Руби: О, это просто. На бычьи яйца.

Рози: Ха! Где ты видела, чтобы ели бычьи яйца?

Руби: Это древний племенной ритуал... Ну, тогда на червяка. На омерзительного, скользкого, холодного червяка.

Рози: Не думаю, что он станет есть червяков.

Руби: Кому какое дело, что ест эта лживая скотина. А Алекс на что похож?

Рози: На «Скай».

Руби: То есть ты считаешь, что Алекс, у которого шесть футов росту, каштановые волосы, карие глаза и бледная кожа, похож на шоколадный батончик с нугой внутри?

Рози: Да.

Руби: По-моему, это уже глуповато...

Рози: Ну, извини, помнится, кое-кто тут рассказывал, что у Тедди помидор вместо головы...

Руби: Слушай, от всех этих диетических разговоров я проголодалась, так что устрою-ка я себе ранний обед, идет?

Рози: Идет. Ты немного подняла мне настроение, Руби.

Руби: Ой-ой-ой, прости, пожалуйста, я не хотела!

Рози: Ладно, что уж делать.

Руби: Пока, дорогая.

Рози: Пока...

Связь с РУБИ прервана.

От кого	Алекс
Кому	Рози
Тема	Тебе нужно больше времени?

Это Алекс, давненько мы не разговаривали... Я все надеялся, что ты ответишь мне. Если тебе нужно больше времени, я понимаю. Пожалуйста, дай мне знать, что происходит.

От кого	Рози
Кому	Алекс
Тема	Re: Тебе нужно больше времени?

Здорово, Скай! Прости, что я не писала, с головой ушла в работу. У меня почему-то теперь очень много дел. Может быть, потому что солнце вновь явило нам свой ясный лик, и в его радостном свете все выглядит намного лучше. А что ты имеешь в виду, когда написал, что мне нужно больше времени? Чтобы принять, что мне тридцать, много времени не понадобилось!

Кстати, спасибо, что приехал на мой день рождения. Было очень мило со стороны Кати и Тоби организовать все это, пусть даже вы с Руби были единственными гостями. Прости, что я была такой мрачнющей. Видимо, я слегка расстроилась, что на мое тридцатилетие почти никто не смог прийти. Было бы очень приятно, конечно, если бы заглянул кто-нибудь еще, но это не конец света. Главное, что ты приехал. Я была так рада тебя видеть.

Ты всегда помогаешь мне, Алекс, и ты знаешь, как я это ценю. Когда у меня кончаются силы, я всегда могу опереться на твое плечо.

А как у тебя дела? Как Джош? Обними и расцелуй его за меня.

От кого	Алекс
Кому	Рози
Тема	Мое письмо

Ты что, не получила мое письмо?

От кого	Рози
Кому	Алекс
Тема	Письмо?

Какое письмо? А когда ты его отправил? Может быть, задержалось в дороге, скоро получу, наверное.

Дорогой Алекс!
Спасибо, что приехал на мамин день рождения, и за подарок тоже спасибо. Мама была очень грустная, пока ты не приехал, но ты ее немножко развеселил, по-моему. Мне пора, учительница на меня смотрит.
Кати

Дорогая Кати!
Спасибо за письмо. Надеюсь, у тебя не будет неприятностей в школе из-за того, что пишешь мне письма. Я рад, что тебе понравились подарки. Передай Тоби от меня привет и скажи, что скоро я пришлю ему бейсбольную форму.

Как дела у мамы? Как у вас дома? Ты случайно не знаешь, что такое Скай?
Целую,
Алекс

От кого	Алекс
Кому	Рози
Тема	Мое письмо

Я не отправлял его по почте, я оставил его на столе в кухне у тебя дома, прежде чем поехал в аэропорт. Ты что, не видела его?

Дорогой Алекс!

Тоби в полном восторге от этих бейсбольных штук. Похоже, у нас все постепенно возвращается в норму. Грег теперь лишь иногда спит в соседней комнате. Мама говорит, это потому, что он храпит, но я ей не верю. Мы с Тоби спрятали у него в комнате диктофон, чтобы проверить. Он не храпит. Зато он разговаривает во сне! Он говорил: «Не посылайте лошадей на радугу!» Честное слово, так и сказал, у нас это на пленке записано.

У нас вроде все в порядке, хотя не так хорошо, как раньше. Здорово было, когда ты был здесь. А сейчас я предпочитаю больше времени проводить дома у Тоби. Кстати, Скай — это мамин любимый шоколадный батончик. Она без ума от них. Она говорит, что могла бы жить на диете из одних только Скаев. А недавно она сказала, что она влюблена в Ская, начала целовать его и смеяться.

А почему ты спросил? Тоже хочешь? Я могу тебе прислать, если в мерике их не продают. Я уже однажды посылала Тоби шоколадный батончик, когда была в Англии на каникулах, потому что здесь таких нету. Но когда Тоби его получил, шоколад растаял и размазался по бумаге. Тоби даже не смог прочитать мое письмо. Но я обрадовалась, потому что очень скучала по нему и написала там всякие глупости, было очень неловко.

Так что, раздобыть тебе шоколадный батончик? Мама говорит, что она жить не может без своего Ская. Она очень странный человек.

Целую,
Кати

От кого	Алекс
Кому	Рози
Тема	Мое письмо

Привет, Рози, у меня к тебе серьезный вопрос. Это касается моего письма. Там было кое-что важное, и я бы очень хотел, чтобы ты прочитала его. Можешь попытаться его найти?

От кого	Рози
Кому	Алекс
Тема	Твое письмо

Привет, Алекс, вчера я обыскала весь дом сверху донизу, когда вернулась с работы. Никаких признаков письма. Что-то случилось? Может, еще раз напишешь мне, что там было?

От кого	Алекс
Кому	Рози
Тема	Мое письмо

Господи боже, Рози. Позвоню тебе через пять минут.

От кого	Рози
Кому	Алекс
Тема	Твое письмо

Алекс! Ты не можешь звонить мне на работу, меня уволят! Что происходит?

От кого	Алекс
Кому	Рози
Тема	Мое письмо

Ну сделай вид, что разговариваешь с клиентом, Рози! Я серьезно, возьми трубку.

От кого	Рози
Кому	Алекс
Тема	Твое письмо

Подожди, тут Грег на связи. Пока у тебя не случился сердечный приступ, я постараюсь узнать, не видел ли он письма.

От кого	Алекс
Кому	Рози
Тема	Мое письмо

Черт возьми, *у него* только не спрашивай!

У Вас входящее сообщение от: РОЗИ.

Рози: Ты видел на кухонном столе письмо для меня?

Грег: Письмо? Нет, по-моему, там был только счет за твой мобильный телефон и счет за электричество.

Рози: Я не про сегодняшнее утро говорю; две недели назад, когда у меня был день рождения.

Грег: Но, Рози, ты же тогда не хотела меня видеть. Я спал на диване в квартире Тедди, помнишь?

Рози: Блин, вот же ты дурак какой. Конечно, я помню, я была уверена, что тебе это понравится, ведь ты постоянно спал по чужим домам. Я не идиотка, Грег, хотя ты, вероятно, думаешь по-другому.

Грег: Милая, я —

Рози: Я тебе не милая. Ты видел письмо, черт возьми, или нет? Ты же был дома в понедельник, сразу после отъезда Алекса.

Грег: Нет, честное слово, я его не видел.

Рози: Ну, чего стоит твое честное слово, я уже знаю.

Грег: Послушай, Рози, мы не сможем сдвинуться с места, если ты не простишь меня и не научишься мне доверять —

Рози: Мое прощение тебе как корове седло. Послушай, у меня нет сейчас времени на еще один идиотский диалог. Все очень просто. Алекс ждет моего ответа. Он оставил для меня письмо. Он хочет знать, не видел ли этого письма кто-нибудь из нас. Поэтому я спрашиваю тебя еще раз, Грег, ты видел письмо или нет?

Грег: Нет, я клянусь, что не видел.

От кого	Билл Лэйк
Кому	Рози
Тема	Личная переписка

Надеюсь, Рози, все эти письма, которые Вы отослали в течение последних тридцати минут, были исключительно по работе. Как Вы помните, в зале имени де Валера[1] на выходных пройдет конференция, и через несколько минут к нам должна прибыть группа участников из восьмидесяти человек. Работы очень много, Рози.

От кого	Рози
Кому	Алекс
Тема	Твое письмо

Алекс, Грег не видел твоего письма. Давай, ты напишешь мне еще одно или позвонишь, когда я вернусь домой, но прошу тебя, не сейчас, у меня прямо над головой висит эта проклятая видеокамера, и Большой Брат видит каждое мое движение. Прошу вас, ребята, оставьте меня оба в покое, пока я не вылетела с работы.

От кого	Грег
Кому	Алекс
Тема	Твое письмо?

Я слышал, ты на связи. Надеюсь, мое письмо тебя застанет. Так уж вышло, что я наткнулся на то, что ты сей-

---

[1] Имон де Валера (1882—1975) — премьер-министр Ирландии.

час, вероятно, ищешь. Я буду тебе очень признателен, если ты прекратишь посылать моей жене любовные письма. Похоже, ты забыл, что она замужем. Она *моя жена*, Алекс.

Да, у нас с Рози бывают трудности, как и у всех семейных пар, но мы стараемся справиться с ними. Пойми, что никакие твои письма ничего не изменят. Как ты сам сказал, у тебя была возможность, но ты ее упустил.

Посмотри правде в глаза, Алекс. Вам с Рози уже по тридцать. Вы знаете друг друга с пятилетнего возраста. Если между вами что-то должно было произойти, если это действительно *должно было* случиться — неужели вам не хватило всех этих лет? Подумай над этим. Ты ее просто не интересуешь.

Я не хочу больше иметь с тобой дела, и, если твоя нога хоть раз переступит порог моего дома, я с удовольствием объясню тебе, что тебя здесь никто не ждет. Не буду ставить тебя в неловкое положение и касаться содержания твоего письма, но хочу сказать вот что: ты ошибаешься. Я ценю то, что Рози — моя жена. Она прекрасная женщина, душевная, заботливая и любящая, и я очень рад, что эта женщина решила провести свою жизнь *именно со мной*. Со мной она пошла к алтарю, и ты можешь сколько угодно смотреть ей в спину — она уже не обернется

От кого	Алекс
Кому	Грег
Тема	Рози

Ты что, правда, думаешь, что сможешь напугать меня своими жалкими словами? Ты ничтожество. У Рози есть своя голова на плечах, она не нуждается в том, чтобы кто-то принимал за нее решения.

А что ты сделаешь, если она согласится, Алекс? Что ты сделаешь? Переедешь в Дублин? Оставишь Джоша? Или думаешь, Рози приедет в Бостон? Заставит Кати бросить все, уволится с работы, которая ей так нравится? *Думай головой, Алекс.*

У Вас входящее сообщение от: АЛЕКС

Алекс: Фил, она не получила письма.

Фил: Черт побери, Алекс. Я же говорил тебе, что не нужно писать никаких дурацких писем. Надо было просто поговорить с ней. Не знаю, почему ты не пользуешься человеческим языком, как все нормальные люди.

Алекс: Письмо нашел Грег.

Фил: Идиот-муж? Я думал, они расстались.

Алекс: Видимо, нет. Но это ничего не меняет. Фил, я все так же ее люблю.

Фил: Да, но она *все так же* замужем, правда? Вряд ли тебе понравится то, что я скажу, это мое личное мнение, Алекс, а ты, черт возьми, никогда не слушаешь советов, но я не стал бы трогать чужую жену. Это мое мнение.

Алекс: Но он же ничтожество, Фил!

Фил: Ты тоже, но ты мой брат, и я тебя люблю.

Алекс: Я серьезно. Этот парень ее обманывал. Он не для нее.

Фил: Да, но есть разница между тем, что сейчас, и тем, что было раньше,— теперь Рози *знает*, что он ее обманывал. Она знает, что он ничтожество. Но она по-прежнему с ним. Значит, она действительно любит его, Алекс. Я бы сказал — отступись. Это мое личное мнение, но я бы сказал — отступись.

Алекс: Я не могу, Фил.

Фил: Отлично! Ты сам себе хозяин, делай что хочешь. Ты говоришь, что желаешь Рози добра, но действуешь как эгоист. Взгляни на это глазами Рози. Она только что выяснила, что ее убогий муженек обманывал ее, и ей это было довольно тяжело, но почему-то она все же решила простить его и осталась с ним. И вот как только она более-менее привела в порядок свою жизнь, тут появляешься ты на белом коне и заявляешь о своей любви. Ты хочешь еще больше запутать бедную женщину? Послушай, если этот брак обречен, то через несколько месяцев он развалится сам собой, и Рози будет твоей. Не бери на себя роль негодяя, пытающегося разрушить семью. Рози никогда не простит тебе этого.

Алекс: То есть ты думаешь, что все должно произойти само собой, что она придет ко мне сама, когда будет готова к этому?

Фил: Что-то в этом роде. Я вот думаю — а не завести ли мне собственное шоу на телевидении? Знаешь, такое, где дают консультации по всяким сложным жизненным вопросам?

Алекс: Я буду участвовать каждую неделю, Фил. Спасибо тебе.

Фил: Да без проблем. Иди, поставь кому-нибудь новое сердце, а я поставлю в какую-нибудь машину новый двигатель. Мы вроде все обсудили. Делай то, что должен.

Связь с АЛЕКС прервана.

Глава 21

От кого	Рози
Кому	Алекс
Тема	Письмо?

Алекс, я перевернула всю кухню вверх дном, я камня на камне не оставила, Грег и Кати клянутся, что они и пальцем ни к чему не притронулись, так что я не знаю, где еще оно может быть. Ты уверен, что ты оставил его там? Мы так спешили, провожая тебя в аэропорт, что ты мог забыть. Я проверила комнату, в которой ты спал. Я нашла там футболку, но она теперь моя, возвращать я ее не собираюсь!

А что было в письме? Ты так и не позвонил вчера. Я бесконечно заинтригована, Алекс!

От кого	Алекс
Кому	Рози
Тема	Письмо

Как дела у вас с Грегом? Вы счастливы?

От кого	Рози
Кому	Алекс
Тема	Грег

Ух ты, меняем тему. Вопрос прямо в лоб.

Ну что ж, ладно. Ты наверняка заметил, что у нас трудный период, и я знаю, что ты беспокоишься. К тому же, ты его терпеть не можешь, и мне очень тяжело с этим смириться. Как бы я хотела, чтобы ты мог увидеть его моими глазами.

Поверь мне — несмотря на глупость, в глубине души он очень хороший человек. Он может быть слишком эгоистичным, может что-то невпопад ляпнуть, но он настоящий друг. Да, иногда он ведет себя как полный идиот, но я люблю его даже за это. Он, может быть, не из тех людей, с кем весело на вечеринке, но зато я знаю, что с ним я могу прожить всю жизнь.

Со стороны очень сложно понять, какой он. Ты видишь только, что он скрытный, мрачный и непредсказуемый тип, но мне с ним спокойно, и я чувствую, что нужна ему. Когда он делает глупость, я просто смеюсь. Да, наш брак далек от идеала и не похож на то, что пишут в романах, Грег не посыпает меня розовыми лепестками и не возит в Париж каждые выходные. Но, если я подстриглась, он всегда это заметит. Если я надела красивое платье, он сделает мне комплимент. Если я расплачусь, он вытрет мне слезы. Если мне одиноко, он даст мне почувствовать, что любит меня. Что значит Париж по сравнению с хорошим поцелуем...

Я не заметила, когда это случилось, Алекс, но я повзрослела. Я больше не хочу ни у кого спрашивать, что мне делать. Я не могу пойти за советом к папе с мамой, не могу сравнивать свой брак с другими — каждый из нас живет по своим собственным правилам. Я решила остаться с Грегом и сделала это потому, что мы оба многому научились и, наверное, я — еще в большей степени, чем он. Я знаю, что случившееся никогда не повторится, я уверена в этом. Если бы я не была так уверена в нашем будущем, я не смогла бы пережить все это.

Я думаю, твое письмо было именно об этом, Алекс. Не волнуйся обо мне, у меня все хорошо. Спасибо, спасибо, спасибо тебе за твою заботу. В этом мире мало найдется таких друзей, как ты.

От кого	Алекс
Кому	Рози
Тема	Грег

Это все, чего я хочу. Чтобы ты была счастлива.

***

Дорогая Стефани!

Как тебе нравится быть мамочкой? Надеюсь, ты справляешься. Я знаю, что это очень серьезная перемена — но эта перемена прекрасна. Тебе удается хоть иногда спать? Надеюсь, что да. Я всегда знала, что ты будешь чудесной матерью, ты так заботилась о своей малышке-сестре (и о ее малышке!).

Спасибо большое за все эти кровавые подробности родов. Ты даже больше молодец, чем я думала! Передай, пожалуйста, Пьеру, что не нужно присылать мне видеозапись этого «волшебного события». Я слишком хорошо сама все помню... В школе нам постоянно показывали такие кассеты, помнишь? Чтобы отбить у нас желание заниматься сексом. Видимо, им не удалось *по-настоящему* нас напугать. Лучше надо было показывать процедуру смены пеленок. Мы тогда всей толпой ушли бы в монастырь.

Вы такие счастливые на этой фотографии. Просто идеальная семья (интересно, такое существует? Ну, моя-то семейка не может и пытаться претендовать на это звание).

Я так до сих пор и не поняла, правильно ли я поступила, позволив Грегу вернуться. Так сложно принять правильное решение. Господи, Стефани, не я ли первая кричала, что никогда, никогда не прощу мужу измену, пусть даже миллион лет пройдет. Я всегда говорила, что это единственное, чего прощать нельзя (и еще, конечно, когда бросают нерожденного ребенка). И теперь я позволяю ему вернуться? Позволяю ему снова спать в своей постели, готовлю ему ужин? Ведь я обещала себе, что не буду этого делать. Ты знаешь, я еле сдерживаюсь, чтобы не дать ему по морде, когда он улыбается мне.

Я думала, выставить его за дверь будет элементарно. А потом поняла, что не смогу справиться с этим одна. Я не выдержу, если мы с Кати опять останемся вдвоем. Я снова и снова думаю обо всем. Остаться с ним, попытаться снова полюбить его или бросить его и научиться быть независимой? Вряд ли мы сможем переехать обратно в крохотную квартирку и жить на мою смехотворную зарплату.

Если бы я только могла *простить* его. Каждый раз, когда он улыбается, я вспоминаю, что этими губами он целовал кого-то. От его прикосновения у меня мурашки бегут по коже. Я так его ненавижу, что руки опускаются. Неужели он сможет когда-нибудь вылечить эту рану? Ведь он сам нанес ее...

И еще он, черт возьми, так оптимистически настроен. Энтузиазм в чистом виде — он уговаривает меня сходить вместе к психоаналитику, он разговаривает со мной каждый день по несколько часов, *по-настоящему* разговаривает. «Советы мужу: как ублажить жену, если вы переспали с другой женщиной. Сначала запишитесь к психоаналитику, обязательно (лучше в стихах) расскажите жене, сколько важных встреч вам пришлось из-за этого отменить, каждый день готовьте ужин и убирайте со стола, не меньше тысячи раз в день спрашивайте жену, все ли у нее в порядке, можете ли вы что-то для нее сделать, каждую неделю, отправляясь за покупками, не забывайте про маленький гостинец для нее — какую-нибудь книгу, которая может ей понравиться, или ее любимые шоколадные пирожные, вечером несколько часов уделяйте тому, чтобы обсудить с ней, как прошел день, и обязательно коснитесь того, как обстоят дела в ваших отношениях. Повторить пятьсот раз, добавить воды и размешать».

И самое главное — тот Грег, за которого я выходила замуж, ничего подобного не делал. Он никогда не обращал внимания, что в туалете закончилась туалетная бумага, никогда не сбрасывал с тарелки объедки, прежде чем засунуть ее в посудомоечную машину. Все так изменилось, каждая мелочь.

Если бы у меня тогда хватило сил уйти от него, я бы так и поступила. А сейчас я в собственном доме чувствую себя как в тюрьме. Мне нужно принять правильное решение. Я не хочу до самой старости пилить его за то, что он сделал. Чтобы наш брак снова стал настоящей семьей, мне нужно знать, что я смогу если не забыть, то хотя бы простить. Мне нужно знать, что та маленькая толика любви, которая есть еще у меня в сердце, снова оживет. Единственное, что придает мне сил,— это уверенность в том, что он никогда больше не поступит так со мной. Слишком много долгих ночей наполнено слезами и болью, и вряд ли кто-то из нас захочет пройти через все это снова.

Насколько мне было бы легче, если бы Алекс жил в этой стране. Мне так нужна его поддержка. Он как ангел, парящий за моим плечом; когда мне трудно, он шепчет: «Не бойся, ты сможешь!» Забавно. Мне тридцать лет, а я все еще чувствую себя маленькой девочкой. Я все так же оглядываюсь по сторонам, пытаясь сравнить себя с другими людьми, пытаясь понять, все ли я делаю правильно, все еще надеясь, что кто-то даст мне совет и подскажет путь. Но ни один человек вокруг меня не оборачивается в нерешительности. Почему только я одна не понимаю, верно ли я поступила, и не знаю, куда я иду? Все остальные как-то справляются с этим. Может быть, мне нужно перестать трепыхаться и отдаться течению?

Целую,
Рози

Дорогая Рози!

Не мучай себя вопросами, на которые нет ответов. У тебя сейчас очень тяжелый период, но ты *уже* пережила это. сможешь пережить и остальное. Каждый новый удар судьбы делает тебя сильнее.

Я не могу сказать, нужно ли тебе оставаться с Грегом. Только ты сама можешь принять такое решение. Но я думаю, что, если ты хоть немного любишь его, ты должна попробовать. Из каждого семечка вырастет цветок, если за ним ухаживать. И любовь, Рози — такое же семечко. Но если тебя это мучает — уходи и найди то, что принесет тебе счастье, ведь ты *заслуживаешь* того, чтобы быть счастливой!

Слушай свое сердце и делай так, как подсказывает тебе интуиция, и ты найдешь правильный путь. Поверь мне. Рози, *не у тебя одной* нет ответов на вопросы. Все мы порой бываем так же растеряны, как и ты.

Береги себя.
Целую,
Стефани

От кого	Рози
Кому	Стефани
Тема	Сердце молчит

Что-то мое сердце помалкивает, а вот инстинкт подсказывает, что нужно лечь в постель, свернуться калачиком и поплакать.

Памятка:

Ни в коем случае не влюбляйся снова.

Ни в коем случае никому больше не верь.

Купи себе бумажные носовые платки с календулой, иначе скоро будешь похожа на родственницу Рудольфа[1].

Ешь.

Вставай по утрам.

И, ради бога, прекрати плакать.

От кого	Мама
Кому	Стефани
Тема	Ну что?

Смотри, я научилась пользоваться интернетом. Хочу просто проверить, не изменились ли у тебя планы относительно папиного юбилея. Сам-то он просто собирается пропустить пару стаканчиков с Джеком и Паулиной, так что не пиши мне на этот адрес, иначе он прочитает, и мы не сможем сделать сюрприз. Лучше звони на мобильный. Будет замечательно, если ты приедешь. Мы сможем снова собраться вместе. Мне кажется, Рози это будет полезно. Я очень за нее переживаю, она так расстроена из-за Грега, что ужасно похудела. Отец каждый раз при встрече хочет его ударить, но вряд ли кому-то от этого станет лучше, особенно отцовскому больному сердцу. Кевин тоже не разговаривает с Грегом, и это только усложняет жизнь бедняжке Рози. Я думаю, в кругу семьи ей станет полегче.

---

[1] Рудольф — сказочный олень с огромным красным носом, спутник Санта-Клауса.

Глава 22

Руби: Не знаю, что там у тебя за диета, но я посадила бы на нее своего Гэри.

Рози: Я не на диете, Руби.

Руби: А выглядишь как раз, как я хотела бы видеть его, — тощая, страшная и замученная...

Рози: Спасибо.

Руби: Я просто хочу помочь, Рози. Ну что с тобой происходит?

Рози: Ты ничем не можешь помочь, мы с Грегом должны сами разобраться. То есть с Грегом и Урсулой — это наш замечательный семейный психоаналитик. Мы уже так сработались, что я чуть не плачу...

Руби: Очень мило. И что же она делает, ваша маленькая помощница Урсула?

Рози: Она просто волшебница. Вчера она сказала мне, что у меня проблемы с обсуждением моих чувств.

Руби: А ты?

Рози: А я ответила, что меня это раздражает, и она может катиться ко всем чертям и к чертовой матери.

Руби: Отлично сказано. А что сказал Грег?

Рози: О, это отдельный разговор. У меня необычайно проницательный муж. Он решил, что у меня «проблемы с общением с Урсулой».

Руби: Боже.

Рози: Во-во, так что я предложила нам с Урсулой сходить к семейному психоаналитику, чтобы мы могли наладить наши отношения, пока она анализирует мой брак.

Руби: Хорошая мысль... и что сказал на это Грег?

Рози: Я не совсем расслышала из-за того, что он хлопнул дверью машины. И еще я думаю, что нужно купить новую кровать, побольше, чтобы Урсула могла у нас ночевать. Тогда она сможет узнать о нас абсолютно все. Например, сколько раз я пукаю за ночь...

Руби: Все так плохо?

Рози: Понимаешь, я не вижу никаких результатов. Мы еще больше ссоримся, потому что она заставляет обсуждать любую мелочь, раздражающую нас друг в друге. Если мы когда-нибудь сможем найти общий язык, я почти уверена, что Урсула в первую очередь расстроится, так как мы не заплатим ей за следующий месяц. На прошлой неделе мы *целый час* ругались по поводу того, что меня раздражает, когда Грег пьет молоко и оставляет след на верхней губе специально, чтобы рассмешить меня, а если я не смеюсь, он по всему дому за мной ходит с молоком на губах, пока я не обращу на него внимание. Это не смешно! Это глупо!

А вчера мы поссорились из-за того, что меня раздражает, как у него начинают подергиваться губы, когда я говорю что-то не так. Если я даже скажу какую-то глупость, например, что небо желтое, его верхняя губа сразу же начинает дергаться, как Элвис перед микрофоном. Меня это бесит, неужели нельзя просто *пропустить это мимо ушей!* Нет, он должен обязательно дать мне понять, так или иначе, что я получила неправильную информацию. О нет, трава не может быть розовой, она зеленая! Ё-мое, неужели это вообще имеет значение!

Видимо, на следующей неделе мы будем обсуждать дурацкие дешевые носки, которые ему покупает мамочка. Он считает их забавными. Иногда он звонит ей только для того, чтобы сообщить, что он надел эти носки. Желтые в розовую, блин, крапинку и голубые в красную полоску. Наверняка его коллеги в банке тоже считают их *невероятно забавными*. Какой классный банковский менеджер, он носит розовые носки, о давайте все скорее возьмем у него кредит! А когда он садится и брюки приподнимаются, эти носки видно за километр...

Руби: Да-а... и после этого они говорят, что у тебя проблемы с выражением своих чувств...

Рози: Я думаю, что им просто нравится обсуждать бессмысленные подробности. Какая разница, в лоб меня по утрам Грег целует или в щечку, главное — чтобы поцеловал.

Руби: Так этот загадочный психоанализ оказал хоть какое-то положительное воздействие на твой брак?

Рози: Я думаю, мы с Грегом намного лучше справились бы без нее.

Руби: Думаешь, вам удастся от нее отвязаться?

Рози: У нас нет другого выхода. Иначе мы с Грегом не доживем даже до его дня рождения...

* * *

Моему мужу
Счастливого сорокалетия
Грег!
С днем дождения, родной!
С любовью,
Рози

176

С днем рождения!
Теперь ты стал еще старше и уродливей.
Грегу
От Кати и Тоби

***

Дорогой Алекс!

Я тут подумываю организовать поисковую экспедицию. Ты что, сквозь землю провалился? Ты жив?

На днях я звонила твоей маме, но она тоже ничего толком не знает. У тебя все в порядке? Если нет, у меня, по-моему, есть право знать об этом. Ты должен доверять мне, я же твоя лучшая подруга, и... в общем, это не обсуждается. А если все в порядке, тем более напиши мне, я ведь твой друг, и мне нужно с кем-то поболтать. Это тоже не обсуждается.

У нас здесь, как обычно, сумасшедший дом. Кати уже, как ты знаешь, одиннадцать (спасибо за подарок). Она совсем взрослая — на днях заявила мне, что больше не считает нужным сообщать, куда идет и когда вернется. Действительно, это такие мелочи, матерям совершенно ни к чему об этом знать, как выяснилось. Я так надеялась, что у меня есть еще несколько лет, прежде чем она превратится в чудовище. А она уже смотрит на меня так, словно я только и делаю, что пытаюсь разрушить ее жизнь (ну, *иногда* я, конечно, и правда пытаюсь). Она уже пользуется помадой, Алекс. Блестящей розовой помадой. Она мажет блестками и глаза, и щеки, и волосы, и мне начинает постепенно казаться, что я вырастила не дочь, а новогоднюю елку. Прежде чем войти в ее спальню, я должна три раза постучать, чтобы она заранее знала, кто пришел. Мне очень обидно, потому что

Тоби должен стучать только один раз. Хотя, с другой стороны, Грег стучит аж тринадцать. Бедняга Грег. Он почти всегда сбивается со счета, и Кати не пускает его из соображений безопасности. Хотя кто еще может стучать в ее дверь тринадцать раз, то есть *около* тринадцати раз?! Но я уже поумнела, и теперь часто стучу один раз. Она думает, что это Тоби, пускает меня внутрь, и я могу видеть святая святых — комнату Кати Дюнн. Ты, наверное, думаешь, что там черные стены, занавешенные окна и страшные плакаты на стенах? Как ни странно, там светло и довольно чисто.

Я не знаю, продолжает ли она писать тебе, но если она делится с тобой какими-то подробностями своей деловой и ужасно засекреченной жизни — пожалуйста, рассказывай мне. В конце концов, я ее мать, и *это уж точно не обсуждается*.

На работе все отлично, я все в том же отеле и продержалась на месте дольше всех. Здорово, правда? Но... у меня всегда есть какое-нибудь «но». Я, конечно, всегда была без ума от работы в отеле, но в последнее время все чаще спрашиваю себя: «И что? Неужели это все?» Да, дела идут отлично, но мне хотелось бы каких-то перемен. Более того — мне хотелось бы сделать шаг наверх. Я не успокоюсь, пока не буду управлять «Хилтоном».

Грег считает меня ненормальной. Он говорит, нужно быть не в себе, чтобы бросить работу, где все хорошо — и зарплата, и начальник, и график. Он думает, что мне здесь легко. Впрочем, он, может быть, и прав. Вряд ли я могу позволить себе рисковать. Кто знает — вдруг мне придется снова вернуться к Энди Хаму? Ничего ужаснее и придумать нельзя.

Как Джош? Я бы очень хотела снова его увидеть. Пора наметить нашу следующую встречу. Мы с тобой всегда обещали друг другу, что наши дети будут лучшими друзьями. Я не хочу быть для него одной из этих странных тетушек, которые приезжают раз в десять лет и ни с того ни с сего суют в руки деньги на карманные расходы. Правда, сама я обожала таких тетушек, но мне хотелось бы больше значить для Джоша.

Ну вот, увлекательных новостей больше нет. Напиши мне, позвони или прилетай в гости. Можешь все одновременно. Сделай хоть что-нибудь, чтобы я знала. что ты все еще на этом свете.

Я скучаю.

Целую,

Рози.

Дорогая Рози!

Я жив, хотя Салли все соки из меня выпила. Мы заканчиваем оформлять развод... Это настоящий кошмар.

Такие дела. Ну что ж, я пойду, покопаюсь в чьей-нибудь грудной клетке.

Поцелуй от меня Кати.

Алекс

От кого	Рози
Кому	Стефани
Тема	Re: Так, болтовня

Спасибо за письмо, Стеф. У меня все просто замечательно, спасибо. Все в порядке, все здоровы, жалоб нет. Мне кажется, я приняла правильное решение насчет Грега. Послушала сейчас, что Алекс рассказывает о процедуре развода, и порадовалась, что мы с Грегом не ввязались в это. Хорошо хоть Салли и Джош живут не так далеко от Алекса, и он сможет постоянно навещать его.

Знаешь, я больше всего на свете боюсь потерять Кати. Я не представляю своей жизни без нее. Пусть она целыми днями смотрит MTV, а по вечерам из ее комнаты орет музыка, пусть она портит мне выходные необходимостью ходить в школу к Миссис Носатой Вонючке Кейси, пусть вся квартира усыпана ее блестками, пусть я хватаюсь за сердце, когда она на минуту опаздывает к девятичасовому комендантскому часу но она — самое главное в моей жизни. Она — прежде всего. Я рада, что Алекс не приехал на выпускной, я рада, что Брайан-Комбайн был таким нудным. Пусть мне никогда не везло с мужчинами, но у меня есть маленькая девочка, наполняющая смыслом каждый день моей жизни.

Дорогая миссис Рози Дюнн!

Надеюсь, Вы будете свободны в понедельник, 16-го числа, в 9:00, и сможете встретиться со мной в школе. Родители Тоби Флинна также будут приглашены. Это касается результатов летнего экзамена по математике. Как выяснилось, Кати и Тоби дали одинаковые ответы на все вопросы и, что самое интересное, большинство ответов — неправильные. Мы уже обсуждали это с Кати и Тоби. но они утверждают, что это случайное совпадение.

Как Вы знаете, в начальной школе им. св. Патрика мошенничество всегда считалось очень серьезным проступком. Мне начинает казаться, что у меня дежа вю Рози... Пожалуйста, позвоните мне заранее. чтобы я точно знала, что Вы придете.

Миссис Кейси

Глава 23

От кого	Рози
Кому	Алекс
Тема	Взрослая жизнь

Ну и во что мы с тобой превратились? Сначала хотела написать: «знали бы мы, с каким количеством „взрослых проблем" придется иметь дело», а потом подумала, что твой развод и мой разваливающийся брак вряд ли являются обязательными атрибутами взрослой жизни. Когда в детстве мы играли в казаки-разбойники, все вокруг было просто и понятно. А потом мы стали старше, и все покатилось под откос.

Ладно, давай лучше поговорим о погоде. Неплохой в этом году выдался июнь. Даже дома кажутся не такими серыми, а лица дублинцев — не такими унылыми. На работе страшная жара. Фасад отеля сделан из стекла, и в такие дни, как сегодня, кажется, что работаешь в оранжерее То ли дело зимой, когда дождь изо всех сил колотит в стекла и по длинным пустым коридорам гуляет эхо Иногда шум становится таким громким, будто окна вот-

вот разобьются. А сейчас небо синее-синее, в нем пасутся овечки облаков, сделанные из сахарной ваты. Очень симпатичные овечки.

На улице полно машин с откинутым верхом, из которых гремит музыка, бизнесмены сняли пиджаки и с закатанными рукавами мечтательно прогуливаются туда-сюда, не торопясь возвращаться в офис. На травке в парке толпами валяются студенты, и что-то я сомневаюсь, что они собираются сегодня на лекции. Отдыхающие набросали в пруд столько хлеба, что утки, кажется, уже не могут его съесть.

Вокруг фонтана резвится влюбленная парочка. Он гонится за ней, она брызгает на него водой и смеется. Остальные, видимо, уже набегались и теперь валяются на траве, глядя друг другу в глаза. А на игровой площадке носятся дети, их родители жмурятся от солнца, изредка лениво приоткрывая один глаз, чтобы поглядеть, чье это чадо так громко пищит от удовольствия.

Магазины опустели. Владельцы стоят у входных дверей и лениво глазеют на прохожих. Служащие вроде меня мечтательно посматривают в окна душных офисов, не в силах дождаться конца рабочего дня.

И повсюду, повсюду смех, болтовня и радостные лица. На веранде отеля не протолкнуться, все хватают свои коктейли и идут на свежий воздух. «Лонг-айленд айс ти», джин-тоник, кампари-оранж со льдом, коктейли с лаймом, фруктовые коктейли и вазочки с мороженым. На спинках стульев — груды ненужных пиджаков и плащей.

Даже уборщицы что-то напевают, натирая стекла, и солнечные лучи скользят по их улыбающимся лицам. Жаль, что такие дни случаются нечасто.

А я сижу здесь и думаю о тебе. Шлю тебе мою любовь.

От кого	Алекс
Кому	Рози
Тема	Ты счастлива!

Похоже, ты счастлива, ты написала очень поэтическое письмо! А я вот только что вернулся домой — проводил уик-энд с Джошем. Он стал такой непоседа, Рози — бегает как угорелый, я не успеваю глазом моргнуть, а он уже разнес всю комнату. Знаешь, после встречи с ним я чувствую себя счастливым, словно помолодел лет на десять, его энергия чудесным образом передается и мне. Я обожаю за ним наблюдать. Смотреть, как он учится, как он каждую минуту открывает для себя что-то новое, как ему удается все больше и больше вещей делать без посторонней помощи. По-моему, Джош вообще ничего не боится, он гораздо более смелый, чем я. Даже если он знает, что дальше идти нельзя, он все равно сделает еще один шаг. Видимо, именно этот шаг для него самый главный. Мне кажется, нам, взрослым, стоило бы многому у него поучиться. Например, тому, как идти к своей цели, не отступать и не бояться неудачи.

Я решил брать пример с Джоша. На этой неделе к нам приезжает хирург, чьи работы я очень ценю. Он проведет несколько семинаров по собственным разработкам операций на сердце. Говорят, он тоже родом из Ирландии, а сюда приехал, чтобы продолжить исследования. И еще говорят, что ему нужны сотрудники. Там будет, конечно, тысяча таких как я, мечтающих стать хирургами, но я все равно постараюсь встретиться с ним.

Помолись за меня. Пусть случится чудо.

От кого	Рози
Кому	Алекс
Тема	Загадочная встреча

На следующей неделе Билл, мой босс, назначил мне какую-то загадочную встречу. Я совершенно не представляю, о чем речь, и меня это очень нервирует. Он прилетел вчера далеко не в самом лучшем расположении духа, и весь день к нему толпами ходят подозрительные люди в черных костюмах. По-моему, все это добром не кончится.

Еще более неприятно, что завтра утром прилетает его брат Боб. Если они собираются вместе — значит, кто-то будет уволен. Мне кажется, эти решения принимает именно Боб. Говорят, что его брат больше интересуется машинами, курортами и женщинами. Почему, интересно, женщин всегда относят к той же категории, что машины и курорты? Если бы я была миллионером, и люди говорили бы: «Вы только посмотрите на Рози Дюнн, она все деньги тратит на туфли, шмотки и мужиков!» — странновато звучало бы, правда?

Будем надеяться, что меня не уволят, потому что я просто не представляю себе, что тогда буду делать. Я даже готова переспать с кем-то из них ради этого. Вот как я люблю свою работу. Или я так боюсь искать что-то новое? Или я уже готова переспать с кем угодно, лишь бы не с Грегом? Я его люблю, конечно, но, черт возьми, он порядком однообразен.

Ладно, пойду создавать имитацию деятельности, нельзя давать им повод уволить меня.

От кого	Алекс
Кому	Рози
Тема	Re: Таинственная встреча

Не переживай, я уверен, что все будет хорошо! У них же нет причин тебя увольнять! (Или есть?) Ты вроде ничего плохого не сделала за все время, что там работаешь, даже больничный ни разу не брала! Все будет отлично. Я ухожу, мне пора на семинар. Удачи нам обоим!

От кого	Рози
Кому	Алекс
Тема	Re: Re: Таинственная встреча

Ты прав. Они не могут меня уволить. Я отличный работник. У них нет причин. По крайней мере, они не знают ни одной причины. То есть они же не могут знать о том, что я показывала Руби номер в пентхаусе. И уж точно они не могут знать о том, что мы заказали шампанское и провели там ночь.

Или могут?

Они могли заметить, что пропали банные халаты. Но они такие уютные, и я просто не смогла сдержаться...

Может быть, они заметили, что мы опустошили бар в номере. Но я точно помню, что просила Питера все заменить, а он мой должник — я дала его родителям скидку в честь дня святого Валентина, хотя стоял май месяц. Даже не знаю, что предположить... Господи, я сейчас с ума сойду. Я не хочу снова работать на Энди-Кренделя, и у меня нет сил снова рассылать резюме! И я не переживу еще одного собеседования.

Они просто хотят со мной поговорить. Но ведь Билл даже не улыбнулся, когда говорил мне об этом, и глаза у него были какие-то невеселые. О нет, что же будет?!

От кого	Рози
Кому	Алекс
Тема	Уволят!

О боже, этой новенькой тощей девочке тоже назначили встречу. Она работает хуже всех на свете. Она больше времени провела на больничном, чем на работе. Может быть, потому что ничего не ест — непонятно, зачем она вообще берет перерывы на обед. Каждый раз усядется рядом и мрачно глотает свою минералку, а на мою тарелку смотрит с таким видом, словно пища — источник мирового зла. Она даже воду свою до конца не допивает — выпьет полбутылки, закроет крышку и уходит.

Похоже, мне пора искать новую работу.

От кого Алекс
Кому Рози
Тема Успокойся!

Ради бога, Рози Дюнн, я люблю тебя всем сердцем, но тебе нужно немного успокоиться!

У Вас входящее сообщение от: РУБИ

Руби: Ооо, он любит тебя всем сердцем?

Рози: Руби, прекрати читать мои письма.

Руби: Тогда возьми не такой простой пароль — «Лютик». Что-то вы в последнее время только и делаете, что заигрываете друг с другом.

Рози: Неправда! С чего ты взяла, что мы заигрываем?!

Руби: А то я тебя не знаю.

Рози: И почему я каждый раз ожидаю, что ты скажешь что-то вразумительное?

Руби: Ты же знаешь, что я права, Рози.

Рози: Да мы всю жизнь так общаемся. Слава богу, Алекс немного воспрял духом. Мне кажется, он снова счастлив.

Руби: Это потому, что он флюпился...

Рози: Он не влюбился. По крайней мере, не в меня.

Руби: Ну извини, меня просто смутила фраза «люблю тебя всем сердцем».

Рози: Как друга, Руби.

Руби: Ты мой друг, но я не люблю тебя всем сердцем. Черт, да я и Тедди вряд ли люблю всем сердцем.

Рози: Ну что ж, значит, мы с Алексом безумно влюблены друг в друга и планируем сбежать от вас всех и закрутить бурный роман.

Руби: Вот видишь? Совсем не сложно признать очевидное.

Рози: Подожди, Руби.

[Рози: отсутствует у компьютера]

Рози: О боже, эта мартышка вернулась со встречи с Биллом и Бобом и рыдает навзрыд. Они ее уволили. Я следующая. Черт. Пожалуй, я пойду. Черт. Черт. Черт.

Связь с РОЗИ прервана.

Глава 24

Кевин!

Здравствуй, сынок. Ты знаешь, я не люблю писать письма, но похоже, ты дал нам с матерью неправильный номер телефона. Когда бы я ни позвонил, никто не отвечает, ни днем, ни ночью. Не знаю, специально ты это сделал, или что-то не так с линией, или просто в вашем общежитии все так усердно работают, что некому поднять трубку. Вот мне бы, например, не понравилось жить с одним телефоном на тридцать человек. Почему ты не купишь себе мобильный? Тогда мы хоть изредка смогли бы с тобой разговаривать.

Надеюсь, ты там не делаешь глупостей. Рози пришлось из кожи вон вылезти, чтобы тебя взяли на работу. Смотри, чтоб тебя не вышибли оттуда, как это уже не раз случалось. У тебя сейчас есть хороший шанс. Пойми, твоему старику уже шестьдесят, и я не смогу вечно помогать тебе.

Жалко, что ты не приехал, когда меня провожали на пенсию. Компания пригласила всю семью, организовала отличный вечер; они все тридцать пять лет хорошо ко мне относились. Стефани, Пьер и Жан-Луи прилетели из Франции. Рози, Грег и юная Кати тоже пришли. Был настоящий праздник. Я не хочу тебя пилить, просто жалею, что ты не смог приехать, вот и все. Все прошло очень трогательно. Если бы ты был там, увидел бы, как твой старик плачет.

Забавно складывается жизнь. Я сорок лет на них проработал, а свой первый день помню как вчера. Я тогда только-только школу закончил, вся жизнь была впереди. Хотел одного — как можно скорее заработать денег, чтобы сделать предложение твоей матери и купить дом. В первую же неделю работы в офисе была вечеринка — один из стариков выходил на пенсию. Я на него тогда и внимания не обратил. Все вокруг говорили речи, вспоминали былые времена, дарили ему подарки. А я все злился, что мне приходится торчать в офисе, хотя рабочий день давно закончился, и мечтал о том, как смогу наконец вырваться отсюда, добраться до твоей матери и сделать ей предложение. Старик всю жизнь проработал в этой компании, он плакал, не хотел уходить, битый час говорил прощальную речь; казалось, он никогда не заткнется. У меня в кармане лежало обручальное кольцо. Я каждые пять минут проверял, на месте ли бархатная коробочка. Я не мог дождаться, когда же он закончит.

Его звали Билли Роджерс.

Он отвел меня в сторону, чтобы рассказать кое-что о компании. Видел, что я новенький. Я ни слова не слышал из его рассказа. А он все говорил и говорил, словно вообще не собирался уходить из этого проклятого офиса. Я не мог больше ждать и прервал его. Компания тогда не имела для меня большого значения.

Он приезжал к нам каждую неделю. Ходил из комнаты в комнату, лез со своими советами к новичкам, да и не только к ним, интересовался тем, что его уже больше не касалось. Мы просто выполняли свои обязанности, а для него работа была смыслом всей жизни. Мы в один голос советовали ему найти себе хобби. Думали, что это ему поможет. Вроде бы от чистого сердца советовали, да он и сам считал, что пора чем-то заняться. Через пару недель он умер. У него случился сердечный приступ на поле для гольфа. Он послушался нашего совета и решил научиться играть в гольф. Это был его первый урок.

Почти тридцать лет я не вспоминал Билли Роджерса. Забыл о нем, честно говоря. Но на своем прощальном вечере я подумал именно про него. Со слезами на глазах я оглядывался вокруг, слушал прощальные речи, принимал подарки, видел, как молодые украдкой поглядывают на часы, мечтая слинять домой, к своим подружкам, или женам, или детям, кто у них там... Я думал о тех, кто прошел через этот офис. О тех, кто начал работать вместе со мной: Колин Квин и Том МакГвир, они не дождались пенсии. Видимо, из этого и состоит жизнь: люди приходят и уходят.

Теперь мне не нужно больше вставать по утрам. Я отсыпаюсь за все прошедшие годы. Я и не думал, что способен столько спать. Наш сад выглядит безупречно, я починил в доме все, что требовало ремонта. На этой неделе я уже трижды играл в гольф, два раза навещал Рози, гулял с Кати и Тоби, и все равно мне кажется, что с минуты на минуту я прыгну в машину, помчусь в офис и буду учить новичков, как нужно работать. Хотя им нет дела до меня, они хотят и должны всему научиться сами.

Видимо, теперь я буду писать письма, как это делают все женщины из семьи Дюнн. Похоже, это единственное их занятие. Зато мы экономим на телефоне. Напиши мне, сынок, как у тебя дела.

Ты уже слышал про новую работу нашей Рози?
Папа

От кого	Кевин
Кому	Стефани
Тема	Папа

Как дела? Я сегодня получил письмо от папы. То, что папа вообще написал письмо, уже само по себе странно, но еще более загадочным было его содержание. У него все в порядке? Он говорил о каком-то парне по имени Билли Роджерс, который умер больше тридцати пяти лет назад. Ты знаешь, о чем речь? То есть, конечно, было очень здорово получить от него письмо, но впечатление было такое, будто его написал совершенно другой человек. Может, это не так уж и плохо. Жаль, что я не смог приехать, когда его провожали на пенсию. Надо было приложить больше усилий.

Передай Пьеру и Жан-Луи, что я о них справлялся. Передай Пьеру, что в следующую нашу встречу я смогу затмить его кулинарные успехи. Папа упомянул что-то о работе Рози, что там у нее?

От кого	Стефани
Кому	Мама
Тема	Кевин и папа

Похоже, в лесу что-то сдохло — я только что получила письмо от твоего сына, моего младшего брата Кевина. Да-да, от Кевина — человека, которого родственники интересуют только тогда, когда нужно занять денег! Он сообщил, что получил письмо от папы и беспокоится по этому поводу! Оказывается, папа знает, где продают конверты!

Кевин сказал, что папа снова вспоминал Билли Роджерса. Он и мне тоже говорил об этом человеке. Ты уверена, что у папы все в порядке? Видимо, ему сейчас многое предстоит обдумать, в его жизни начался совершенно новый этап. Теперь у него хотя бы есть *время* на то, чтобы думать. Вам обоим пришлось так много работать. Но теперь маленький Кевин живет отдельно, Рози и Кати тоже, мы все разъехались, и дом наконец полностью ваш. Я понимаю, папе трудно к этому привыкнуть. В доме всегда кипела шумная жизнь — сначала дети, потом подростки... Когда мы все наконец выросли, появилась маленькая внучка, и вы так помогли Рози с ней. В плане денег тоже было нелегко... Теперь вы можете пожить для себя самих.

Кевин что-то сказал о работе Рози. Я не знаю, в чем дело, и боюсь звонить ей сама. Она так волновалась, что ее уволят. Напиши, что там у нее.

От кого	Мама
Кому	Стефани
Тема	Re: Кевин и папа

Конечно, ты права. Папе нужно многое обдумать, и сейчас у него есть на это время. Как я рада, что он теперь дома! Ему не нужно никуда бежать, он больше не озабочен днем и ночью работой, он теперь всегда со мной — и телом, и душой. Я помню, как сама уходила с работы. Правда, у меня все было немножко по-другому: я работала неполный день, потому что родилась Кати и нужно было помогать Рози. И когда я совсем ушла с работы, перемена не была такой резкой. А твоему отцу теперь нужно заново искать самого себя.

Разве ты не слышала о новой работе Рози??? Я думала, что тебе она все рассказывает в первую очередь (не считая, конечно, ее ненаглядного Алекса). Может быть, она просто еще не готова это обсуждать. Она порою заставляет меня так волноваться. Всю неделю рассказывала, что ее уволят с минуты на минуту, а потом вдруг оказалось, что ей предложили повышение!

Ах, Стефани, мы так рады за нее! Странно, что она до сих пор ничего тебе не сказала. В любом случае, пусть она сама тебе сообщит, иначе я испорчу сюрприз и схлопочу себе неприятности. Все, мне пора, твой отец меня зовет. Поедем в цветочный магазин. Боюсь, если в нашем саду посадить еще одно дерево, нас оштрафуют за устройство джунглей в центре города!

Береги себя, дорогая, поцелуй от бабушки с дедушкой малютку Жан-Луи!

Глава 25

От кого	Стефани
Кому	Рози
Тема	Повышение на работе!

Я не хочу звонить, знаю, что ты на работе. Получила сегодня письмо от мамы, и что я слышу — ты получила повышение?! Напиши же мне скорее!

От кого	Рози
Кому	Стефани
Тема	Повышение на работе!

Надо же, какой у мамы длинный язык! ДА!!! Это правда, и я не могу дождаться, когда же меня переведут на новую должность! Я буду называться «начальник отдела приема и размещения», но, предвосхищая твой восторг (ты бы слышала, как радовались родители!), сразу оговорюсь — это не руководящая должность. Я буду чем-то вроде центра обратной связи с посетителями, чтобы отель мог обеспечить максимальное удовлетворение запросов наших гостей. Так мне, по крайней мере, объяснили...

Вот это был сюрприз так сюрприз! Мне пришлось *силой* тащить себя в этот длиннющий конференц-зал, тот самый, где много лет назад проходило мое первое собеседование, сердце у меня стучало как барабан, ноги стали словно ватные. Тело меня не слушалось, ладони вспотели, коленки дрожали. Я уже почти поверила в то, что до самой пенсии буду работать у Энди-Кренделя. Я абсолютно точно знала, что сейчас меня попросят спокойно вернуться на свое рабочее место, собрать вещички и никогда больше сюда не возвращаться.

Билл и Боб были просто великолепны. Они так меня хвалили, что я малость опешила. Сказали, что были восхищены тем, как я себя *показала* в этом отеле. (Я надеюсь, что имелся в виду не тот случай, когда я улеглась поперек рояля и горланила песни Барбары Стрейзанд, пока весь отель спал. Нельзя винить человека за то, что он пытается по возможности осуществить свои мечты...) Они говорили, что у меня масса обаяния и уверенности в себе, а я все ждала, что они вот-вот рассмеются мне в лицо, довольные, что я, идиотка, во все это поверила, и разговор окажется милым розыгрышем. Я даже украдкой посматривала по сторонам, ища скрытую камеру.

Но похоже, все это правда и меня переводят в новый отель, который еще не достроен (вот из-за чего все эти тайные совещания и толпы мрачных людей в одинаковых черных костюмах, с блестящими от бриолина волосами, стройными рядами шагавшие через холл нашего отеля, словно в сцене из «Матрицы»). Итак, если все так и есть на самом деле, значит, я буду отвечать за все аспекты жизни отеля, *поддерживать связь* с главным офисом и составлять еженедельные отчеты. Мне еще никогда не доводилось поддерживать связь. Звучит немного опасно и очень волнующе. Должна отметить, что мне заранее нравится любая работа, где надо «поддерживать связь» с крутыми парнями из главного офиса. Я уже вижу, как будут проходить рабочие «мероприятия»: я стою в элегантном вечернем платье среди этих «костюмов» и заинтересованно обсуждаю с ними всякие графики, таблицы и финансовые отчеты. А если кто-то спросит, чем мы занимаемся, я небрежно отвечаю: «Ах, ничего особенного, мы просто поддерживаем связь...»

Итак, если им верить, у меня есть организаторские способности и отличные коммуникационные навыки. Да, я очень организована: видели бы они, как я покупаю подарки на Рождество в самый сочельник, ровно за десять минут до закрытия магазина. А как восхитительно я ругаюсь с другими запоздавшими покупателями, какими блестящими оборотами сверкает моя речь, когда я дрожащими руками выхватываю у них из-под носа последнюю оставшуюся на полке коробку,— действительно отличная коммуникация! Что ж, у каждого свой взгляд на вещи.

От кого	Алекс
Кому	Рози
Тема	Поздравляю!!!

Я так тобой горжусь! Будь я рядом, я бы подхватил тебя на руки и расцеловал в обе щеки! Вот видишь, Рози, жизнь может быть такой, как *ты* хочешь, нужно просто верить в себя и надеяться на лучшее!

А где находится этот новый отель? Расскажи мне все, что знаешь.

От кого	Рози
Кому	Алекс
Тема	Повышение на работе!

Я пока точно не знаю, где будет этот отель, но подозреваю, что он где-то на побережье. Представляешь, я буду наконец работать в отеле на берегу моря! Туда придется дольше добираться, конечно, но ведь оно того стоит, я смогу отдохнуть от города. Меня должны перевести буквально через пару месяцев. Там сейчас строят новое поле для гольфа на целых восемнадцать лунок. Будет спортзал, бассейн и куча всяких других развлечений, не то что здесь, в центре города, где у нас только номера, крохотный спортзал и парочка ресторанов. Я пока не очень ясно представляю себе эту работу, они толком ничего не рассказали, только спросили, интересует ли меня такое, и я, разумеется, не могла отказаться!

Знаешь, благодаря этому я поняла одну вещь. Я поняла, что готова идти дальше. Готова принять новый вызов, и хотя у меня нет совершенно никакого плана действий, я тем не менее все больше приближаюсь к своей мечте. Кто знал, что эта детская мечта — управлять отелем — в конце концов окажется реальностью? Забавно: когда ты маленький, ты веришь, что можешь стать кем угодно, кем захочешь. Твои мечты не знают границ. Ты веришь в волшебство, веришь в сказки и сказочные возможности. Но стоит тебе повзрослеть, и эта детская вера рассеивается как дым, а вместо нее ты начинаешь видеть перед собой *жизненные реалии* и с ужасом понимаешь, что ты не можешь осуществить *все* свои мечты. И тогда ты становишься скромнее, просишь у жизни меньшего или вообще прекращаешь мечтать.

Почему мы перестаем верить в себя? Почему мы руководствуемся лишь фактами, логикой — чем угодно, только не нашими мечтами?

Я все знаю, Алекс. Нет ничего невозможного, и более того — эта возможность, которую я получила сейчас, всегда была у меня. Просто у меня не хватало сил до нее дотянуться.

Нет ничего невозможного.

Неплохое утверждение, особенно учитывая, что его пишет (или печатает) законченный циник.

Спасибо, что ты верил в меня, Алекс. Я бы тоже очень хотела обнять и расцеловать тебя сейчас. Но, видимо, есть

196

все же вещи, находящиеся *за пределом* наших возможностей.

От кого   Алекс
Кому   Рози
Тема   Мечты

Нет, Рози, я здесь, рядом. Просто протяни руку. Я всегда был и всегда буду рядом с тобой.

Памятка:
Мечтай, мечтай, мечтай, Рози Дюнн!

У Вас входящее сообщение от: РОЗИ

Руби: Так-так, и что же Алекс хотел сказать своим последним письмом?

Рози: Руби, я умоляю тебя, прекрати читать мои письма!

Руби: Прости, но я ничего не могу с собой поделать. Уверяю тебя, я буду читать их до тех пор, пока ты не сменишь пароль, *или* — пока не найду работу, которая будет хоть немного меня интересовать.

Рози: Понятно. Значит, мне придется сменить пароль...

Руби: Хе-хе, ну так что, я же все равно уже прочитала, так о чем это он? Что значит «просто протяни руку»?

Рози: А ты как думаешь?

Руби: Я тебя спрашиваю.

Рози: А я тебя.

Руби: Я первая спросила.

Рози: Руби, не валяй дурака. **Ничего особенного**, просто мой друг говорит, что он всегда готов мне помочь, что он не так уж далеко от меня, что достаточно только позвонить, и он примчится.

Руби: Ага, хорошо.

Рози: Ну вот опять ты, Руби, со своим сарказмом! Как у тебя теория на этот раз? Может быть, это был тайный способ сообщить мне, что он меня любит, всегда будет ждать меня и достаточно мне намекнуть, как он все бросит — свою новую жизнь в Бостоне, свою семью, свою потрясающую работу, примчится сюда, похитит меня и увезет в домик на берегу моря в... ну не знаю где... на Гавайях, например, и мы будем жить долго и счастливо вдали от всех тревог этого мира? Ты так это поняла? Твое больное воображение вечно все ставит с ног на голову, лишь бы представить все так, словно мы с ним...

Руби: Нет, Рози, я действительно хотела сказать «хорошо». Все в порядке, я тебе верю.

Рози: Ага.

Руби: Это тебя устраивает?

Рози: Ну да, конечно... я просто думала, что ты, как обычно, увидела в этом что-то большее...

Руби: Да нет, все в порядке. Я верю, что он сказал это чисто по-дружески.

Рози: Ага... хорошо.

Руби: А что, ты хотела бы, чтобы это означало что-то другое?

Рози: О господи, нет, я всего лишь думала, что ты снова начнешь разглагольствовать на эту тему... ну как ты обычно это делаешь, ты понимаешь, о чем я, не валяй дурака!

Руби: Точно?

Рози: Конечно!!!

Руби: Так ты не разочарована? Ты довольна тем, что он просто твой друг?

Рози: С чего мне разочаровываться? Мы всегда были просто друзьями! Я вполне этим довольна!

Руби: И ты не хотела бы, чтобы он похитил тебя и увез на Гавайи?

Рози: О господи, нет! Ну конечно, нет! Это было бы... ужасно!

Руби: Ну ладно...

Рози: В общем, все в порядке... все отлично...

Руби: Хорошо.

Рози: А с новой работой все будет еще лучше!

Руби: Хорошо.

Рози: Мой брак спасен, и я действительно верю, что Грег теперь любит меня еще больше, чем раньше...

Руби: Хорошо.

Рози: И мне теперь будут платить больше денег, что тоже хорошо. Говорят, счастье не купишь, но я такая легкомысленная, Руби... я смогу купить новое пальто, которое вчера видела в «Илак-центре»... понимаешь?

Руби: Хорошо.

Рози: Конечно! Ну все, мне пора, нужно работать...

Руби: Это замечательно, Рози...

Связь с РОЗИ прервана.

От кого	Рози
Кому	Стефани
Тема	Жизнь прекрасна!

Как прекрасна, как изумительна жизнь! У меня хорошая работа, и мне предложили новую, еще лучше. У меня есть дочь, которая разговаривает со мной, и муж, который молчит! Шучу — мой муж любит меня. У меня прекрасная чуткая семья — мама, папа, брат и сестра. У меня двое потрясающих друзей, которые готовы на все ради меня и которых я люблю всем сердцем. Помнишь, много лет назад, когда я только начала здесь работать, я сказала тебе, что в моей жизни наступил второй этап... так вот сейчас, похоже, начинается третий! Я так счастлива! У меня сегодня невероятно мечтательное настроение. Видимо, это из-за подарков, что сделала мне жизнь.

* * *

От кого	Руби
Кому	Рози
Тема	Корк??

Значит, этот чертов отель строят в Корке? И они толь-ко сейчас сказали тебе об этом? И теперь ты переезжаешь в *Корк*? Мы же вроде говорили о том, что он на *побережье в Дублине*?! То есть они решили, что об этом тебе сооб-щать не стоит? Христа ради, Рози, как ты собираешься пе-ретащить свою семью на другой конец страны? Ты сама-то хочешь переезжать? О господи, у меня сейчас будет сер-дечный приступ! Напиши мне срочно!!!

От кого	Рози
Кому	Руби
Тема	Re: Корк?

Руби, у меня уже голова разболелась от этих мыслей. Я не знаю, что делать. Я очень хочу эту работу, но ведь речь идет не только обо мне. Нужно будет сегодня вече-ром обсудить все с Кати и Грегом. Помолись за меня! Господи, пожалуйста, если Ты слышишь меня и не очень занят, осыпая золотом очередного счастливчика, прошу Тебя, сделай мне одолжение и промой мозги моей семье, пусть они хоть раз в жизни подумают о том, чего хочу я! Спасибо Тебе за внимание и терпение. Можешь продол-жать осыпание золотом.

От кого	Руби
Кому	Рози
Тема	Бог

Привет, Рози, это Бог. Жаль сообщать тебе плохие из-вестия, но в жизни так не бывает. Тебе придется быть честной со своей семьей и попытаться убедить их самостоятельно. Расскажи им, что ты всю жизнь мечтала об этой работе, и, если они не законченные эгоисты, они поймут тебя. У меня тут поп-корн поджарился, так что мне пора. Я и так чуть не пропустил начало первого вечернего аттракциона. Сегодня я наблюдаю за жизнью твоей подруги Руби. Удачи с семьей.

* * *

Дорогие мама и Грег!

Мама, не волнуйся за нас, у нас с Тоби все будет в порядке. Мы убежали, потому что не хотим расставаться. Он мой лучший друг, и я не хочу ехать в Корк.

Целую,
Кати и Тоби

От кого   Рози
Кому   Руби
Тема   Бог

Не могла не заметить, что вчера Господь Бог подписался твоим именем. Увидишь его еще раз, передай ему, пожалуйста, что, если он захочет полюбоваться трагедией, пусть переключит свой телевизор на мою семью.

Памятка:
Перестань мечтать, Рози Дюнн!

ЧАСТЬ 3

Глава 26

Дорогой Алекс!

Как хорошо, что этот кошмарный день уже позади. «Это всего лишь работа», — сказал Грег. Это *не просто* работа. Они предложили мне повышение — но если бы они предложили вдобавок еще хоть капельку веры в себя…

На этот раз мне даже не дали возможности самой все испортить. Все решили за меня. Кати не хочет бросать Тоби, и я не настолько ненавижу Грега, чтобы уехать в Корк без него. Хотя я была близка к этому. Господи, этот человек совершенно выводит меня из себя! Для него существует только белое и черное, и больше никаких вариантов.

По его мнению, у него здесь прекрасная работа, за которую отлично платят, а у меня — хорошая работа, за которую платят нормально. Действительно, зачем ехать в другой город, где у его жены будет изумительная работа и потрясающая зарплата? Ах да, я совсем забыла: конечно, в Корке нет ни одного банка, так что он не сможет перевестись в другое отделение или устроиться на новую работу. Люди в этом городе хранят свои деньги под кроватью в коробках из-под обуви.

А в Корке жизнь (например, дома) намного дешевле. Кати смогла бы учиться в отличной школе, ее учеба не пострадала бы. Все было бы замечательно.

С другой стороны, я понимаю, что ее дружба с Тоби — самое важное, что есть у нее сейчас. Тоби помогает ей, благодаря ему я вижу радость в ее глазах. Детям нужны друзья, они должны расти вместе, чтобы вместе познавать жизнь и самих себя. Ребенку очень плохо без близкого друга, и, учитывая последнюю выходку Кати, я думаю, что расстаться с Тоби, по крайней мере на данном этапе, она не сможет.

Представляешь, они действительно собирались лететь к тебе. Они использовали кредитную карточку Грега и через Интернет купили билеты на самолет. Полицейский нашел их в аэропорту, они стояли в очереди на регистрацию. Я просто вижу, как они выглядели: бледная маленькая девочка с иссиня-черными волосами, с маленьким плюшевым рюкзачком на спине, и растрепанный белобрысый мальчик, безмятежно ожидающие своей очереди среди толпы незнакомых взрослых людей. Почти что молодожены. Когда-нибудь я буду смеяться, вспоминая об этом. Когда пройдут шок, испуг, горечь и обида. Когда-нибудь. В следующей жизни, наверное.

Итак, я не могу получить работу, о которой мечтала всю жизнь, потому что моя семья не хочет ехать со мной. Я не понимаю. Как будто я не делаю все так, как хотят они. Как будто вся моя жизнь не вращается вокруг них. Как будто, приходя с работы усталая, я не готовлю им ужин, не изображаю внимательную и заботливую жену, хотя у меня наверняка нашлись бы дела поинтересней. Как будто я не защищаю свою дочь от учителей, каждый раз убеждая их в том, что этот ребенок — не исчадие дьявола. Как будто я не приглашаю в гости мать Грега каждое воскресенье, не обращая внимания на ее брюзжание про мою прическу, про мою одежду, про то, что я все неправильно приготовила, про то, как я вырастила Кати. Как будто я не сижу с ней перед телевизором, пока она не посмотрит все свои любимые сериалы. Как будто это не я всегда беру отгул, если Кати болеет, и не я отказываюсь от всех своих планов, если кому-то из них нужна моя помощь.

Нет, все это не имеет значения.

Какое им дело. В качестве благодарности я один раз в год на День матери получаю чай с молоком и подгоревшие гренки. Этого вполне достаточно, правда? Грег сказал, что я вечно охочусь за радугами. Может быть, мне пора остановиться.

Целую,
Рози

От кого	Алекс
Кому	Рози
Тема	Рози Дюнн!

Я не могу видеть, как ты упускаешь еще одну возможность. Неужели никак нельзя уговорить как-бишь-его?

От кого	Рози
Кому	Алекс
Тема	Семья

Спасибо за заботу, Алекс, но это совершенно невозможно. Я не могу заставить свою семью переехать, если они не хотят этого. Они слишком много значат для меня.

Мне надо уважать желания Грега. Вряд ли я сама была бы рада бросить работу, друзей и уехать, если бы его переводили в другой город. Я не могу жить так, словно я одна на этом свете. А насколько все было бы проще! Итак, я упустила еще одну возможность. Впрочем, довольно обо мне, как там твои лекции? Узнал, кто этот чудо-хирург?

И как всегда — спасибо тебе за поддержку.

* * *

От кого	Кати
Кому	Тоби
Тема	Итак, нас заперли

Не могу поверить, что нас заперли дома! Да еще и на летних каникулах! По-моему, нет причины так психовать. Мы же не на край света сбежали, мы были меньше чем в часе езды от дома. Разве стоит за это запирать нас на целые две недели? Говорила я тебе, нужно было ехать поездом во Францию. В кино полиция в первую очередь проверяет все аэропорты. Это была ошибка. Еще можно было, к примеру, добраться до Бас Арас[1], а там на автобусе в Росслэр[2]. В следующий раз так и сделаем.

Как ты думаешь, что бы сказал Алекс, увидев нас на пороге? Мама говорит, что его щас вообще нет дома, что он уехал на какой-то семинар — врет, наверное, хочет просто убедить меня, что у нас ничего бы не вышло. Не думаю, что Алекс рассердился бы, он клевый. Но он, наверное, сразу позвонил бы маме, а она послала бы за нами кучу полицейских на спасательных вертолетах.

Бедная мама. Я рада, что мы не переезжаем, но мне ее очень жалко. Она так мечтала о новой работе, а теперь ей придется остаться в этом отеле, от которого ее уже тошнит. Я чувствую себя немножко виноватой. Правда, если бы Грег согласился, она бы заставила меня поехать, но мне все равно ее жалко. Она слоняется по дому с тоскливым видом и вздыхает, словно не знает, чем заняться. Совсем как я по воскресеньям. Она встает с дивана, идет в другую комнату и садится на стул. Потом снова

---

[1] Бас Арас — центральная автобусная станция рядом с Дублином.
[2] Росслэр — порт в Ирландии.

встает, возвращается обратно и битый час таращится в окно, тысячу раз вздыхает, снова идет в другую комнату, туда-сюда, туда-сюда, туда-сюда... у меня голова кружится. Иногда мне становится так скучно (ведь на улицу выходить нельзя), что я начинаю ходить за ней по пятам.

Вот вчера я стала ходить за ней следом, а она стала ускорять шаг, быстрее и быстрее, и в конце концов я бегала за ней по всему дому, это было очень смешно. Она распахнула парадную дверь и, не одеваясь, выскочила на улицу, думая, что я не смогу выйти за ней, ведь мне нельзя выходить. А я все равно вышла, и мы побежали вниз по улице: на мне была моя голубая пижама с розовыми сердечками, а на маме — желтая ночная рубашка! Все на нас таращились, но это было очень весело. Мы добежали до магазина Берди на углу, и там мама купила мне клубничное мороженое. То-то было счастья. Берди не очень нам обрадовался, особенно учитывая, что у мамы под ночнушкой ничего не было, к тому же она показала ножку старому мистеру Фэннингу, который как раз зашел купить утреннюю газету. Я думала, у него будет сердечный приступ. Так мне удалось ненадолго выйти.

А потом мы вернулись домой, и она снова стала медленно ходить из комнаты в комнату, словно в музее. Грег сказал, что у нее свербит в одном месте. Мама посоветовала ему помолчать насчет этого места. После этого он долго ничего не говорил.

Как ты думаешь, Тоби, если бы мы выстояли ту очередь в аэропорту, мы решились бы сесть в самолет? Я вот не знаю, смогла ли бы я оставить маму. Вряд ли она сейчас поверит, если я ей это скажу. Подумает, наверное, что я просто пытаюсь ее разжалобить, чтобы она разрешила выйти на улицу... хотя... идея очень даже неплохая. Ладно, мне пора!

* * *

От кого	Алекс
Кому	Рози
Тема	Семейные обязанности

Ох уж эти твои «семейные обязанности». Понимаешь, я не хочу, чтобы только ты одна жила по правилам. Ты не поверишь, кем оказался этот хирург! Это твой любимый Реджинальд Вильямс!

От кого	Рози
Кому	Алекс
Тема	Реджинальд Вильямс!

Ты не мог бы передать мне пакетик? Скорее, меня сейчас стошнит. То есть ты хочешь сказать — он отец этой шлюшки Бетани? Они что, всю жизнь будут нас преследовать?!

От кого	Алекс
Кому	Рози
Тема	Re: Реджинальд Вильямс!

Спокойно, Рози, дыши глубже! Он не так уж плох. Очень образованный человек.

От кого	Рози
Кому	Алекс
Тема	Re: Реджинальд Вильямс!

Он еще и гипнозом занимается, да? Он тебя зомбировал? Так вот почему его имя во всех газетах. Я последнюю неделю вообще не читаю газет в знак протеста против существования их семейки. О господи, Реджинальд Вильямс! Так ты думаешь, что он возьмет тебя в число «избранных»? Ведь ты ему почти зять. Да, в нашем обществе равных возможностей

207

мало что дает такие равные возможности, как большая волосатая рука влиятельного родственника.

От кого	Алекс
Кому	Рози
Тема	Волосатая рука

Думаю, что у меня очень мало шансов. Думаю, что я проворонил свое счастье, когда бросил его любимую единственную дочь!

От кого	Рози
Кому	Алекс
Тема	Шлюшка Бетани

Не знаю, как там насчет твоего счастья, но мне кажется, что это был разумнейший поступок в твоей жизни. Подумать только, я уже десять лет не видела шлюшку Бетани! Как она поживает, интересно? Наверное, сидит сейчас в каком-нибудь шикарном дворце, недобро посмеивается и пересчитывает бриллианты...

* * *

От кого	Рози
Кому	Стефани
Тема	Лучшие друзья остаются навсегда

Моя замечательная мудрая сестричка Стефани, как ты оказалась права! Когда мне было семнадцать, ты однажды сказала мне, что подружки приходят и уходят, а лучшие друзья остаются навсегда. И ты представляешь, сегодня я поймала себя на фразе: «Как там поживает эта шлюшка Бетани...» Это именно то, что я боялась когда-нибудь услышать от Алекса в свой адрес. Я тогда не поверила тебе, а теперь верю! Спасибо, Стеф, лучшие друзья действительно остаются навсегда!

Глава 27

У Вас входящее сообщение от: РУБИ

Руби: Итак, ты все еще здесь.

Рози: Ах, дорогая, твое сочувствие — как глоток свежего воздуха. Да, я все еще здесь.

Руби: И ты нашла свою дочь.

Рози: Да, мы занялись ее воспитанием, теперь она сама прибегает на свист.

Руби: Впечатляет...

Рози: Знаешь, я помню, как мы с Алексом несколько раз убегали из дома в детстве. Первый раз мы убежали в знак протеста, потому что родители Алекса не разрешили ему поехать на выходные в парк развлечений, чтобы посмотреть на Капитана Торнадо. Сейчас я могу их понять, потому что этот парк был в Австралии... и, к тому же, существовал только в комиксах... нам тогда было лет пять или шесть. Мы собрали свои рюкзаки и убежали. То есть мы буквально *убежали* — нам казалось, что именно так и нужно сделать, *побежать* вниз по улице — это ведь не привлечет ничьего внимания.

Целый день мы бродили по незнакомым улицам, разглядывали дома и рассуждали, хватит ли наших карманных денег, скопленных за неделю, на то, чтобы купить дом. Мы внимательно осматривали все дома, даже те, которые не продавались... мы тогда не очень хорошо понимали, как все это делается. А когда стемнело, мы уже так устали от свободы, да и перепугались немножко, что решили вернуться домой посмотреть, повлиял ли как-то наш протест на ситуацию с Капитаном Торнадо. А наши родители ничего и не заметили. Родители Алекса подумали, что мы были у меня дома, а мои родители соответственно наоборот.

Я все думаю, села бы Кати в самолет или нет, будь у нее такая возможность. Мне хочется верить, что я сумела объяснить ей, что побег — не решение проблемы. Ты можешь сбежать, бежать очень быстро и далеко, но ведь от себя никуда не денешься. Знаешь, сегодня она мне сказала, что любит меня всем сердцем и никогда меня не бросит. Мне кажется, она говорила искренне. Правда, как только я растрогалась и попыталась обнять ее, она сразу заулыбалась и хитро спросила, можно ли ей теперь выйти на улицу. Боюсь, что она выросла пройдохой, как ее отец. А ты убегала в детстве из дома?

Руби: Нет. Но мой бывший муж однажды сбежал из дома с ребенком. Ребенок был ровно в два раза его младше. Подойдет такое?

Рози: Ага... вообще-то, это не совсем то, но все равно спасибо, что поделилась.

Руби: Да без проблем.

Рози: Ты придумала что-нибудь на свое сорокалетие, Руби? Это уже совсем скоро!

Руби: Расстанусь с Тедди.

Рози: Да что ты! Это немыслимо! Я не представляю вас с Тедди друг без друга!

Руби: Ха! А он, похоже, представляет. Хотя, возможно, я погорячилась. Мне просто хочется чего-нибудь нового и волнующего, хочется как-то изменить свою жизнь. Это первое, что пришло мне в голову.

Рози: Зачем тебе менять свою жизнь, Руби? У тебя все в порядке.

Руби: Мне будет 40 лет, Рози. СОРОК. Представляешь, я моложе Мадонны, а по виду в матери ей гожусь. Я каждое утро просыпаюсь в неприбранной спальне, а рядом храпит и потеет мой мужчина, я пробираюсь к двери через кучи наваленной на полу одежды, бреду в кухню, чтобы сделать себе кофе и позавтракать недоеденным кусочком пирога. На обратном пути в спальню я встречаю в прихожей своего сына. Иногда он узнает меня, но чаще всего — нет.

Я воюю с ним из-за душа, но не потому, что хочу вымыться первой, а потому, что мне приходится *заставлять* его мыться. Потом я воюю с душем, чтобы не обвариться кипятком и не замерзнуть до смерти. Я достаю из шкафа свою одежду, и я уже столько лет ее ношу, и вдобавок — она такого размера, что смотреть тошно, и из-за этого у меня пропадает всякое желание сделать что-нибудь... *хоть что-нибудь.* Тедди бурчит мне что-то на прощание, я втискиваюсь в свой старый ржавый драндулет и выезжаю на шоссе, которое в это время больше похоже на автостоянку, чем на дорогу.

Потом я паркуюсь, как всегда опаздываю на работу, а там меня ждет человек по прозвищу Энди-Крендель. Я сажусь за стол и сразу же начинаю придумывать, что бы ему наплести, чтобы выйти на минутку на улицу выкурить сигаретку. И так целый день. Мне не с кем поговорить, на меня мало кто обращает внимание, и когда в семь вечера я возвращаюсь домой, я совершенно измотана и умираю с голоду, а меня встречает дом, где никогда не убрано и где ужин никогда не появится сам собой. И так *каждый день.*

Вечером в субботу я встречаюсь с тобой, мы куда-нибудь идем, и потом все воскресенье меня мучает похмелье. А это значит, что я ничего не соображаю и лежу на диване, как кочан капусты. Дом по-прежнему не убран, и сколько я его ни проклинаю, отказывается убираться самостоятельно. В понедельник утром мой будильник снова разбудит полквартала, и все начнется заново.

И ты хочешь сказать, что в моей жизни не нужно ничего менять? Мне *отчаянно* нужно что-то изменить.

Рози: Нам *обеим* пора что-то менять, Руби.

* * *

Моей необыкновенной подруге
Пусть это будет началом по-настоящему счастливого и успешного года!

Прости, Руби, это была единственная более-менее пристойная открытка, какую мне удалось найти, во всех остальных было написано, что жизнь твоя почти закончилась. Спасибо, что ты есть у меня, даже если тебе самой этого не очень хочется! Ты потрясающая подруга. Давай как следует отпразднуем твоей день рождения, и удачи тебе в следующем году!

Целую,
Рози

PS: Надеюсь, подарочек тебе понравится, *поменять* можешь даже не просить!

* * *

Настоящий абонемент дает Вам право посетить 10 уроков сальсы.

Занятия проводятся каждую среду в 20:00 в холле школы Св. Патрика.

Вашего преподавателя зовут Рикардо.

* * *

У Вас сообщение от: РУБИ

Руби: Я совершенно изсальсевалась! У меня только один раз в жизни так все болело — когда Тедди на прошлое Рождество притащил с работы Камасутру. На работу меня пришлось нести практически на носилках. А в этот раз, представь себе, я *вообще* не смогла выйти на работу.

Я сегодня проснулась с ощущением, будто накануне попала в страшную автокатастрофу. Обернулась на Тедди и поняла, что мы, видимо, оба в нее попали. А потом вспомнила, что эти мерзкие звуки и запахи — неотъемлемая часть его жизни. Мне пришлось двадцать минут его будить, чтобы он помог мне встать с постели. Еще двадцать минут занял сам процесс вставания. После этого выяснилось, что мои суставы объявили забастовку. Сбежали со своих рабочих мест и собрались на демонстрацию, выкрикивая тоненькими голосками: «Свободу суставам! Свободу суставам!» Я думаю, это бедра организовали заговор.

В общем, я позвонила шефу и поднесла трубку к бедрам, чтобы он смог услышать собственными ушами, что там творится. Он согласился со мной и разрешил мне не выходить на работу (то есть *сейчас* он утверждает, что *этого* он не говорил, но я настаиваю на своей версии случившегося).

Я даже не подозревала, что мое тело может так болеть. Должна тебе сказать, что даже рождение ребенка — *пустяк* по сравнению с нашим вчерашним занятием, хотя мой Гэри был *крупным* ребенком. По-моему, этим вполне

213

можно пытать военнопленных, когда из них нужно вытянуть какие-то сведения. Организовать им пару уроков сальсы. Конечно, я знала, что я в плохой форме, но боже мой, сегодня я с трудом смогла вывести на дорогу свой драндулет. Каждое переключение скоростей сопровождалось стонами и руганью. Первая скорость — боже, как больно, вторая скорость — я сейчас с ума сойду, третья скорость — когда же кончится эта пытка... В результате я решила не мучиться и доехала на второй скорости. Машина, правда, не порадовалась моему решению и всю дорогу кашляла и кряхтела, в точности как ее хозяйка.

Вообще, судя по моей походке, можно было смело предположить, что мы с Тедди действительно перепробовали всю Камасутру. Мне даже печатать было больно: неожиданно выяснилось, что такая отдаленная вещь, как указательный палец, и то непонятным образом соединена с нервами у меня в голове. Мне стоило заранее подумать о том, что все будет так плохо. Когда мы вчера с тобой расстались, я была просто никакая, и к дверям дома ползла практически на четвереньках. Постояла немного у косяка, послушала ежевечернюю ругань Тедди и Гэри. Они очень буднично это делают, и я начинаю подозревать, что у них просто такой нестандартный способ общения.

В общем, добрела я до ванны, плюхнулась в воду и решила утопиться. И тут вдруг вспомнила, что у меня припасено несколько кусочков вчерашнего шоколадного пирога! Что бы ни говорили, а на свете есть еще вещи, ради которых стоит жить.

Спасибо за чудесный подарок, Рози. Мы отлично повеселились, правда? Я не помню, когда я в последний раз так смеялась. Вот от чего у меня так болят мышцы живота. Спасибо, что заставила меня вспомнить, что я женщина, что у меня есть бедра, что я могу быть сексуальной.

И еще спасибо, что благодаря тебе в моей жизни появился этот красавец Рикардо. Не могу дождаться нашей следующей встречи. Ну вот я вроде на все пожаловалась, теперь ты рассказывай, как ты себя чувствуешь?

Рози: Все хорошо, спасибо. Ни на что не жалуюсь.

Руби: Ха!

Рози: Ну ладно, немного болят мышцы.

Руби: Ха!

Рози: Ладно, ладно, водителю автобуса пришлось спустить для меня инвалидное кресло, поскольку я так и не смогла поднять ногу.

Руби: Это уж больше похоже на правду.

Рози: Но этот Рикардо, Руби!!! Он мне даже ночью снился. Просыпаюсь — а я совершенно голая, вся подушка залита слюнями... А этот его итальянский акцент, я как вспомню: «Рро-зи! Ас-таррожна!», «Рро-зи! Не смияцца!», «Рро-зи! Вставайтэ с по-лла!» — у меня сразу мурашки по спине... А когда он воскликнул: «Атличч-на, Ррози, *превосхитительное движение бедер!*» — ну, тут я... ох, этот Рикардо со своими сказочными бедрами...

Руби: О да, какие у него бедра! Но вообще-то, насколько я помню, это я сделала *«превосхитительное движение бедер»*.

Рози: Ай, Руби, уже и помечтать нельзя! Я, кстати, очень удивилась, что там столько мужчин.

Руби: Да, я тоже. Помню, когда я была школьницей, мне на каждой дискотеке приходилось танцевать с какой-нибудь девочкой, для меня никогда не находилось партнера. А вот почему там мужчины танцуют друг с другом, хотя кругом полно женщин?

Рози: Видимо, это вопрос личных предпочтений. Они такие смешные на своих высоких каблуках. Можешь себе представить, чтобы Тедди и Грег пришли с нами на занятия?

Руби: Вот это было бы зрелище! У Тедди уже руки на животе не сходятся, не представляю, как он смог бы меня обнять. А пока он развернется вокруг своей оси, пройдет не меньше года.

Рози: А Грег наверняка не сможет спокойно слушать, как Рикардо считает вслух шаги, он сразу же начнет складывать их в уме, умножать, вычитать третью степень из квадратного корня и еще что-нибудь в этом роде. Ох уж этот Грег и его вечные цифры... Похоже, мы с тобой совсем одни, Руби.

Руби: Похоже на то... Как там Алекс?

Рози: Увивается за папашей шлюшки Бетани, пытаясь получить у него должность шинкователя человеческих тел.

Руби: Хо... рошо... кто такая Бетани, почему она шлюха и чем занимается ее отец?

Рози: Ах да, извини. Бетани — детская подружка Алекса и его первая любовь, она шлюха, потому что таковой я ее считаю, а ее папаша — какой-то хирург.

Руби: О, как увлекательно... возвращение бывшей девушки Алекса... это что-то новенькое...

Рози: Да нет, она здесь ни при чем, Алекс просто посещает лекции, которые читает ее отец.

Руби: Ах, Рози Дюнн, хоть раз поверь, что может произойти даже самое невероятное. Тогда ты не будешь так шокирована, если все пойдет не так, как ты ожидала.

Глава 28

Овен

Уран в Овне и Ваш покровитель Юпитер образуют головокружительную комбинацию, противостоящую влиянию Венеры. К тому же, Солнце входит в Плутон, что означает некоторые сложности. Новая Луна немного облегчит ситуацию, но принесет странный поворот судьбы.

***

В КОМАНДЕ ВИЛЬЯМСА ПОЯВИЛСЯ МОЛОДОЙ ИРЛАНДСКИЙ ХИРУРГ

Клиона Тэйлор

Ирландский хирург Реджинальд Вильямс, чьи успехи в области кардиохирургии получили в последнее время широкую известность, представил сегодня нового члена своей рабочей группы – ирландского доктора Алекса Стюарта.

Алекс Стюарт, тридцатилетний выпускник Гарварда, сказал: «Я следил за всеми исследованиями доктора Вильямса с огромным интересом и восхищением». Он также добавил: «Я глубоко польщен возможностью работать отныне под руководством доктора Вильямса. Его исследования потрясают основы современной медицины и, что намного важнее, открывают новые перспективы для спасения человеческих жизней». Доктор Стюарт родился в Дублине, Ирландия, и переехал в Бостон в возрасте 17 лет, когда его отец занял пост в известной юридической компании «Чарльз и Чарльз Ко». До начала работы с доктором Вильямсом доктор Стюарт прошел пятилетнюю стажировку в Центральной больнице Бостона, в отделении общей хирургии.

На фотографии сверху (слева направо): доктор Реджинальд Вильямс со своей женой Мирандой и дочерью Бетани, которая сопровождала вчера вечером доктора Стюарта на благотворительном балу, проводимом Фондом кардиохирургии Реджинальда Вильямса.

На стр. 4 Приложения Вы можете прочитать отчет Вэйн Гиллеспи о новых достижениях в области кардиохирургии.

***

У Вас входящее сообщение от: РОЗИ

Рози: Руби, ты себе не представляешь, что я сегодня утром прочла в газете.

Руби: Свой гороскоп.

Рози: Ну перестань! Не нужно считать меня полной дурой, ты что, действительно думаешь, что я каждый день читаю эту ерунду?

Руби: Я не думаю, я знаю. Они помогают тебе определиться, какое у тебя должно быть настроение. Вот я, например, не очень понимаю свой сегодняшний гороскоп. Смотри: «Если Вы извлечете максимум выгоды из существующего финансового положения, Вы сможете завладеть

218

инициативой в конце месяца. Марс переместился в Ваш знак, благодаря чему Вы чувствуете себя полной энергии Впереди Вас ожидают новые увлекательные переживания.»

Между тем, я давно не чувствовала себя настолько разбитой, измученной и уставшей. Так что все это чушь собачья. Не могу дождаться среды, ты представляешь себе, у нас будет последнее занятие! А потом мы переходим на следующий уровень. Так быстро пролетело время... Каждый раз, когда я произношу эту фразу, я еще немного старею. Ладно, так что там в газетах, раз уж речь не о гороскопе?

Рози: Открой «Таймс» на третьей странице.

Руби: Так, страница три, буду писать тебе, просматривая заголовки... боже мой, вы только посмотрите. Я так понимаю, это и есть шлюшка Бетани?

Рози: А что, по ней не видно?

Руби: Прости, дорогая, но она похожа на совершенно нормальную, пусть и слегка подоночную, богатую женщину тридцати одного года... но, если ты настаиваешь, я могу называть ее шлюхой Бетани.

Рози: Сделай одолжение.

Руби: Ладно... ой, смотри, Рози, шлюха Бетани на фотографии рядом с Алексом. На третьей странице. И выглядит... хм... как шлюха.

Рози: Во-во. И между прочим, ей уже тридцать два... Так вот, в моем гороскопе написано, что —

Руби: Ага! Я тебе говори —

Рози: Прекрати эти свои «я тебе говорила» и послушай. В моем гороскопе написано, что мне станет немного легче, но меня ожидает странный поворот судьбы.

Руби: А в моем написано, что я богата, и что?

Рози: Ты понимаешь, я очень рада за Алекса. Он наконец получил работу, о которой мечтал столько лет, но забавно, что ради этого ему нужно было встретить ее.

Руби: А я тебе говорила, Рози — будь готова к самому неожиданному. И еще знаешь что — прекрати читать эти гороскопы... это сплошная чушь.

* * *

От кого	Рози
Кому	Алекс
Тема	Поздравляю!

Я уже знаю о том, как тебе повезло. Об этом пишут все газеты (я сохранила для тебя вырезки), и мне удалось послушать твое интервью по радио. Я не очень поняла, о чем именно ты рассказывал, зато по голосу догадалась, что ты простужен. Вот так — каждый день вытаскиваешь людей практически с того света, а насморк вылечить не можешь.

Как там Джош? Я звонила на днях твоей матери, и он как раз был у нее в гостях. Она дала ему трубку, и я ушам своим не поверила — мы с ним по-настоящему разговаривали! Он такой умный в свои четыре года, совсем как папа. На свою мать совершенно не похож, слава богу. Рассказывал мне про животных, которых видел в зоопарке, изображал, как они разговаривали. Я сказала твоей маме, что нужно порепетировать с ним голос гориллы, потому что он не смог его изобразить и замолчал, когда речь зашла о ней. А твоя мама объяснила, что эта горилла была очень грустная и не хотела ни с кем разговаривать.

Я бы очень хотела снова с ним встретиться и очень хотела бы увидеть тебя. Давай не будем терять связь друг с другом. Расскажи мне что-нибудь о себе — что-нибудь, что я не могу прочитать в газетах.

220

Дорогой Алекс!

Это опять Рози. Не знаю, получил ли ты мое письмо, я отправила его несколько недель назад. Там не было ничего важного, только поздравления. Мы тобой очень гордимся, вся семья передает тебе большой привет. Мне кажется, что Тоби теперь захотел стать доктором, как ты, потому что тогда его будут звать на радио и фотографировать для газет (и еще, как выяснилось, он втайне мечтает вынуть из груди человеческое сердце, как это показывают в кино... меня эта мысль порядком обеспокоила). А Кати настаивает, что хочет стать диджеем. Похоже, ты совсем не повлиял на нее, раз она хочет заняться делом, *повышающим* количество сердечных заболеваний.

Я работаю там же, в отеле. Все еще администратор, все так же забочусь о том, чтобы шумная и плохо воспитанная публика вовремя получала крышу над головой. Мой босс улетел в Штаты открывать там очередной отель, так что мы теперь долго не увидим братьев Лэйк. Они в последнее время занялись нашим воспитанием и провели несколько кошмарных корпоративных тренингов, на которых нас учили быть открытыми друг с другом. На следующей неделе лидер нашей группы, Саймон, повезет нас кататься на каноэ, чтобы мы смогли пообщаться в неформальной обстановке. Теоретически мы должны научиться обсуждать наши проблемы.

Я не понимаю, как я могу обсудить с Таней то, что меня раздражает ее неестественный тоненький голосок, и то, что в конце каждого предложения она обязательно добавляет: «Представляешь себе?» — и ее духи, слишком приторные для нашей маленькой комнаты, и ее зубы, перепачканные дурацкой розовой помадой, которая ну никак не идет к ее волосам. А у Стивена по утрам воняет изо рта грязными носками, и я не могу дождаться, когда же он выпьет свою первую чашку кофе, что хоть немного заглушает чудовищный запах. Джеффри никогда не пользуется дезодорантом, у Фионы вечные проблемы с газами — я не могу себе представить, чем она питается. Табита беспрерывно поддакивает, когда ей что-то рассказываешь, после каждого слова вставляя «точно», и, что еще более противно, каждый раз пытается закончить мою фразу за меня. Это страшно раздражает, особенно если учесть, что она никогда не понимает, что я хотела сказать. Генри носит белые носки с черными туфлями, Грэйс каждый день напевает одну и ту же песню «Спайс герлз», и в результате я тоже начинаю ее напевать, сама того не замечая, и, когда прихожу домой, Кати обрушивает на меня все свое презрение, потому что я отстала от жизни и не слышала даже хит-парада этого сезона.

Они меня с ума сводят. Вообще-то идея поплавать на каноэ не так уж плоха: половину из них я смогу незаметно утопить. Алекс, напиши мне, как у тебя дела, я скучаю.

Целую.

Рози

Рози!

Прости, что я так отдалился в последнее время, я был очень занят. Думаю, о моей работе ты все и так знаешь, так что я не буду о ней рассказывать. У мамы и папы все отлично, они заставили весь дом вашими с Кати фотографиями, и, когда я прихожу к ним в гости, мне кажется, что я попал в музей.

А у меня есть хорошие новости! В следующем месяце я приеду в Ирландию. Родители тоже едут со мной, и Салли разрешила на две недели взять Джоша, потому что на прошлое Рождество он был с ней. Мы так давно не собирались всей семьей. Мама очень хочет отпраздновать сороковую годовщину их свадьбы вместе с Филом, десятком его детей, прочими родственниками и друзьями.

Сорок лет, представляешь? Я и пять-то лет с трудом выдержал. Не понимаю, как им это удалось. А у тебя, как я вижу, все отлично — сколько вы уже вместе с как-бишь-его? Довольно долго, по-моему.

Я не помню, когда я в последний раз встречал Рождество в Дублине. Мы скоро увидимся, Рози.

Алекс

От кого	Рози
Кому	Алекс
Тема	Твой приезд

Вот это здорово! Как я рада, что ты приедешь. Хочешь остановиться у меня, или у вас с родителями другие планы?

От кого	Алекс
Кому	Рози
Тема	Мой приезд

Нет-нет, не будем снова выгонять как-бишь-его из собственного дома (хотя непонятно, чего это я вдруг так к нему внимателен, учитывая, что я его ненавижу). Мы с Джошем поживем у Фила, а родителям я забронировал номер в отеле. Но все равно спасибо за приглашение.

От кого	Рози
Кому	Алекс
Тема	Г. Р. Е. Г.

Так... Алекс, до отъезда тебе предстоит выучить имя моего мужа. Его зовут Грег.

Г. Р. Е. Г. Постарайся запомнить, пожалуйста.

Я тебе уже говорила, что мы с Руби теперь королевы сальсы? Первый абонемент на уроки танцев я купила несколько месяцев назад в подарок Руби, и нам обеим так понравилось, что мы до сих пор ходим. Руби так меня удивила — у нее настоящий талант, хотя, по секрету тебе скажу, мне страшно надоело все время танцевать мужскую партию.

Грег отказывается ходить со мной на танцы, правда, не возражает, чтобы я учила его в спальне. Но только если Кати нет дома, дверь в спальню закрыта на засов и подперта стулом, опущены жалюзи и задернуты шторы. Даже телевизор мы выключаем, чтобы не подглядывал. Мне просто очень хочется, чтобы мы занимались чем-то вдвоем, чтобы у нас было общее хобби, но, поскольку на занятиях я всегда мужчина, мне очень сложно дома стать женщиной (впрочем, мне и раньше никогда это не удавалось). Все заканчивается тем, что мы оттаптываем друг другу ноги, устаем выяснять, где стояла и где не стояла чья нога, ужасно раздражаемся и в результате ссоримся.

Руби теперь посещает занятия два раза в неделю, а я не могу ходить по понедельникам — нужно возить Кати на баскетбол. Руби жалуется, что без меня ей скучно, приходится танцевать с мисс Бихэйв, длинноногой блондинкой-трансвеститом, которая разучивает сальсу для своего нового шоу в местном гей-клубе.

В общем, мы с Руби развлекаемся как можем. Как только заканчивается один урок танцев, я уже с *нетерпением* жду следующего. Руби в полном восторге, особенно учитывая то, что она начала худеть (до Дюймовочки пока далеко, но в ремне уже пришлось проделать новую дырочку). Знаешь, так здорово, когда у тебя есть хобби, когда есть что-то, что заставляет тебя радоваться, заставляет тебя с нетерпением ждать следующей недели, скрашивает привычно-тоскливые будни! Надеюсь, что твоя жизнь тоже не стоит на месте, Алекс, и надеюсь, что ты не заработался до смерти. Расскажи мне что-нибудь. Может быть, ты ходишь на свидания?

От кого   Алекс
Кому   Рози
Тема   Свидания?
Может, и да...

У Вас входящее сообщение от: РОЗИ

Рози: Итак, я вся внимание. Кто же это?

Алекс: А с другой стороны, может, и нет...

Рози: Прекрати! Кто эта несчастная? Я знаю ее?

Алекс: Может быть...

Рози: Умоляю тебя, скажи мне, что это не шлюшка Бетани.

Алекс: Извини, но я спешу, нужно привести себя в порядок, у меня сегодня важный вечер. Береги себя, лютик.

Рози: У тебя свидание?

Алекс: Может быть... как я уже сказал...

Рози: Ладно, ладно, я поняла, а может быть, и нет... Хорошо, что бы ты там ни запланировал, желаю тебе приятного вечера. Но смотри, сильно не расслабляйся!

Алекс: Не смею даже мечтать.

У Вас входящее сообщение от: РОЗИ

Рози: Только что разговаривала с Алексом.

Руби: Да? Здорово.

Рози: Ага.

Руби: И что же? Он рассказал что-то интересное?

Рози: Нет. Вспоминали былые времена.

Руби: Хорошее занятие. Так что, у вас с Грегом есть какие-то планы на вечер?

Рози: Он идет на свидание, Руби.

Руби: Кто??? Грег?

Рози: Да нет же, Алекс.

Руби: А мы все еще говорим про Алекса? И с кем же он встречается?

Рози: Я не знаю. Он мне не признается.

Руби: Он имеет право на личную жизнь, разве нет?

Рози: Да, наверное.

Руби: Очень хорошо, что он смог оправиться после этого неудачного брака, правда же?

Рози: Да, наверное.

Руби: Ты так считаешь? Ты отличная подруга, Рози, ты всегда желаешь Алексу только добра.

Рози: Ну да... да.

***

У Вас входящее сообщение от: АЛЕКС

Алекс: Привет, Фил.

Фил: Привет, Алекс.

Алекс: Что делаешь?

Фил: Брожу по Интернету, ищу заглушку на вал двигателя для додж «седана» 1939 года выпуска. Это редкая машина. Настоящая красавица. Только что заказал спойлеры на шевроле «седан» 1955 года. Скоро должны доставить.

Алекс: Понятно.

Фил: Ты хотел о чем-то поговорить, Алекс?

Алекс: Да нет.

Фил: Но ты с какой-то конкретной целью написал?

Алекс: Нет, нет. Просто решил узнать, как у тебя дела.

Фил: Понятно. Как работа?

Алекс: Я сегодня иду на свидание.

Фил: Правда? Это здорово.

Алекс: Ну да.

Фил: Я рад, что ты снова в форме.

Алекс: Ага.

Фил: Снова ищешь свое счастье.

Алекс: Ага.

Фил: В конце концов, хорошая девушка, может быть, избавит тебя от этой дурной привычки работать днем и ночью.

Алекс: Ага.

Фил: А Рози знает?

Алекс: Да. Только что с ней разговаривал.

Фил: Надо же, какое совпадение. И как она отреагировала?

Алекс: Она ничего толком не сказала.

Фил: Рассердилась?

Алекс: Нет.

Фил: Ревновала?

Алекс: Нет.

Фил: Может быть, умоляла тебя не ходить на свидания с другими женщинами?

Алекс: Да нет же.

Фил: Тогда она хороший друг, правда? У тебя есть настоящий друг. Человек, который понимает тебя и желает тебе найти свое счастье.

Алекс: Да. Это здорово. Здорово иметь такого друга.

* * *

Овен
Вы все еще находитесь под сильным влиянием Нептуна, которое поможет осуществить Ваши романтические мечты...

* * *

У Вас входящее сообщение от: РОЗИ

Рози: Ты права, Руби, эти гороскопы — полная чушь.

Руби: Умничка.

Глава 29

Рози, Кати и Грег!

Приглашаю вас 18-го ноября на мой 7-й день рождение. У меня буит волшебный человек. Он может превращать возлушные шарики в зревей. Он вам подавит зверя.

Праздник начнется в 11 часов утра, будет много конфет. а потом вы сможете уйти домой со своими родителями.

Спасибо.

Целую,

Джош.

***

У Вас входящее сообщение от: КАТИ

Кати: Я похожа на чучело.

Тоби: Ты совершенно не похожа на чучело.

Кати: Ты сам-то хоть знаешь, как выглядят чучела?

Тоби: Ну хорошо, и как же они выглядят?

Кати: В точности как я.

Тоби: Неправда.

Кати: Ну откуда ты знаешь? Я выгляжу, как плод скрещивания человеческой расы с роботами.

Тоби: Да нет же.

Кати: О господи, почему они все на меня смотрят?

Тоби: Кати, мы сидим на самой последней парте, и все остальные сидят к нам спиной. Они не могут на тебя смотреть. У тебя просто паранойя.

Кати: Нет, это не паранойя.

Тоби: Паранойя, паранойя. У людей не бывает глаз на затылке.

Кати: Как это не бывает? А у моей мамы?

Тоби: Послушай, Кати, это же просто зубные скобки. От них еще никто не умирал. Я понимаю, каково тебе. Когда мне купили очки, мне тоже казалось, что на меня все таращатся.

Кати: Потому что так оно и было.

Тоби: Слушай, сделай мне одолжение.

Кати: Чего?

Тоби: Скажи еще раз «жареные сосиски».

Кати: ТОБИ! Ты же обещал, что не будешь смеяться! Мне теперь придется несколько лет своей жизни жить с этими рельсами на зубах, я же не виновата, что я из-за них шепелявлю. А ведь у меня на следующей неделе день рождения, и мне придется фотографироваться в таком виде.

Тоби: Большое дело.

Кати: Мне исполняется тринадцать! Я буду через много лет доставать эти фотографии и видеть на них человека с двумя огромными железяками, торчащими изо рта. К тому же, на праздник придут *все*, даже те, кого я тыщу лет не видела, и мне хотелось бы быть красивой.

Тоби: Дай-ка угадаю — ты собираешься быть красивой в чем-нибудь черном.

Кати: Ага.

Тоби: Ты больная.

Кати: Нет, Тоби, я знаю, что делаю,— черный очень идет к моим волосам. Так пишут в *моих* журналах. А ты можешь не напрягаться и прийти как обычно в своих дурацких шортиках и футболочке.

Тоби: Так пишут в моих журналах.

Кати: Знаю я, что пишут в твоих мерзких журнальчиках, нет там ничего про одежду. Только про раздевания.

Тоби: В общем, ты меня приглашаешь.

Кати: Может быть. А с другой стороны... может, и нет.

Тоби: Кати, я же все равно приду, даже если ты меня не пригласишь. Что ж мне, пропустить твой день рождения из-за того, что тебе что-то в голову стукнуло? Я хочу видеть, как праздничный торт застрянет в твоих скобках и полетит людям в лицо, когда ты заговоришь.

Кати: Я постараюсь как можно больше разговаривать с тобой.

Тоби: А кто придет, кстати?

Кати: Алекс, тетя Стеф, Пьер и Жан-Луи, бабушка с дедушкой, Руби, Тедди и ее пришибленный сынок, который никогда не открывает рта, мама, конечно, и несколько девочек из баскетбольной команды.

Тоби: Нормальненько. А дядя Кевин?

Кати: Да куда он вообще ходит? Он все время проводит на работе. Сказал, что очень извиняется, но не может прийти, и прислал мне открытку с десяткой внутри.

Тоби: Прекрасно, большего от него и не нужно. А что Грег?

Кати: Улетел в Штаты на целую неделю. Дал мне тринадцать евро. По евро за каждый год.

Тоби: Круто, эдак ты разбогатеешь. Хорошо, что он работает. Я ненавижу, когда они с Алексом собираются в одной комнате. Сразу пахнет неприятностями.

Кати: Ага. И мама носится от одного к другому, как рефери на ринге.

Тоби: Если бы они вышли на ринг, Алекс настучал бы Грегу по голове.

Кати: Сто процентов. Но они не посмеют, потому что мама настучит по голове обоим.

Тоби: А будет хоть один человек младше восьмидесяти лет и не из твоей дурацкой баскетбольной команды?

Кати: Алекс привезет Джоша.

Тоби: Джошу семь лет, Кати.

Кати: Отлично, у вас с ним много общего. Одинаковый уровень умственного развития.

Тоби: Ах, как смешно, металлический ротик. Мама еще не говорила, на празднике будут «праздничные жареные сосиски»?

Кати: О, как ты остроумен, Тоби. Ладно, я думаю, все могло бы быть в миллион раз хуже.

Тоби: Это как?

Кати: Если бы мне пришлось, как тебе, до конца своей жизни носить очки.

Тоби: Сейчас умру со смеху. А тебя, между прочим, теперь несколько лет из страны не выпустят, металлодетектор в аэропорту не пропустит. Ты же опасна для окружающих. Вдруг эти штуки превратятся в смертельное оружие.

Кати: А, ну тебя.

* * *

У Вас входящее сообщение от: РОЗИ

Рози: На следующей неделе мой ребенок станет тинэйджером.

Руби: Поблагодари своего ангела-хранителя, дорогуша, твои беды подходят к концу.

Рози: Подходят к концу? А я думала, все только начинается. И если у меня и был когда-то ангел-хранитель, то он уже давно смылся. Я не вижу ничего хорошего в том. что моя малышка вырастет и превратится в прыщавую истеричку. И к тому же, чем старше мой ребенок, тем старше я сама.

Руби: Интересное открытие.

Рози: Все это слишком рано. Я еще свою собственную жизнь не успела начать, а уже нужно помогать ей начинать свою. Я, по сути, еще вообще ничего в жизни не сделала.

Руби: Здесь можно возразить, что ты дала жизнь другому человеку. Хорошо, а что нести на вечеринку?

Рози: Только свое измученное тело.

Руби: Проклятье, а что-нибудь другое нельзя?

Рози: Отговорки не принимаются.

Руби: Ну ладно. Хорошо, что Грега не будет, иначе ему пришлось бы весь вечер держать тебя за шиворот, чтобы ты не убежала к Алексу.

Рози: Зато хоть в этот раз Алекс застанет мир в моей семье.

Руби: Будем надеяться. Так что мне подарить девочке-подростку, мечтающей обо всем и сразу?

Рози: Ровные зубы, волшебный крем от прыщей, Колина Фаррэлла и организованную мать.

Руби: По части организации я, пожалуй, смогу помочь.

Рози: Спасибо, Руби.

***

От кого	Алекс
Кому	Рози
Тема	Мой самолет

Мой самолет приземляется завтра в 14:15. Не могу дождаться, когда снова увижу тебя и Кати. А как-бишь-его тоже будет меня встречать?

От кого   Рози

Кому   Алекс

Тема   Мой МУЖ

Моего *мужа* зовут Грег. ГРЕГ. Я ясно выражаюсь? И он не сможет тебя встретить, потому что как раз улетел в Штаты в командировку. Надо же, как вы удачно поменялись странами.

* * *

Моей замечательной дочери
Ты теперь тинэйджер!
С днем рождения, дорогая.
С любовью,
Мама

С днем рождения, Кати!
Я не смог прийти, прости!
Веселитесь до утра,
С днем рождения, ура!
Грег

Ты теперь совсем большая,
Не девочка, а девушка!
С днем рождения, родная!
Бабушка и дедушка

С днем рождения, дорогая!
Вот тебе немного денег, купи себе какую-нибудь одежду. Только не черную, умоляю!
Целуем,
Руби, Тедди и Гэри

Моей племяннице
С днем рождения, красавица!
Bon Anniversaire[1]!
Целуем,
Стефани, Пьер и Жан-Луи

Моей крестнице
С днем рождения, моя любимая девочка!
Как я рад, что могу отпраздновать этот день с тобой.
С любовью,
Алекс

Может, ты и стала тинэйджером, но красоты тебе это не прибавило.
Тоби

***

От кого   Кевин
Кому   Рози
Тема   Романтический уик-энд

Привет, это Кевин. Не смог тебе дозвониться, так что решил написать письмо, поскольку почту ты наверняка проверяешь по десять раз на дню.

Извини, что я не приехал на день рождения Кати. Тут на работе полный дурдом. На этой неделе был чемпионат по гольфу, и в наш отель со всех концов света собрались знаменитые спортсмены вместе со своими собачками, золотыми рыбками, женами и прочими домашними животными. Я просто с ног сбился. Не мог дождаться, когда же они наконец разъедутся. Итак, я по-прежнему продолжаю пропускать все семейные вечеринки (равно как и утренники).

---

[1] С днем рождения! (*франц.*)

Слушай, я чего пишу — ты почему не сказала, что вы с Грегом едете к нам в отель? Я сегодня просматривал имена постояльцев (даже не спрашивай зачем) и обнаружил, что вы забронировали на эти выходные люкс для молодоженов!

Старина Грег небось порядком поистратился на всем этом? Здорово, что ты наконец приедешь ко мне в гости! Мы давненько не виделись. По-моему, аж с Рождества. Я предупрежу весь персонал, чтобы вас обслужили по высшему разряду, и даже попрошу ребят на кухне не плевать вам в тарелки.

От кого	Рози
Кому	Кевин
Тема	Re: Романтический уик-энд

Прости, братишка, но это, видимо, другая Рози Дюнн. Если бы это была я!

От кого	Кевин
Кому	Рози
Тема	Re: Романтический уик-энд

Второй Рози Дюнн не существует, ты единственная и неповторимая! Нет, серьезно, номер забронирован на имя Грега. Черт! Похоже, я испортил ему сюрприз. ЗАБУДЬ, я ничего тебе не говорил. Извини.

От кого	Рози
Кому	Кевин
Тема	Re: Романтический уик-энд

Да не переживай, Кев. А на какой день забронирован номер?

От кого	Кевин
Кому	Рози
Тема	Re: Романтический уик-энд

С пятницы по понедельник. Пожалуйста, не говори ему, что я все тебе рассказал. Надо ж было так глупо проболтаться. Почему я не подумал головой. Впрочем, мне все равно не следовало об этом знать. А Грег все же идиот — он ведь знает, что я работаю в этом отеле.

От кого	Рози
Кому	Кевин
Тема	Re: Романтический уик-энд

Чтобы знать, где ты работаешь, ему нужно было хоть раз с тобой поговорить. Не переживай! Грег на этой неделе будет в Штатах, так что я смогу скрыть от него свою радость! Пойду прикуплю парочку новых нарядов, ведь твой отель такой модный!

От кого	Кевин
Кому	Рози
Тема	Re: Романтический уик-энд

Желаю удачи, увидимся. Я постараюсь сделать вид, что я безмерно удивлен.

* * *

Руби: Должна признать, что я в шоке. Очень романтично с его стороны!

Рози: Я просто вне себя от восторга, Руби. Я столько лет мечтала пожить в этом отеле. Там наверняка такие замечательные шампуньки и купальные шапочки в ванной...

Руби: Господи, Рози, ты этого добра уже столько наворовала, что впору свой магазин открывать!

Рози: Я не *ворую*. Не для того же это все туда кладут, чтобы мы на него смотрели. Хотя должна сказать, что в последнее время сушилки для волос стали прибивать к стенам намного крепче.

Руби: А кровать вынести у тебя силенок не хватает.

Рози: Я бы вынесла, да администратор заметит. А вот простыни, которые я привезла из прошлого отеля, до сих пор мои самые любимые.

Руби: Рози, тебе пора лечиться. И когда ты собираешься упорхнуть в это царство роскоши?

Рози: В пятницу. Не могу дождаться! Я купила столько новой одежды, что на кредитной карточке почти ни копейки не осталось. Как здорово, что он это сделал. В последнее время у нас с ним все так хорошо, словно второй медовый месяц. Я очень, очень счастлива.

* * *

От кого	Рози
Кому	Грег
Тема	Когда ты приедешь?

Ты когда собираешься домой, ведь уже пятница? Наверное, ты уже в самолете, раз на твоем мобильнике сразу включается автоответчик. Может быть, ты можешь ответить прямо из облаков со своего ноутбука!

От кого	Грег
Кому	Рози
Тема	Re: Когда ты приедешь?

Привет, любимая. Я же говорил тебе, что останусь в Штатах до понедельника. Я буду дома ближе к вечеру.

Можно позвонить тебе, чтобы ты забрала меня из аэропорта? Прости, если вышло недоразумение. Я был уверен. что обещал вернуться в понедельник, а не в пятницу. Дорогая моя, я и сам бы хотел вернуться сегодня.

Как прошел первый взрослый день рождения маленькой Кати? Она мне так ничего и не написала. Могла бы хоть за подарок поблагодарить.

От кого	Рози
Кому	Кевин
Тема	*Этот уик-энд?*

Ты не ошибся? Номер действительно забронирован на *этот уик-энд?*

От кого	Кевин
Кому	Рози
Тема	Re: *Этот уик-энд?*

Да, все правильно, Рози. Грег зарегистрировался у нас сегодня утром. Разве ты не с ним?

Глава 30

От кого	Рози
Кому	Алекс
Тема	Как-бишь-его

Как-бишь-его больше нет. И никогда не будет

От кого	Алекс
Кому	Рози
Тема	Re: Как-бишь-его

Бери Кати и прилетай ко мне. Я забронирую вам билеты на самолет. В течение часа я сообщу тебе номер рейса. Не волнуйся.

От кого	Рози
Кому	Алекс
Тема	Подожди, пожалуйста

Подожди. не бронируй билеты, мне нужно здесь кое-что закончить перед отъездом. Дай мне немного времени. Если я улечу к тебе в Бостон. я *никогда* не вернусь обратно. Просто дождись меня

* * *

Привет, это я, Алекс.

Слушай, мне очень жаль. но я не смогу сегодня вечером поужинать с тобой. Прости. что сообщаю тебе об этом в письме, но это лучший способ из всех, что мне известны. Ты замечательная женщина, но мое сердце принадлежит другой. Это было решено много. много лет назад. Я надеюсь, что мы сможем остаться друзьями.

Алекс

Глава 31

Уважаемый Билл Лэйк!

С глубочайшим прискорбием вынуждена сообщить Вам о моем увольнении. Я останусь в отеле «Два озера» еще в течение двух недель, как написано в контракте.

От себя хотела бы добавить, что я очень благодарна Вам за те семь лет, что я провела в Вашей компании. Это было честью для меня

С уважением,

Рози Дюнн

От кого	Тоби
Кому	Кати
Тема	Катастрофа!

ЧТО?? ТЫ НЕ МОЖЕШЬ уехать! Это ужасно! Попроси маму, пусть она разрешит тебе пожить у меня. Я поговорю со своими родителями, уверен, что они будут не против. Ты не можешь уехать.

Как же школа?

Как же твоя баскетбольная команда?

Как же твоя мечта стать ди-джеем в клубе «Саус

Как же твои бабушка с дедушкой? Ты не можешь их оставить. Они совсем старые.

Как же мамина работа, и дом, и все остальное? Нельзя просто так все бросить.

Как же я?

От кого   Кати
Кому   Тоби
Тема   Re: Катастрофа!

Я не могу заставить ее передумать. Я все время плачу Это самое ужасное, что случалось со мной в жизни. Я даже в Бостон не хочу. Чего хорошего в Бостоне? Я не хочу новых друзей. Я вообще не хочу ничего «нового».

Как я ненавижу Грега! Ты знаешь, он даже домой за вещами не зашел, боялся мамы. Она в такой ярости, что это просто страшно. Я сама порою боюсь с ней разговаривать. Она кричит на него по телефону, как ненормальная. Неудивительно, что он боится зайти. Она сказала, что. если он здесь появится, она ему отрежет ты знаешь что. Ради одного этого я хотела бы, чтобы он приехал.

Это он во всем виноват, из-за него мы переезжаем. Это он виноват в том, что мама так расстроилась. Я его ненавижу, просто ненавижу.

Хорошо, что в Бостоне есть Алекс и Джош. Это уже кое-что. Мы, наверное, первое время поживем у них. Мы действительно уезжаем, Тоби. Это не пустые разговоры. Она сказала Грегу, что не может жить с ним в одной стране, не говоря уже про один дом. Мне кажется, я ее понимаю. Мне ее очень жалко, но я так не хочу уезжать! Я всю ночь проплакала, Тоби. Это несправедливо.

Бабушка с дедушкой пытаются ее отговорить. Мы сегодня ночевали у них, потому что мама не может находиться дома. Если она случайно прикасается к каким-то вещам Грега, ее всю передергивает, и она бежит мыть руки. Руби постоянно говорит, что маме нужно уехать туда, где ее сердце, или что-то в этом роде. Я первый раз в жизни видела, как Руби плачет. Я даже не думала, что она это умеет. Мама каждый день по несколько часов разговаривает по телефону со Стефани и плачет. Прошлой ночью она так рыдала, что я не выдержала, встала и приготовила ей чай. Она немножко успокоилась и уснула в моей кровати. У меня довольно маленькая кровать, так что нам было очень тесно, но это было даже приятно. Она тискала меня во сне, как плюшевую игрушку.

Мама уже собирает чемоданы. Через некоторое время примется за мои вещи. Она сказала, что ей очень жалко увозить меня отсюда, и я ей верю. Я ее не виню, ей же так плохо. Во всем виноват Грег, но я что-то не заметила, чтобы он попытался хоть как-то загладить свою вину.

Мама сказала, что ты сможешь в любое время приезжать к нам в гости. Обещай, что приедешь. Ты меня порою страшно раздражаешь, Тоби, но ты мой лучший друг на всем белом свете, и я буду очень скучать по тебе. Даже несмотря на то, что ты мальчик.

Мы сможем переписываться. Как мама с Алексом — ведь ему тоже пришлось уехать, когда они были маленькими.

Целую,
Кати.

***

У Вас входящее сообщение от: РУБИ

Руби: Итак, через две недели ты уезжаешь.

Рози: Ага.

Руби: Это очень правильный поступок, Рози.

Рози: Забавно. Ты, похоже, единственная, кто так считает.

Руби: Я единственная, кто знает. как ты к нему относишься.

Рози: О нет, я не собираюсь сразу же ввязываться в следующий роман. У меня нет на это сил. Я чувствую себя так, словно мое сердце вырвали из груди и сплясали на нем чечетку. Я ненавижу мужчин.

Руби: Алекса тоже?

Рози: Да, и Алекса тоже, и моего отца, и старого воспитателя Джорджа, и моего брата — за то, что рассказал мне об этом.

Руби: Но ведь ты наверняка хотела бы знать.

Рози: Да, да, я его не виню. Он же понятия не имел, что Грег что-то мутит. Черт. Лживая скотина... аааа! Попадись он мне под руку, я бы из него все мозги вышибла. Никогда в жизни я не была в такой ярости. Когда он сделал это в первый раз, мне было больно, а сейчас я его просто ненавижу. Не могу дождаться, когда смотаюсь из этой страны. Я рада, что Кевин рассказал мне об этом, я не хочу больше быть доверчивой идиоткой.

Руби: Я слышала, у Кевина проблемы на работе. Из-за того, что он посмотрел имена постояльцев?

Рози: Нет, из-за того, что во время ужина он вышел из кухни, прошел через весь зал ресторана и врезал Грегу прямо в нос на глазах у его спутницы и прочих посетителей.

Руби: Какой молодец. Надеюсь, он сломал ему нос.

Рози: Сломал. Из-за этого у него и неприятности.

Руби: И с кем же мне теперь ходить на уроки сальсы?

Рози: Я уверена, что мисс Бихэйв будет счастлива остаться твоим единственным партнером.

Руби: Я наконец смогу танцевать с мужчиной! Пусть даже он носит чулки. Как я буду по тебе скучать, Рози Дюнн. Не каждой женщине удается найти такую подругу.

Рози: Я тоже буду скучать, Руби. Ты знаешь, Грег сделал мне очень больно, но он дал мне возможность начать все заново. Он сделал меня сильнее. И теперь я свободна.

Грег, на следующей неделе я уезжаю. Не пытайся со мной связаться, не пытайся меня навестить, я не хочу больше иметь с тобой ничего общего. Ты предал меня именно тогда, когда я научилась снова любить тебя. Но это больше не повторится. Ты сам все разрушил, но спасибо тебе за все. Спасибо, что позволил мне увидеть, за какое ничтожество я вышла замуж, и спасибо за то, что помог мне освободиться от этого.

Если Кати захочет с тобой видеться, это ее личное дело Договаривайся с ней сам. Она в состоянии принять решение

Прощай. скотина

Алекс: Ты был прав, Фил. Она едет ко мне Нужно было просто дать ей возможность все решить самой.

Фил: Как здорово, что я не ошибся! Это было хорошее решение, правда?! А она уже сказала, что она тебя любит что ей никогда не следовало выходить замуж за этого идиота, что она хочет быть только с тобой, и все остальное, что обычно говорят в кино?

Алекс: Нет

Фил: Она не сказала, что любит тебя?

Алекс: Нет

Фил: А ты ей сказал?

Алекс: Нет

Фил: А чего ж она тогда едет?

Алекс: Она сказала, что ей необходимо выбраться из Дублина, что ей нужна смена обстановки и дружеская поддержка

Фил: Ясно

Алекс: Как ты думаешь, что она имела в виду?

Фил: Скорее всего, именно то, что и сказала. То есть ты вообще не знаешь, как она к тебе относится?

Алекс: Нет. Фил, у нее только что распался брак. Когда она приедет, у нас будет достаточно времени, чтобы обсудить наше будущее.

Фил: Как скажешь, братишка. Как скажешь.

***

От кого	Алекс
Кому	Рози
Тема	Ты и Кати

Как я счастлив, что вы скоро приедете. Джош до потолка прыгает от восторга. Он обожает Кати и очень рад, что вы будете жить с нами. У друга моего друга есть отель, и они как раз ищут менеджера. Ты легко могла бы получить эту работу.

Я помогу тебе пережить все это, Рози. Помни, что я тоже был в твоем положении. Я знаю, что это такое, когда разрушается брак. Я весь к твоим услугам, на сто процентов. Пусть ты переедешь в Бостон на тринадцать лет позже, чем собиралась, но лучше поздно, чем никогда. Мы с Джошем будем ждать. Увидимся на следующей неделе.

***

Итак, ты уезжаешь!

Удачи, Рози. Нам будет тебя не хватать.

Билл, Боб, Таня, Стивен, Джеффри, Фиона, Табета, Генри и Грэйс

Хнык, хнык...

Я буду скучать по тебе. Рози Дюнн

Удачи тебе в новой жизни. Пиши нам время от времени.
С любовью,
Руби

Рози и Кати!
Нам очень жаль, что вы решили уехать. Нам очень жаль, что у вас есть на это причины. Нам очень жаль, что все так случилось. Мы будем скучать по вам, очень будем скучать, но мы надеемся, что вы обе найдете там свое счастье. Пусть наши девочки больше не плачут. Пусть мир улыбнется вам. Позвоните, когда долетите!
Целуем,
Мама и папа

Удачи. Будем молиться за тебя и Кати. Если мы будем тебе нужны, мы всегда готовы помочь.
Целуем,
Стефани, Пьер и Жан-Луи

Жаль, что тебе приходится уезжать. Удачи
Кев

Кати!
Удачи на новом месте. Я буду скучать.
Целую,
Тоби

Дорогие мама и папа!
Я же не исчезаю с лица земли — мы всего в нескольких часах лету. Вы всегда можете приехать в гости!
Мы очень вас любим, спасибо вам огромное за помощь. Но нам пора самим искать свою дорогу.
С любовью,
Рози и Кати

Глава 32

Дорогая Рози!

Прежде чем ты разорвешь это письмо, прошу тебя, дай мне возможность все объяснить.

Во-первых, я от всего сердца прошу у тебя прощения за все эти годы, когда меня не было с тобой. За то, что я не был рядом, не поддержал тебя, не помог. Ты не представляешь, как я сожалею обо всем. Я разочаровался в себе самом, в той жизни, которую я выбрал. Я знаю, что теперь невозможно изменить или исправить все то, что было сделано.

Но я хочу, чтобы наше будущее было лучше нашего прошлого. Я не хочу повторять былые ошибки. Прошу тебя, дай мне шанс. Я понимаю, что ты очень сердишься на меня, наверное, ненавидишь меня за ту боль, что я тебе причинил, но речь идет не только о нас двоих. Знаешь, когда я оглядываюсь на свою жизнь, я вижу, что у меня почти ничего не осталось от прожитых лет. Я мало чем могу гордиться в своей жизни. Разве что — своей маленькой девочкой.

У меня есть маленькая дочь, вернее, уже не маленькая. Я не могу назвать себя хорошим отцом. Несколько недель назад, когда мне исполнилось тридцать три, я проснулся утром и вдруг ясно понял то, чего не понимал все эти тридцать три года. Я осознал, что у меня есть ребенок — почти взрослая дочь, о которой я ничего не знаю и которая ничего не знает обо мне. Мне сказали, что ее зовут Кати. Красивое имя. Я очень хочу знать, как она выглядит. Она похожа на меня?

Я знаю, что не заслужил этого, но, если вы с Кати позволите мне войти в вашу жизнь, вы не пожалеете об этом. Кати узнает своего отца, я увижу свою дочь — разве об этом можно пожалеть? Пожалуйста, помоги мне осуществить мою мечту.

Ответь мне, Рози. Дай мне шанс все изменить и создать для нас с Кати новое будущее.

Всего наилучшего,

Брайан

Рози: Нет, нет, нет и нет.

Руби: Да, дорогая, я понимаю. Но ведь есть и другие варианты.

Рози: Варианты? ВАРИАНТЫ, ЧЕРТ ВОЗЬМИ? Нет вариантов. НЕТ! Мне нужно уехать. Остаться здесь — это не вариант.

Руби: Рози, успокойся. Ты расстроена.

Рози: Вот уж что правда то правда, я действительно расстроена! Как я могу наладить свою жизнь, если все вокруг только и делают, что пытаются разрушить мои планы? Когда будет *моя* очередь жить, сколько я могу жить для кого-то другого? Меня тошнит от этого, Руби, я не могу так больше. Я сыта по горло. Я уезжаю, все. Черт возьми, кто он такой? Где он шлялся все эти тринадцать лет? Почему его не было в самые важные годы жизни Кати, *в самые важные годы моей жизни?*

Кто кормил ее грудью по ночам, шатаясь от бессонницы, распевал идиотские колыбельные, чтобы только прекратить эти бесконечные вопли? Кто менял обгаженные пеленки, вытирал сопливый нос и каждый день стирал заляпанную одежду? У кого растяжки на животе, обвисшая грудь и седые волосы в тридцать два года? Кто ходил на родительские собрания, приводил в школу и забирал из школы, готовил ужин, накрывал на стол, платил за квартиру, ходил на работу, помогал делать уроки, давал советы, вытирал слезы, объяснял про птичек и рыбок, объяснял, почему папочка не живет с нами, как все нормальные папочки? Кто ночами не спал, когда она болела, мерил температуру, покупал лекарства и бежал среди ночи в больницу? Кто не смог поступить в колледж, отпрашивался с работы и торчал все выходные дома, чтобы заботиться о ней? Это была я, я одна. Где он был тогда, этот урод?

И у этого человека хватило наглости через тринадцать лет, когда все трудности уже позади, вломиться в нашу жизнь, невинно пожимая плечами, с какими-то жалкими извинениями на устах. Вломиться как раз в тот момент, когда мне изменил муж, когда развалился мой брак, когда я наконец решила уехать в Бостон, куда должна была уехать давным-давно, если бы только этот трусливый маленький говнюк не разрушил все мои планы, не перевернул вверх тормашками мою жизнь, после чего смотался в другую страну вместе со своим проклятым членом между ногами.

Да пошел он к чертовой матери.

Я хочу пожить для себя. Только для Рози Дюнн и больше ни для кого.

Руби: Рози, ведь речь идет о Кати. Она должна знать, что он хотел ее видеть. Она же ни в чем не виновата.

Рози: Допустим, я скажу ей. Она сразу же захочет с ним встретиться. Она будет так рада, а он наверняка разобьет ей сердце. И кому придется потом все это разгребать? Мне. Это я буду лечить ее разбитое сердце, вытирать слезы, изображать спокойствие и утешать: «Не волнуйся, дорогая моя, не все мужчины такое дерьмо, а только те, что тебе встретились».

Руби: Но Рози, все может повернуться совсем по-другому. Может быть, он изменился. Никогда нельзя знать заранее.

Рози: Ты права, *никогда* нельзя знать заранее. НИКОГДА. Кроме того, как она сможет с ним общаться, если мы будем жить на другой стороне планеты? Я не хочу оставаться здесь, Руби. Я хочу *вырваться* отсюда. Вырваться из этой дурацкой жизни.

Руби: Это не дурацкая жизнь, Рози. Жизнь никогда не бывает идеальной. Ты не единственная такая. Не воображай, что эта черная туча специально собралась над твоей головой. Тебе кажется, что это так, но то же самое испытывают и многие другие люди. Да, тебе приходится самой пробивать себе дорогу, и тебе еще *повезло*, ведь у тебя есть дочь — здоровая, умная и веселая, которая любит тебя. Не забывай об этом. Если Кати захочет познакомиться с Брайаном, ты должна помочь ей. Даже если вы уедете, он сможет вас навещать. Или, если ты считаешь, что ради этого стоит остаться,— оставайся.

Рози: Кати захочет остаться. Месяц назад мне показалось, что моя жизнь стала раем. Если бы я знала, что все так повернется.

Руби: В раю свои проблемы — вечно наткнешься на какую-нибудь змею.

***

Дорогая Стефани!

Прими мои поздравления! Я очень рада за вас с Пьером. Уверена, что второй ребенок будет таким же чудом, как Жан-Луи. Полагаю, мама уже сообщила тебе последние новости. Она так рада, что я не уезжаю в Америку. А вот Алекс не очень рад. Он матерился, сыпал проклятьями и обозвал меня всеми известными ругательствами. Он решил, что я снова сдалась и позволила сбить себя с дороги, поэтому ужасно разозлился и не разговаривает со мной. Может быть, раньше я и позволяла сбить себя с пути, но сейчас другой случай. Самое главное для меня — это Кати, и смысл моей жизни в том, чтобы она была счастлива.

В последнее время ей столько пришлось пережить. Сначала Грег, потом переезд в родительский дом, подготовка к отъезду в Америку. Она столько нервничала, а это очень плохо. Она должна сейчас волноваться из-за прыщиков, лифчиков и мальчиков, а не из-за измен, переездов с континента на континент и фокусов с волшебным возвращением отца. Она ни в чем не виновата. Я привела ее в этот мир, и я обязана заботиться о ней.

Мне все чудится, что Алекс с минуты на минуту постучит ко мне в дверь. Я уверена, что он купил билет на первый же самолет, чтобы прилететь сюда и убить Брайана. Наверное, для этого и нужны лучшие друзья. Я не могу думать без слез о том, какой была бы моя жизнь в Бостоне. Я совершенно не представляю, что теперь делать. У меня нет ни работы, ни дома, я снова живу с родителями. В этом доме все наводит на печальные мысли. Да, у меня было прекрасное детство, но годы с Кати были настолько тяжелыми, что затмили в памяти все прочие воспоминания. Все в этом доме — запахи, звуки, обои, мебель — напоминает про бессонные ночи, тревоги и усталость, связанные с ее детством.

Прости, что я давно тебе не писала. Я пыталась уложить в голове случившееся. Я долго думала над изречением: «Все на свете имеет свою цель». Мне кажется, я поняла. Эта цель — добить меня окончательно.

Когда я пошла в школу, мне казалось, что шестиклассники — невероятно взрослые и опытные люди, хотя им было не больше двенадцати лет. Когда мне исполнилось двенадцать, я решила, что уж в восемнадцать-то лет люди точно знают абсолютно все. В восемнадцать я ожидала, что стану по-настоящему взрослой, когда закончу колледж. В двадцать пять я так и не закончила колледж, по-прежнему ничего не соображала, зато имела на руках семилетнюю дочь. И по-детски надеялась, что, когда мне исполнится тридцать, я *хоть немного* пойму, что происходит вокруг.

Неа, этого так и не случилось.

И постепенно я начинаю думать, что ни в пятьдесят, ни в шестьдесят, ни в семьдесят, ни в восемьдесят, ни в девяносто я ни на шаг не приближусь к своим идеалам мудрости и опытности. Наверное, даже человек на смертном одре, проживший долгую-долгую жизнь, объездивший весь мир, нарожавший кучу детей, переживший множество личных трагедий, поборовший всех своих демонов и получивший от жизни множество жестоких уроков,— даже этот человек думает: «Боже, когда я попаду в рай, вот тогда-то я *точно* все пойму».

А потом он умирает, присоединяется ко всем прочим там, на небесах, садится на облако и следит за теми, кого он любил и кто остался в нашем мире. И *по-прежнему* думает, что вот в следующей жизни он, может быть, наконец во всем разберется...

Мне кажется, Стеф, я во всем разобралась. Я много лет думала и теперь понимаю, что никто, даже сам Господь Бог на своем троне, ни малейшего понятия не имеет о том, что происходит в этом мире.

Рози

От кого	Стефани
Кому	Рози
Тема	Жизнь

Вот видишь, жизнь кое-чему научила тебя. Ты наконец осознала, что не ты одна ничего не понимаешь. Так живут все люди, Рози.

* * *

Привет!

Прими мои искренние извинения за дурацкую записку, которую я отправил тебе на прошлой неделе. Будем считать это временным помутнением рассудка. Я полный дурак (как ты уже знаешь) и понятия не имею, что на меня нашло. Но тебе будет приятно узнать (я надеюсь), что я снова вернулся на землю и очень хотел бы начать все заново. Так что давай не будем больше тратить наше драгоценное время и перейдем к делу. Встретимся сегодня?

Алекс

Глава 33

У Вас сообщение от: РУБИ

Руби: Итак, ты все еще здесь.

Рози: Не сегодня, Руби, прошу тебя. Я не в настроении.

Руби: Ты меня порядком утомила, Рози Дюнн. Сначала ты переезжаешь в Корк, затем ты не переезжаешь, потом ты опять переезжаешь, но уже в Бостон, затем снова никуда не переезжаешь. Кроме того, я все ожидаю, что ты с минуты на минуту объяснишься Алексу в любви, но ты почему-то не делаешь этого, и он до сих пор ни о чем не подозревает. Я не могу уследить за твоими переездами, увольнениями, уходами от мужей и прочими передвижениями. Иногда мне кажется, что тебе просто нужен хороший подзатыльник, чтобы ты наконец перестала упускать возможности. Ты не представляешь, как ты меня разочаровываешь, Рози.

Рози: Ты не представляешь, как я сама разочарована. Но, по-моему, то, что я сейчас сделала, не называется «упустить возможность». Это скорее называется «дать возможность своей дочери».

255

Руби: Ты можешь называть это как угодно, но поверь мне, упущенная возможность — это упущенная возможность. Впрочем, ты можешь вынести из этого один хороший урок.

Рози: Я с удовольствием послушаю, что же можно из этого вынести.

Руби: Что ты можешь больше не пытаться куда-то двигаться — все равно придешь в никуда. Ну, так серьезно, как ты?

Рози: Нормально.

Руби: Точно? Да брось, Рози, если даже мое сердце не может принять всего, что на тебя свалилось, я представляю, каково тебе.

Рози: Мое сердце растоптано и перестало биться две недели назад.

Руби: Но ты, по крайней мере, знаешь мужчину, который может его вылечить.

Рози: Нет-нет-нет, даже не говори мне об этом. Он может вылечить сердца других людей, но не мое.

Руби: У меня есть идея, Рози. Может, тебе просто *сказать* Алексу, как ты к нему относишься? Просто расскажи ему все это, перестань держать это в себе. Тогда он хотя бы будет знать, что тебе не наплевать на *него*. Что ты на самом деле любишь его, но должна остаться здесь ради Кати. Тогда инициатива будет в его руках. Он сам решит — приехать к тебе или нет.

Рози: А как же его работа? А Джош?

Руби: Это его решение.

Рози: Руби, я не могу. Как я скажу ему об этом? Если бы мы переехали в Бостон, я могла бы постепенно присмотреться, понять, как он относится ко мне, и только потом сказать. Ради бога, он неделю назад ходил на свидание, как я могу признаться ему в любви, если он с кем-то встречается? Все снова будет, как тогда с Салли. Сейчас все слишком сложно, и я не хочу влюбляться. В любом случае, он даже не отвечает на мои звонки. Он думает, что я поступила глупо.

Руби: Дай ему время. Он разочарован тем, как все повернулось.

Рози: Минуточку, он разочарован? Это *он* разочарован? Похоже, между мной и остальным миром какое-то недопонимание. Вы что, все думаете, что я в восторге от этой ситуации? Нет, я не ищу сочувствия, но —

Руби: Ищешь.

Рози: Что ты сказала?

Руби: Ищешь. Сочувствия. Ты ищешь сочувствия.

Рози: Спасибо, что так понятно объяснила. Ну да, мне было бы приятно, если бы кто-то смог понять, что у моего мужа была другая женщина, что мой брак развалился, что я все еще за миллион миль от Алекса и он никогда не узнает, как я к нему отношусь, что сбежавший отец моего ребенка вернулся в Ирландию и У МЕНЯ НЕТ РАБОТЫ! Да, мне было бы приятно, если бы кто-нибудь похлопал меня по плечу, сочувственно улыбнулся и пожалел меня. Знаешь, как я сейчас представляю себе рай? Закрыться на несколько месяцев в спальне с наглухо задернутыми шторами, свернуться калачиком в постели и накрыть голову подушкой, чтобы никто не слышал, как я всхлипываю. Но, к сожалению, прямо сейчас я не могу себе этого позволить, потому что у меня есть дочь, которая вне себя от счастья, что вернулся ее отец, с которым она не виделась тринадцать лет, так что мне нужно забыть о себе и ради нее постараться быть сильной. Так вот, немного сочувствия мне бы не помешало.

Руби: Дыши, Рози.

Рози: Как раз от этого все беды. Если бы я не дышала, было бы легче.

Руби: Не говори так.

Рози: Да прекрати, я не собираюсь убивать себя, у меня и без того много проблем.

Руби: Будем считать это хорошей новостью. Как прошла встреча с Брайаном?

Рози: Нормально. Он прилетел сразу же, как только я ему позвонила, так что, похоже, он очень серьезно ко всему относится. Он сказал, что эти тринадцать лет провел в Испании и у него там ночной клуб. Снабжает озабоченных малолетних алкоголиков свежими похмельными воспоминаниями.

Руби: А как он выглядит? Загорелый и привлекательный?

Рози: Ты знаешь, слова «загорелый и привлекательный» как-то не очень звучат рядом с именем Брайан-Комбайн. Он почти такой же, только волос стало меньше, а жира больше.

Руби: И каково тебе было с ним встретиться?

Рози: Мне пришлось собрать всю силу воли, чтобы не ударить его. Кати так нервничала, что вцепилась мне в руку и тряслась как осиновый лист. Она ожидала, что я поддержу ее. Представляешь, кто-то смог на меня положиться! Мы встретились в кофейне в торговом центре Джервис Стрит, и ты знаешь, когда мы подошли к его столику, меня замутило. Замутило от ярости, от мысли, что этот жалкий человечек, с которым я сейчас буду изображать любезность, которому нужно помочь подружиться с моей дочерью — что этот человек причинил мне столько боли. А теперь я помогаю *ему*. И хотя утром, когда я везла Кати на встречу с ним, я чувствовала себя очень злой, разочарованной и уставшей, я все равно знала, что должна это сделать, что этим двум людям нужно, чтобы я помогла им встретиться. И как ни мутило меня при виде Брайана, ради Кати я должна была оставить свои чувства при себе.

Руби: Ты молодец, Рози. Я уверена, что тебе было трудно, и, наверное, будет еще труднее смотреть, как они сближаются.

Рози: Да… каждый раз, когда Кати начинает с восторгом в глазах говорить о нем, мне приходится прикусывать язык, чтобы не рассказать ей, каким героем на самом деле был ее отец.

Руби: А как он с ней разговаривал?

Рози: Он нервничал еще больше, чем Кати, поэтому мне пришлось самой заполнять неловкие паузы. Непривычная ситуация, но ты знаешь — я почувствовала, что из нас троих я самая сильная и что я была права, когда решила не ехать в Бостон. Я нужна Кати. Я нужна им обоим.

Он искренне интересовался нашей жизнью. Расспрашивал о Кати, и мне было почти приятно рассказывать ему о ней. Сначала я злилась, пыталась дать ему понять, что его не было с нами в самое трудное время, а потом вдруг осознала, насколько мне на самом деле повезло. Ведь эти воспоминания принадлежат только нам с Кати, нам двоим. Эта наша с ней жизнь. И если в нашу жизнь войдет кто-то еще, это будет наше с ней решение.

Я рассказывала много, но, к сожалению, мало чем могла похвастаться. Мне хотелось бы сказать ему: «Вуаля, смотри, чего я добилась, пока тебя не было». Но мой брак разбился, у меня нет работы, и я по-прежнему живу в родительском доме.

Руби: То, о чем ты сейчас говоришь, Рози, не имеет совершенно никакого значения. Сколько он пробудет здесь?

Рози: Несколько недель, а потом вернется в Испанию. У него много работы — понятное дело, лето. Он будет прилетать, конечно, чтобы навестить Кати, и, как только наймет кого-нибудь, кто будет управлять клубом, вернется и останется в Дублине на зиму. Похоже, он серьезно относится ко всему, и я очень рада за Кати. Самой мне не очень приятно постоянно видеть его рядом, но, если Кати от этого счастлива, значит, оно того стоит.

Руби: Как с работой, нашла что-нибудь?

Рози: Вообще-то я только включила компьютер, чтобы поискать что-нибудь в Интернете, как сразу же получила от тебя сообщение.

Руби: Ладно, тогда я пойду, не буду мешать тебе выполнять свой долг. Кстати, я уговорила моего Гэри пойти на сальсу. Неделю назад мисс Бихэйв выпила слишком много сангрии на какой-то вечеринке и во время занятия не удержалась на своих двенадцатидюймовых платформах. Мы услышали только громкое ХРЯСЬ — и вот она уже лежит на спине, колготки порваны, парик валяется рядом на полу...

Рози: О господи, вы отвезли ее в больницу?

Руби: Нет-нет, не говори глупости — она просто сломала каблук, а поскольку это были ее «единственные танцевальные туфли», она не может ходить на занятия, пока не купит другие. К сожалению, их можно заказать только в Нью-Йорке, так что я не знаю, сколько она будет ждать, пока их не доставят. Я теперь осталась без партнера. Тебя даже не прошу прийти, знаю, что ты откажешься.

Рози: Ты права. Но как тебе удалось уговорить Гэри пойти с тобой на танцы? Ты что, угрожала ему?

Руби: Ага.

Рози: Может, именно это ему и понравилось.

Руби: Не валяй дурака. Ему ужасно не понравилось, и он всю неделю на меня орет, но зато это позволяет нам хоть как-то общаться. Ладно, мне пора, хочу во время обеденного перерыва купить ему трико и лосины. Я знаю, что нам не обязательно их носить, но мне очень хочется увидеть выражение его лица, когда я достану это из сумки.

Рози: Какая ты злая.

Руби: Спасибо. А теперь марш искать работу. В отеле. Хватит заниматься ерундой — я хочу, чтобы ты стала самым преуспевающим из работников отелей на планете. Никаких. Больше. Компромиссов. Ты меня слышишь?

Рози: Спасибо, цель ясна.

~~Алекс,~~

~~Итак, я хочу сказать тебе правду. Я люблю тебя. Даже более того — я влюблена в тебя. Как ты думаешь, ты сможешь каким-нибудь образом наплевать на свою карьеру, позабыть отцовские обязанности, приехать в Дублин и до самой смерти жить со мной и Кати в доме моих родителей?~~

Дорогой Алекс!

Когда ты перестанешь мучить меня своим молчанием? Пойми, я не могу принимать решения, удобные мне одной. Я должна думать о Кати. Для нее так важно познакомиться с Брайаном. Тебе ли не знать, что это такое — быть рядом со своим ребенком. Брайан наконец понял, что он хочет быть рядом с Кати. Как ты всегда говорил — лучше поздно, чем никогда. Порою это действительно верно.

Твой автоответчик записал достаточное количество моих извинений, поэтому будем считать этот вопрос закрытым. Но я хочу поблагодарить тебя. Поблагодарить за то, что ты снова помог мне, поддержал меня в тот момент, когда я совершенно перестала понимать, что же делать дальше. В ту неделю весь мой мир перевернулся вверх тормашками, все, что казалось незыблемым, в одно мгновение рассыпалось в прах, и только ты, как всегда, был рядом со мной. Я не хочу, чтобы твое несогласие с принятым мною решением разрушило нашу дружбу.

Может быть, когда-нибудь настанет день, когда мы сможем быть вместе. Мне повезло, что у меня есть такой друг, как ты, Алекс Стюарт. Я не знаю, сможем ли мы выполнить данное в детстве обещание и остаться вместе навсегда. но ведь мы были друзьями в течение двадцати лет,

261

несмотря на то что между нами — океан. Это говорит о многом.

Всю неделю я пыталась найти работу. Очень хотела устроиться в какой-нибудь отель, но сейчас лето, и студенты с иммигрантами, неприхотливые в плане зарплаты, заняли все вакансии на несколько месяцев вперед. Деньги, на которые я могу сейчас рассчитывать, не помогут нам с Кати подняться на ноги. Похоже, скоро мне придется разучивать хит века «Как дорого все в наши дни». Я все надеюсь получить квартиру, хотя недавно ходила пробивать этот вопрос, и мне показали лишь длинный список желающих.

Конечно же, меня не взяли обратно в «Два озера», мое место уже занято. Брайан предложил платить алименты, но я не хочу от него денег. Я ведь раньше как-то справлялась без него. Пусть дает Кати карманные деньги, сколько душа пожелает, а мне ничего от него не нужно.

Про как-бишь-его в последнее время ничего не слышно. Я думаю, он даже тени собственной боится, не то что меня. На прошлой неделе я подала на развод. Хочу, чтобы он наконец исчез из моей жизни. У него был шанс спасти нашу семью, но он вместо этого плюнул мне в лицо, и я была бы дурой, если бы питала иллюзии на этот счет. Скорей бы развод закончился. В день, когда я получу свидетельство, буду бегать голая по улицам, поливая прохожих шампанским.

Ты слышал, что Стефани снова беременна? Она должна родить в ноябре. Семья в восторге. У родителей все отлично, часто спрашивают о вас с Джошем. Им сейчас очень хорошо вдвоем. В последнее время они часто поговаривают о том, чтобы продать дом и переехать в деревню, где жизнь намного дешевле, а на вырученные от дома деньги поехать путешествовать. По-моему, отличная идея, ведь им больше не нужно столько пустых комнат (разве что я приду поплакать), и нет никакой необходимости жить в городе. Но это также означает, что мне нужно поспешить с поиском работы и поскорее куда-нибудь переехать. Они меня не торопят, но дом нужно выставить на продажу как можно скорее, летом недвижимость продается лучше. Похоже, я одна из всей семьи буду в Дублине, и это довольно печально. Кевин в Килкенни, Стеф во Франции, мама с папой уедут путешествовать. Мы остаемся вдвоем с Кати. И еще, конечно, Брайан-Комбайн.

Руби на этой неделе повела на сальсу своего сына. Представляю, какое это было зрелище. Ты его видел — весельчаком его не назовешь. Но идея хорошая, по-моему. Нам с Кати тоже нужно чем-то заняться вместе. Днем она постоянно уходит куда-то с отцом, и мы теперь общаемся только дома, где по большей части орем друг ну друга. Нужно сделать для нее что-нибудь хорошее, на концерт какой-нибудь сводить, что ли. Когда мы жили с Грегом, я всегда была отличной мамой, мамой-спасительницей, а сейчас по сравнению с Брайаном, классным новым папой, владельцем модного ночного клуба, я кажусь ей просто скучной надсмотрщицей, заставляющей убираться в комнате. Разумеется, когда она узнала про клуб Брайана, она еще более окрепла в своем желании стать ди-джеем. Я не знаю, что мы такое вырастили. Ее музыка с каждым днем становится все громче. Мама с папой за последние годы так привыкли к тишине, что мне кажется, если Кати еще хоть немного прибавит громкости, их терпение лопнет.

Вот, в общем, и все мои новости. Я живу, принимая все, что день грядущий мне приготовил, как это обычно говорится. Пожалуйста, позвони мне. Меньше всего на свете мне хотелось бы потерять своего лучшего друга. Даже если он мужчина.

С любовью,

Рози

***

Фил: То есть ты расстроен, потому что она не едет в Бостон, потому что отец ее ребенка, которого она не видела тринадцать лет, вернулся и хочет познакомиться с Кати?

Алекс: Да.

Фил: Господи Иисусе. Кто писал вам сценарий?

***

Дорогая Рози!

Мне очень жаль, Рози. Я знаю, что тебе было очень трудно, и я должен был поддержать тебя. Ты знаешь, иногда я смотрю на твою жизнь, и у меня опускаются руки. Но я не могу прожить ее за тебя. Ты сама должна принимать решения. Я не сердился на тебя, я просто был очень разочарован. Ты понимаешь, я хочу видеть тебя счастливой, а с как-бишь-его ты была несчастлива. И ведь это могло продолжаться еще годы! Эта история выглядит очень некрасиво, но поверь мне, то, что ты в конце концов от него ушла, — большая удача. Ладно, я тебе позвоню на днях, и мы еще поговорим. По поводу как-бишь-его я могу брюзжать бесконечно.

Если я могу щас помочь тебе с деньгами, скажи мне. Хоть я и уверен, что ты страшно разоозлишься на меня из-за этого предложения, но все равно настаиваю. У меня в последнее время очень хорошо идут дела. Благодаря диетам и современному образу жизни кардиохирургия пользуется большим спросом. Ладно, это не смешно.

Поговорим на днях, лютик, я надеюсь, что щас у тебя все в порядке.

Алекс

От кого	Рози
Кому	Алекс
Тема	Сообщения

Как я подозреваю, Алекс Стюарт, ты надеешься, что у меня СЕЙЧАС все в порядке.

От кого	Алекс
Кому	Кати
Тема	Как ты там?

Это пишет твой любимый крестный. Хочу узнать, как у тебя дела и что там с папой. Пиши мне, я в последнее время почти ничего о тебе не слышал, но знаю, что вам щас приходится туго. Расскажи мне, как твоя музыка, ты все еще хочешь быть ди-джеем?

От кого	Кати
Кому	Алекс
Тема	Re: Как ты там?

Прости за короткое письмо пишу сказать привет у меня все ОК. Тороплюсь, убегаю через пять секунд. Идем с папкой на концертик. Он на халяву достал билеты, потому что знает музыкантов. Хотя дела не супер патамушта мама тоже купила билеты в тот же место. Сказала что нам надо чаще видецца. Хотя куда ж чаще я непанимаю. Палюбому папкины билеты лудше такшто иду с ним, а мама пойдет с Руби. У них паршивые билеты где-то на галерке. Брайан клевый! Грит што вы с ним школьные друзья, што ты был на его десятом деньрождении и што он организовал проводы когда ты уезжжал в штаты. Грит вы с мамой смылись через десять минут после начала веселья. Не очень-то вежливо, а?

Мама смеялась когда он ей напомнил. Так и не сказала мне куда вы ходили. Может ты скажешь? Все убегаю пока пока!

*** *

Кати: Он клевый, правда?

Тоби: Ага.

Кати: Когда я закончу школу, я уеду в Испанию и буду работать ди-джеем в его клубе. Супер. Все получается, как я хотела.

Тоби: А он сказал, что ты сможешь работать в его клубе?

Кати: Нет, но разве он сможет мне отказать?

Тоби: Не знаю. Как называется клуб?

Кати: «Дайма Найт Клаб». Клево, правда?

Тоби: Ага.

Кати: Ты тоже можешь поехать, если хочешь.

Тоби: Спасибо. А ты хочешь жить в Испании?

Кати: Для начала да. Наберусь опыта в его клубе, а потом буду путешествовать по разным странам и играть в разных клубах. Представляешь, зарабатывать деньги тем, что слушаешь и играешь музыку! Это же просто рай.

Тоби: Но тебе же нужно оборудование, я правильно понимаю?

Кати: Папа обещал достать. У него куча друзей диджеев, они могут достать любое, самое лучшее, притом дешевле, чем в магазинах. Правда, клево?

Тоби: Ага. Странно слушать, что ты зовешь его папой.

Кати: Мне тоже немного странно. Я в лицо его так не называю, только за спиной. Впрочем, я привыкну.

Тоби: Слышала что-нибудь про Грега?

Кати: Нет. А что?

Тоби: Маме только не говори. Мы с родителями ходили вчера в китайский ресторан, и встретили его там, он ужинал с какой-то женщиной. Очень смутился, когда меня увидел, заулыбался так.

266

Кати: О господи. И что ты ему сказал?

Тоби: Ничего. Сделал вид, что я его не вижу. Просто прошел мимо.

Кати: Молодец. Это будет ему уроком. Родители не разозлились?

Тоби: Нет, мама мне подмигнула, а папа сделал вид. что они не знакомы.

Кати: А с кем он был?

Тоби: Кто, мой папа?

Кати: Нет, дурак. Как-бишь-его.

Тоби: С какой-то блондинкой.

Кати: Ай, бедная мама.

Тоби: Не говори ей. Она нашла работу?

Кати: Нет, но каждый день ходит на собеседования. У нее в последнее время УЖАСНОЕ настроение, она просто монстр. Дедушка сказал, что это у меня должно бы быть такое настроение, ведь это мне тринадцать... Она такая злючка!

Тоби: А к ортодонту ты когда собираешься?

Кати: Завтра поедем с дедушкой, у меня опять скобка сломалась. А что?

Тоби: А можно с тобой?

Кати: Почему ты все время хочешь со мной? Будешь болтать ногами на стуле и сосать леденцы, пока этот изверг ковыряется у меня во рту?

Тоби: Мне нравится туда ходить. Слушай, а ты сегодня на завтрак ела кукурузные хлопья.

Кати: Ты что, ясновидящий?

Тоби: Они у тебя в скобках застряли.

Кати: Займись своими делами, Тоби.

Тоби: Занимаюсь. Так можно с тобой?

Кати: Откуда у тебя такое болезненное пристрастие к моим скобкам?

Тоби: Они просто интересные.

Кати: Ну да, настолько же интересные, как этот тест по географии. Ладно, какой там ответ на пятый вопрос? Столица Австралии — Сидней?

Тоби: Да, Кати, Сидней.

* * *

Уважаемая Миссис Рози Дюнн

Мы рады сообщить Вам, что Вы приняты на заинтересовавшую Вас должность. Вы сможете приступить к работе в августе. Пожалуйста, если Вас все еще интересует эта вакансия, свяжитесь с Джессикой по указанному ниже номеру телефона

Глава 34

У Вас входящее сообщение от: РУБИ

Руби: Слава тебе господи, он просто чудо! Как я люблю своего сына, он изумительный, он просто гений!

Рози: Это что-то новенькое.

Руби: Если бы ты только это видела! Мне кажется, он второе воплощение Фрэда Эстера. У меня сегодня все так болит, словно я первый раз в жизни танцевала сальсу, но дело не только в этом. Он потряс меня до глубины души! Как только зазвучала музыка, началось нечто волшебное!

Рикардо был безжалостен, несмотря на то что Гэри пришел в первый раз. Он сказал: «Рру-би, этто продвинуто классо, Гэ-рри надо так силльно старайса!» И господи, мой Гэри так сильно старался, что я за ним не успевала. Рикардо даже включил «1-2-3 Мария» — ты сама знаешь, какая она быстрая, мы с тобой обычно даже на ногах удержаться не можем и половину песни проводим на полу, считая звезды. Это просто невероятно, как он двигался, он был таким грациозным, крутился и вертелся, как... ну как комета. Рикардо сказал, что Гэри — восходящая звезда и что мы с ним — отличная пара.

Тедди был, прямо скажем, не в восторге, когда узнал об этом. Я была так счастлива, что выпалила все прямо с по-

269

рога, не заметив, что в гостиной сидит толпа его дружков-водителей. Они тоже были не в восторге. Тедди покраснел еще больше обычного и разорался, что все танцоры голубые, что я не должна склонять Гэри к связям с мужчинами, и все такое. Я сказала, что пытаюсь помочь ему найти ориентиры в жизни, а вовсе не ориентацию. Но меня никто не слушал. Они швырялись друг в друга банками из-под пива, соревновались, кто громче пернет (радостно хохоча при этом), ругали футболистов в телевизоре (как будто кто-то из них смог бы принять эту подачу лучше), поливали грязью каждую появившуюся на экране полную женщину (хотя сами были в спортзале последний раз лет десять назад, не меньше, ты бы видела эти гигантские пивные животы) и каждые десять минут требовали от меня еще пива (не понимаю, как они пьют эту дешевую дрянь). И у этих людей хватает наглости учить меня, как вырастить настоящего мужчину! Ленивые самовлюбленные ублюдки —

Рози: Ша, Руби, ша, ты что-то сильно увлеклась. И что сказал Гэри в ответ на все эти наезды?

Руби: Бедный парень так смутился, что пулей вылетел из комнаты, убежал в свою спальню и громко хлопнул дверью.

Рози: Бедняга. Надеюсь, Тедди хотя бы извинился.

Руби: Ты что, сдурела? Конечно, нет. Эта «бабская выходка» только подтвердила их подозрения, что он становится «совершенно голубым». Впрочем, я довольно быстро нашла утешение благодаря шести нежнейшим пирожным, покрытым сказочной розовой глазурью. Так что подвиньтесь, Фрэд Эстер и Джинджер Роджерс, Руби и Гэри Миннелли идут!

Рози: Миннелли???

Руби: Да, я решила сменить фамилию на что-нибудь более звездное. Рикардо сказал, что подготовит нас с Гэри к соревнованиям. Если мы добьемся значительных успехов, то сможем даже путешествовать по разным странам со своими выступлениями. Ты представляешь? Для меня дойти до конца собственного сада — и то приключение, а тут речь идет о путешествиях. Но это. конечно, только в том случае, если мы сможем добиться успеха.

Рози: Руби. это невероятно. А что скажет мисс Бихэйв, когда обнаружит, что ее место занято?

Руби: Честно говоря, я немного волнуюсь на этот счет. ты же знаешь, как она ревнует. достаточно мне хоть одним глазком взглянуть на других мужчин. Но что бы она ни сказала, мы с Гэри собираемся поехать на Майами на чемпионат мира по сальсе. Нельзя ограничивать свое воображение стенами нашего класса. Нужно смотреть дальше. Увидеть перспективы. почувствовать запах успеха, ощутить предстоящую награду...

Рози: Ты опять смотрела Опру[1]?

Руби: О да. когда начинается ее «Путешествие в спиритизм», меня невозможно оттащить от телевизора.

Рози: Не говори мне о спирте, меня все еще подташнивает после вчерашнего.

Руби: Да не спирт, а спиритизм. глупая... Какие новости с рабочего фронта?

Рози: Вчера получила одно предложение.

Руби: Отлично! Как раз вовремя. Это работа из какой категории — которую ты хочешь или которую не хочешь?

Рози: Ты столько лет меня знаешь и *все еще* задаешь такие вопросы? Ни то ни другое. Я совершенно, совершенно не хочу эту работу и соглашусь на нее, только если меня вышвырнут вон из родительского дома. если мы с Кати будем пухнуть с голоду и подбирать крошки в кондитерской и если эта вакансия останется одной-единственной во всем Дублине.

---

[1] Опра Уинфри (Oprah Wintrey) — известная американская телеведущая

Уважаемые мистер и миссис Дюнн!

Компания «Хайланд и Мур» получила Вашу заявку. Мы будем очень рады осуществить продажу Вашего дома. Спасибо, что воспользовались нашими услугами.

С уважением,

Томас Хайланд

У Вас входящее сообщение от: РОЗИ

Рози: Привет, это я.

Рози: Эээй?

Рози: Я знаю, что ты тут. Я вижу, что ты он-лайн.

Алекс: Кто это?!

Рози: Очень смешно. Это что, специально организованный бойкот для Рози Дюнн? Прости, но этот номер не пройдет. Нравится тебе это или нет, тебе все равно придется выслушать печальную историю моей неудавшейся жизни. Итак, начнем.

Мне предложили работу, от которой я отказалась. Решила, что мои дела не настолько плохи, чтобы работать в таком месте. Как выяснилось, я ошиблась. Совершенно неожиданно родители сообщили мне, что они *уже завтра* выставляют на продажу дом, и, прежде чем до меня дошло, о чем речь, в дом валом повалил народ, прямо ко мне в спальню, ругая интерьер, высмеивая немодные обои, морщась при виде ковров, рассказывая, какие стены они снесут, какие шкафы выбросят, какой костер устроят из моих любимых мягких игрушек и как будут танцевать вокруг этого костра, измазав лица кровью жертвенных животных. И вот, парочка молодоженов, всего один раз взглянув на дом, согласилась полностью уплатить предложенную цену! Родители раздумывали над этим не больше двадцати секунд, после чего сказали — да!

Алекс: Нет!

Рози: Да! Похоже, что жена где-то на восьмом месяце, а живут они в очень маленькой квартирке, так что им нужно переехать как можно быстрее, пока не родился ребенок, иначе его придется купать в раковине и выгуливать на балконе.

Алекс: Нет!

Рози: Да! Родители очень извинялись, конечно, но я их не виню, ведь это их дом. Таким образом, за пару дней дом был продан, вещички упакованы, и за сущий бесценок куплен другой дом в Коннемаре. Завтра мебель будет продана с аукциона (кроме нескольких предметов, которые мне вовремя удалось ухватить), мама с папой уже купили билеты на двухмесячный круиз, и в понедельник они уезжают!

Алекс: Нет!

Рози: Да! Это означает, что мне пришлось перезвонить людям, предлагавшим мне работу, от которой я уже успела отказаться, причем не слишком вежливо, извиняться перед ними и пытаться убедить в том, что после всего я очень хочу сотрудничать с ними. Они малость офигели и ответили, что до августа в любом случае не нуждаются в моих услугах. Так что Кати ушла гулять с Брайаном, а я попыталась найти нам хоть какое-то жилье.

Алекс: Нет!

Рози: Да! За разумные деньги предлагали только полный ужас. Все квартиры или слишком дорогие, или слишком маленькие, или слишком далеко от моей работы и школы Кати. Но мои находчивые родители обсудили мои проблемы (как они всегда делают) с этой молодой и омерзительно-счастливой парочкой, начавшей свою семейную жизнь с разрушения дома моего детства. И, поскольку и те и другие привыкли все делать быстро, в соответствии с утвержденным сценарием «Переезд за несколько дней», мне было предложено поселиться в квартирке, из которой только что выехала эта парочка.

Алекс: Нет!

Рози: Да! Единственная проблема в том, что они уже сдали эту квартиру на две недели компании студентов, и придется подождать, пока те не съедут. Я представляю, какая грязь и вонь будет там после них.

Алекс: Нет!

Рози: Да! Но минуточку, скажешь ты, где же до того момента будем жить мы с Кати? Посмотрим-посмотрим, что у нас получилось. Родители, как ты знаешь, уехали в Коннемару. Кев живет в Килкенни в общежитии для персонала, Стеф во Франции, у Руби всего две спальни и ей некуда положить меня и Кати, а ты в Бостоне, что само по себе неплохо, но далековато ездить на работу. Кто же остался в Дублине из моих знакомых? (И не говори мне ничего про как-бишь-его!)

Только Брайан-Комбайн.

Алекс: Нет!

Рози: Да! Боюсь, что да. Таким образом, я пишу тебе из квартиры, которую снимает Брайан-Комбайн. Мне придется прожить здесь две недели. Могла ли я пасть ниже? Но нет, это еще не самые плохие новости. Я еще не сказала тебе, кто мой новый босс.

Никто иной как Миссис Носатая Вонючка Кейси.

Алекс: Нет!

Рози: Да! Я теперь работаю на женщину, которую мы с тобой ненавидели больше всего на свете, которая превратила жизнь моей дочери в ад и которая теперь директор начальной школы св. Патрика и моя непосредственная начальница. Другой вопрос, почему Миссис Носатая Вонючка Кейси вообще взяла меня на работу? Этого я понять не могу, но раз уж она это сделала, я не буду ни жаловаться, ни спрашивать ее об этом, пока не подыщу себе другую должность в отеле. Может быть, она хочет снова сделать мою жизнь невыносимой, чтобы я мучилась до старости? А если говорить о старости — когда мне было всего *пять лет*, эта женщина уже была старой, и сейчас, спустя столько времени, ни капли не изменилась. У нее девять жизней, как у кошки.

Ну, что скажешь? Может быть, хочешь передать что-нибудь любимой учительнице?..

Эй, Алекс?..

Алекс?

Алекс: Слушай… ты извини, но вообще-то это не Алекс

Рози: Ай, как смешно. Почему же тогда у меня на экране высвечивается его имя и я написала ему столько писем?

Алекс: Ты не ему написала. Я просто сижу за его компьютером. Думаю, его имя автоматически высветилось в твоей системе. Я никогда раньше не пользовалась этой программой, и надо отметить, что она довольно забавная. Извини, я не знала, что ты ищешь Алекса.

Рози: Что??? Ты что, думаешь, что я рассказываю о своей личной жизни каждому, кого удается найти в интернете? С кем я вообще разговариваю?

Алекс: Это Бетани.

Рози: Бетани?

Алекс: Бетани Вильямс. Помнишь меня?

Рози: Какого черта ты делаешь за домашним компьютером Алекса?

Алекс: Ах, ты не в курсе. Алекс ничего тебе не сказал, да? А я думала, вы все друг другу рассказываете. Но ты не переживай, я постараюсь как можно более точно пересказать все твои чудные истории, думаю, они его повеселят. Удачи тебе на новой работе, Рози. Пусть Алекс сам с тобой объясняется. Кстати, он сейчас работает на моего отца и получает хорошие деньги. Если у тебя все так плохо — попроси его, может быть, он даст тебе взаймы.

Связь с РОЗИ прервана.

Глава 35

Добро пожаловать в дублинский чат «Развелся и доволен».

В настоящий момент в чате находятся пять человек.
Лютик входит в чат.

Разведенка_1: Да пошел он в жопу!

Лютик: Всем привет.

Травка: О-ля-ля! Вот это правильно, Разведенка_1!

Неуверенная: Ну что ты говоришь, Разведенка_1, ведь он и так уже ушел! Как я могла его отпустить!.. Это я во всем виновата, я такая дура...

Лютик: Эй... всем привет! Вы меня видите?

Разведенка_1: Прекрати, Неуверенная, сколько можно ныть. Каждый вечер одно и то же, слушать тошно. В чем ты виновата? Ты что, силой запихала его в автомобиль и повезла в ту гостиницу? А потом стащила с него штаны и положила сверху на эту бабу?

Неуверенная: Ну не надо, Разведенка_1, перестань, пожалуйста, перестань! Конечно, я этого не делала.

Одинокая: Ну зачем такие подробности, не издевайся над ней!

Разведенка_1: Я не издеваюсь, я помочь хочу. Вот видишь, Неуверенная, в чем же ты тогда виновата?

Лютик: Что-то ничего не получается. Эй? Эй? Э-эй? Дурацкое устройство. Вы меня видите?

Неуверенная: Я все думаю — может, я слишком на него давила из-за денег? Вы знаете, сейчас все так дорого, а когда дети пойдут в школу, придется покупать учебники и школьную форму, на это нужна куча денег, и я все время говорила, что нужно больше зарабатывать, ведь мы жили очень бедно, так что, может быть, я все-таки виновата, как вы думаете?

Одинокая: Я тебя умоляю, Неуверенная...

Травка: Все, на сегодня с меня хватит...

Разведенка_1: Забудь о нем. Он просто подонок. Пошел в жопу.

Лютик: Вряд ли это будет вам интересно, но я выскажу свое мнение. Судя по тому, что я услышала, работа тут не при чем. Твоего мужа больше волновали другие делишки, с работой никак не связанные.

Травка: О-ля-ля! Привет, Лютик!

Разведенка_1: Правильно, Лютик, пошел он в жопу.

Неуверенная: А ты уверена, Лютик?

Одинокая: Я с ними согласна, Неуверенная. Привет, Лютик, познакомимся?

Травка: Сколько можно, Одинокая! Ты всех распугаешь этим дурацким вопросом, они сразу думают, что ты предлагаешь что-то неприличное.

Одинокая: Ну извини, у меня просто такая привычка. Я не виновата, что кто-то пугается.

Травка: Заполни инфу, Лютик.

Лютик: Что-что?

Разведенка_1: Невинная душа, никогда не была в чате!

Травка: Инфа, пупсик — это твой возраст, семейное положение и все такое.

Лютик: А. поняла. Мне тридцать два года. у меня тринадцатилетняя дочь. и к счастью. я разведена

Травка: О-ля-ля!

Разведенка_1: Поздравляю. пупсик! И пошел он в жопу, правда?

Неуверенная: Лютик. а кто виноват, что вы развелись? Ты или он?

Травка: Не обращай внимания, Лютик. ее всегда интересует только одно — «кто виноват».

Лютик: Да не страшно. Виноват был только он. на все сто процентов.

Разведенка_1: Quel Surprise[1].

Одинокая: Зато у тебя есть дочь, Лютик. ты не одна. А мой муж, то есть бывший муж, бросил меня еще до того. как началась наша семейная жизнь. Если бы у нас были дети, мне бы не было так —

Разведенка_1: Одиноко, да-да-да. С детьми все намного сложнее, поверь мне. К сожалению, мои спиногрызы все пошли в папашку. иногда мне хочется их удушить. Неуверенная, а твои дети похожи на отца?

Неуверенная: И да, и нет. Кто-то говорит. что да, кто-то говорит, что нет. Я не уверена.

Травка: Мы такие невоспитанные — давайте наконец представимся Лютику! Мне шестьдесят два года. у меня пятеро детей, муж бросил меня год назад.

Лютик: Какой кошмар! Бедняжка.

Разведенка_1: Брось, пупсик, она совсем не бедняжка! Муж не просто так от нее ушел. Она спала с их садовником.

Лютик: Ого!

Травка: Ну а что такого, вам что. самим никогда этого не хотелось?

---

[1] Как неожиданн· (франц.).

Неуверенная: Мой садовник — женщина.

Травка: Я не об этом.

Одинокая: А я бы никогда не поступила так с моим Томми. Никогда.

Разведенка_1: Привет, Лютик. Мне сорок девять, у меня четверо детей, и мой бывший муж трахал свою секретаршу. Подонок.

Лютик: Одинокая, а ты?

Одинокая: Мне двадцать семь, я вышла замуж год назад, но Томми меня бросил. Он сказал, что семейная жизнь не для него. Он просто ушел... оставил меня совсем одну.

Лютик: Неуверенная, а ты?

Неуверенная: Мне тридцать шесть, трое детей, и я вообще-то еще не разведена. Мы по-прежнему живем вместе... а ты, Лютик, что между вами случилось?

Лютик: Он постоянно встречался с какими-то женщинами и даже не пытался это скрывать.

Разведенка_1: Подонок. Пошел в жопу.

Травка: А по-моему, мир создан так, что каждый может иметь столько любовников, сколько душа пожелает.

Разведенка_1: Нет, вы послушайте! Тоже мне, неохиппи нашлась.

Травка: Я что, не могу высказать свое мнение? Тебя же никто не критикует!

Разведенка_1: Потому что я дело говорю. А дом-то тебе остался, а, Лютик?

Лютик: Не надо мне этого дома, я счастлива уже тем, что мы развелись.

Разведенка_1: А меня как здорово нагрели при разводе! Ему досталась дача, а мне — дети. Знаете, я бы все отдала за пару месяцев в какой-нибудь солнечной стране!

Одинокая: А наш дом остался у меня, и мне так одиноко в пустых комнатах, все напоминает о нем.

Разведенка_1: Ну хватит, Одинокая. ты сегодня как испорченная пластинка.

Одинокая: Что такого? Я бы любила Томми, будь он хоть последним подонком. Ведь все это неважно — я только хочу быть рядом с ним.

Травка: Не обращай на нее внимания, она не в себе. Самый лучший способ забыть мужика — это найти другого. Прописная истина.

Неуверенная: Я не уверена, что это правильно. По крайней мере, я не собираюсь делить свою постель с кем-либо, кроме своего законного мужа.

Лютик: Подожди, Неуверенная, ты что, все еще замужем?

Неуверенная: Да, мы пока не развелись. Он спит в спальне, а я — в гостиной.

Травка: То есть не прав *он*, а в гостиной спишь *ты*?

Неуверенная: А что? Я не знаю, как должно быть. Ведь это так непривычно...

Одинокая: А я бы согласилась спать с Томми в разных комнатах, лишь бы он вернулся домой.

Разведенка_1: Учу, учу вас, а все без толку... Лютик. а где же ты сейчас живешь, если этот подонок забрал себе дом?

Лютик: Это запутанная история. Я сейчас живу с отцом своей дочери.

Неуверенная: Я бы сказала, что это вполне естественно.

Одинокая: Оооо, какая романтика!

Лютик: Нет-нет-нет, никакой романтики здесь нет даже близко. Я его терпеть не могу.

Травка: Ежели терпишь, значит, можешь.

Лютик: Да нет, не могу, если бы ты его видела!

Разведенка_1: О, ты ее не знаешь. С тех пор, как она разменяла седьмой десяток, она ест мужчин на завтрак.

Лютик: Этого она не съест... Хотя надо признать, что голова у него и правда похожа на вареное яйцо.

Неуверенная: Лютик, а почему ты взяла себе такое имя?

Лютик: Так меня называет мой приятель. Когда нам было по шесть лет, мы играли в школьной пьесе, и я была Принцесса Лютик, а он — Принц Лучик. Так с тех пор и повелось.

Разведенка_1: Вы до сих пор общаетесь???

Лютик: Ну да, мы лучшие друзья.

Разведенка_1: Твой лучший друг — мужчина?! А ты с ним спала?

Лютик: Да, мы в детстве часто ночевали друг у друга, но секса у нас никогда не было, если ты об этом.

Разведенка_1: Он голубой?

Лютик: Нет.

Неуверенная: Как здорово! Знаешь, как только я закончила школу и вышла замуж, я совсем перестала видеться со своими одноклассниками. Леонард не позволял мне общаться с другими мужчинами.

Одинокая: А мы с Томми переехали из Белфаста в Дублин. Все мои друзья и родственники остались там, и вот сейчас Томми ушел, все мои друзья живут далеко на севере, а я —

Разведенка_1: Совсем одна, да-да-да, мы поняли. Лютик, а этот твой друг, у него кто-нибудь есть? Где он работает, где живет? Может быть, он захочет познакомиться со страстной женщиной сорока девяти лет с четырьмя детьми? Может усыновлять детей, может не усыновлять, я на все согласна.

Лютик: К сожалению, у него уже есть женщина.

Травка: Почему же «к сожалению»?

Лютик: Потому что она стерва. Они встречались, когда ему было шестнадцать. Она была его первой девушкой.

Я и тогда ее ненавидела, и сейчас терпеть не могу. Все дело в том, что в Бостоне он устроился на работу к ее отцу, другого места не нашлось, и, видимо, их былая страсть разгорелась снова.

Разведенка_1: А ты ревнуешь.

Лютик: Нет.

Разведенка_1: Ревнуешь, ревнуешь. Я по голосу слышу.

Лютик: Как ты можешь слышать, мы же общаемся в чате!

Травка: Она имеет в виду, что она *чувствует*, и, между прочим, я с ней согласна.

Неуверенная: А знаешь, что я думаю? Если вы дружите с шести лет и до тридцати двух между вами ничего не было, к тому же вы живете в разных странах (да еще и с другими людьми) — так вот я *уверена*, что между вами уже никогда ничего не будет.

Травка: Неуверенная, больше оптимизма. Если люди созданы друг для друга, они обязательно будут вместе.

Одинокая: То есть мой Томми вернется ко мне?

Травка: Нет.

СвободнаяЖенщина вошла в чат.

СвободнаяЖенщина: Уррррааааа!!!

Одинокая: Привет, СвободнаяЖенщина, познакомимся?

СвободнаяЖенщина покинула чат.

Травка: Одинокая! Хватит пугать людей!

Одинокая: И вот так всю жизнь.

Разведенка_1: Ты что, опять плачешь?

Одинокая: Да.

ОдинокийСэм вошел в чат.

Разведенка_1: Сэм!!!

Травка: О-ля-ля! Сэм!

Одинокая: Здорово, Сэм, как дела?

Неуверенная: Привет, Сэм.

ОдинокийСэм: Здравствуйте, девочки, рад вас видеть.

Разведенка_1: Сэм, познакомься с Лютиком, ей тридцать два, у нее тринадцатилетняя дочь, и ей изменял муж. Пупсик, это Сэм, ему сорок четыре, у него две дочери, и его бывшая жена — лесбиянка.

ОдинокийСэм: Очень приятно. Лютик.

Лютик: Мне тоже, Сэм.

Неуверенная: Ну, что новенького, Сэм? Как настроеньице?

ОдинокийСэм: Денек выдался тяжелый.

Травка: Только не это! Это чат «Развелся и доволен» или «Развелся и рыдаю»? Я пошла спать.

Лютик: Пожалуй, я тоже пойду. Приятно было познакомиться.

Разведенка_1: Завтра в то же время, Лютик.

Неуверенная: Пойду укладывать детей.

Одинокая: А я, пожалуй, еще раз пересмотрю видео со свадьбы.

Лютик покинула чат.

Одинокая покинула чат.

Неуверенная покинула чат.

Травка покинула чат.

Разведенка_1: Что ж, Сэм, похоже, мы с тобой остались одни. Включай музыку, а я зажгу свечи.

Чтобы распечатать страницу, нажмите значок слева.

***

От кого	Стефани
Кому	Рози
Тема	Миссис Кейси!

Неужели ты правда собираешься работать у миссис Кейси? Мама так смеялась, когда рассказывала мне, что я не сразу поняла, о чем речь. Они теперь с папой боятся, что она пришлет им в Австралию письмо и потребует немедленно явиться в школу, чтобы обсудить твое поведение на работе!

Ты с ума сошла? Зачем ты согласилась на эту работу? У меня самой никогда не было проблем с ней, но тебя-то она доводила до белого каления и в детстве, и потом, когда у нее училась Кати! А что сказал Алекс? Уверена, он просто обалдел!

Дорогая Стефани!

Ну разумеется, у миссис Кейси никогда не было к тебе претензий, ты же была Мисс Паинька! Она тебя просто обожала: твои аккуратные тетрадки, выглаженную школьную форму и неизменную вежливость!

Мне тоже кажется, что я сошла с ума, раз согласилась у нее работать. Но, честно говоря, сейчас это единственное нормальное предложение. Работать нужно с понедельника по пятницу с девяти до половины четвертого, и ты не представляешь, как я этому рада — на прошлой работе я пахала и в выходные, и в праздники, от рассвета до заката. К тому же, школа Кати находится совсем рядом, то есть мы сможем по утрам ездить вместе. И от дома совсем близко, так что я смогу ходить домой на обед. Все это мелочи, но очень приятные мелочи. Я не задержусь здесь надолго, пока не появится вакансия в каком-нибудь отеле.

Ты понимаешь, пришлось согласиться на эту работу, раз ничего другого не оставалось. Мне всего неделю осталось мучиться в этом аду (квартире Брайана), и я смогу переехать в новую квартирку. Там настоящий гадюшник, и я не знаю, сколько потребуется денег, чтобы привести ее в порядок, чтобы она стала хоть немного похожа на дом. Сколько таких домов уже было у Кати! Скорей бы уже корпорация «Рози Дюнн» скупила все отели «Хилтон» — может быть, тогда я смогу отдохнуть.

284

Кати много странного навидалась на своем веку, но до сих пор никак не может опомниться, что мы с ее отцом теперь живем под одной крышей. Может быть, для других детей это и нормально, только Кати смеется до слез. Не то чтобы мы с Брайаном ненавидели друг друга, но мы совершенно друг друга не знаем. Мы чужие люди, мы сблизились один раз в жизни (да и то всего на несколько минут, поверь мне), я почти не помню, что между нами было, но в результате мы создали нечто удивительное. Когда Кати приходит из школы и начинает свое вечернее шоу, передразнивая учителей, тренеров и одноклассниц, я смотрю на нее и каждый раз думаю об одном: неужели эта девочка — всего лишь коктейль из меня и Брайана? Как мы, два балбеса, могли создать такое чудо?

Брайан тоже не работает, и я стараюсь как можно меньше бывать в квартире, чтобы не попадаться ему на глаза. С утра до вечера брожу вверх-вниз по Генристрит. А когда я дома, стараюсь не выходить из спальни или закрываюсь в гостиной и целый день сижу в Интернете. Ты, наверное, ожидала, что между нами возникнет хоть что-то, похожее на дружбу. Нет, мы по-прежнему совершенно посторонние люди.

Я все еще на него сержусь, но теперь уже сержусь по-другому. Раньше я не могла ему простить, что он бросил меня, что мне пришлось все делать одной. А сейчас я смотрю, как он дурачится с Кати, и думаю — какого черта! Ведь ты был так нужен ей, пока она была маленькой, если бы ты заботился о ней тогда, она полюбила бы тебя всей душой, как любят дети, несмотря на все твои недостатки. Я не могу простить ему то, что он не был рядом с ней. Похоже, я наконец отучилась жалеть себя.

Я не знаю, что меня ждет, Стеф. Мне каждые несколько лет приходится из осколков заново склеивать свою жизнь. Как я ни стараюсь, я не могу добраться до тех головокружительных высот, где живут счастье, успех и уверенность в завтрашнем дне. Странно, как это удается другим людям. Я уже не мечтаю стать миллионером и жить припеваючи до конца своих дней. Я хочу просто остановиться, посмотреть вокруг и с облегчением подумать: «Вот я и добилась того, чего хотела».

Понимаешь, Стеф, я никак не могу что-то найти. Не могу уловить эту *искру*, которая обязательно должна быть в жизни. У меня есть ребенок, есть работа, квартира, друзья и родственники, а вот искры — нет.

Что же касается Алекса, он ничего не думает о моей новой работе, потому что мы уже очень давно не разговаривали. Он слишком занят — нужно спасать драгоценные жизни, посещать благотворительные приемы... вряд ли он будет теперь общаться со знакомыми вроде меня. Его больше интересуют новые «старые» друзья. Всякие шлюхи, в частности.

Глава 36

Счастливого пути!
Я буду ужасно скучать, нам всем будет грустно без вас.
Желаю хорошо отдохнуть!
Целую,
Рози

Бабушка и дедушка!
Повеселитесь как следует. Не забывайте присылать нам всякие открытки.
Целую,
Кати (ваша самая любимая внучка)

* * *

У Вас входящее сообщение от: АЛЕКС
Алекс: Привет.
Рози: Вот это да, он все еще жив. Ну и где ты был все это время?
Алекс: Прятался.
Рози: От кого?

Алекс: От тебя.

Рози: Почему?

Алекс: Потому что я снова встречаюсь с Бетани, и я боялся сказать тебе об этом, ведь ты ее терпеть не можешь и, к тому же, обо всем узнала от нее самой, что еще хуже. Поэтому я прятался от тебя.

Рози: Почему?

Алекс: Я боялся, что ты приедешь и убьешь меня.

Рози: Почему?

Алекс: Потому что ты считаешь, что она шлюха и не пара мне.

Рози: Почему?

Алекс: Потому что ты моя сверхзаботливая подруга, потому что ты всегда ненавидела всех моих подружек (и мою жену), а я ненавидел твоего мужа.

Рози: Почему?

Алекс: Хотя бы потому, что он тебе изменял...

Рози: Почему?

Алекс: Потому что он полный идиот и не понимал, как ему повезло. Давай не будем о нем, ведь он все равно никогда уже не вернется.

Рози: Почему?

Алекс: Потому что я его напугал.

Рози: Почему?

Алекс: Потому что я твой лучший друг и забочусь о тебе.

Рози: Почему?

Алекс: Потому что мне нечем больше заняться.

Рози: Почему?

Алекс: Потому что так, к сожалению, сложилась моя жизнь, что я все время думаю только о тебе. Я рад, что мне больше не нужно прятаться.

Рози: Почему?

Алекс: Потому что я извинился.

Рози: Почему?

Алекс: Потому что я очень соскучился и не могу больше без тебя.

Рози: Почему?

Алекс: Потому что (повторяю я сквозь сжатые зубы). Ты. Мой. Лучший. Друг. Но я тебя предупреждаю — я больше не буду слушать твои язвительные замечания в ее адрес.

Рози: Почему?

Алекс: Потому что она мне очень нравится, Рози, потому что я счастлив с ней. Я снова чувствую себя шестнадцатилетним мальчишкой. И знаешь что — если бы ты не напилась тогда на свой день рождения так, что пришлось промывать желудок, то нас бы не поймали, даже не заподозрили бы ни в чем, меня не посадили бы перекладывать бумажки у отца в офисе, и тогда, прошу заметить, я никогда не встретил бы Бетани. Так что, дорогая моя, это все благодаря тебе.

Рози: НУ ПОЧЕМУУУУУУ??? Почему, господи боже?

Алекс: Видишь, как забавно. Ладно, я пойду, у меня скоро операция.

Рози: Почему?

Алекс: Потому что так получилось, что я — кардиохирург, а одному несчастному по фамилии Джексон, раз уж ты хочешь знать, требуется операция на клапане аорты.

Рози: Почему?

Алекс: Потому что у него стеноз аортального отверстия.

Рози: Почему?

Алекс: Как тебе сказать? Причины аортальной недостаточности в целом ревматические. Но не переживай (я вижу, ты очень волнуешься), мистер Джексон обязательно поправится.

Рози: Почему?

Алекс: Потому что, к счастью, за семьдесят пять лет стажировки я научился делать операции и сегодня поставлю ему протез аортального клапана, который его спасет. Еще вопросы?

Рози: Аорта это где-то в районе сердца, да?

Алекс: Очень смешно. Все, мне пора, я очень рад, что мы наконец поговорили и выяснили все, что касается Бетани. И что ты меня простила.

Рози: Нет.

Алекс: Вот и хорошо, спасибо. Я напишу.

Связь с АЛЕКС прервана.

Рози: Спасибо, что спросили о моей работе, *Доктор*.

От кого	Рози
Кому	Руби
Тема	Спасите!

Спасите меня, кто-нибудь... о боже, моя голова. Моя бедная головушка, мои несчастные мозговые клеточки, им уже не помочь, они все умерли. Все до единой. Уже четыре часа дня, а я не вылезаю из кровати (и это совсем не так весело, как ты подумала), отныне я буду прикована к постели до конца дней своих. Прощай, жестокий мир, прощайте, мои милые друзья.

Надо срочно рассказать тебе о том, что произошло прошлой ночью. Правда, я подозреваю, что полушария моего мозга разъединились, так что надо поторопиться, пока я не потерялась навеки в непроглядном тумане безумия.

Вчера я разговаривала со своим банковским менеджером, после чего вернулась в квартиру Брайана-Комбайна донельзя расстроенная, растерянная и злая. В гостиной я обнаружила родителей Брайана, они прилетели прямо из Санта-Понса, чтобы познакомиться с Кати. Не могу сказать, что у меня было подходящее настроение для светской беседы. Я ужасно устала, до меня даже не сразу дошло, что у Кати теперь есть еще одни бабушка с дедушкой. А когда дошло, я еще больше разозлилась: они миллион раз проходили мимо меня на улице, когда я была беременна, а когда Кати родилась, даже пальцем не пошевелили, чтобы хоть как-то помочь мне, хотя наверняка знали, что она дочь Брайана. Последнее, что я о них слышала, это что они продали дом и переехали на юг, лечить артрит миссис Комбайн.

Они все очень оживленно беседовали, но мне это было так неприятно, что я извинилась и вышла из дома.

Конечно же, идти мне было некуда, поэтому я просто побрела куда глаза глядят, ругая свою бестолковую жизнь. Через некоторое время я возненавидела и эту свою жизнь, и тех, кто в ней есть (да, да, уже не в первый раз), и, поскольку все они были чем-то заняты, я решила утопить свою печаль в вине и зашла в первый попавшийся бар.

Сейчас я понимаю, что там было просто ужасно, но тогда я была так расстроена, что ни на что не обратила внимания. Внутри никого не было, кроме двух наемных убийц за дальним столиком. Бармен оказался очень милым. Он увидел, как мне плохо, стал расспрашивать, что случилось, искренне так сочувствовал, прямо как в кино. Я рассказала ему, как Грег разрушил мою жизнь (методом исключения я пришла к выводу, что во всем виноват только он один). Меня словно прорвало: я рассказала, как Алекс не приехал на выпускной, про Брайана-Комбайна, про Кати, про то, как я не поступила в колледж, как Алекс женился, а я вышла замуж за Грега, как Грег изменил мне, как я отказалась от повышения на работе, и Грег снова изменил мне... Рассказала, как Грег постоянно ездил на какие-то конференции, и я верила, что раз он работает в банке, ему действительно нужно куда-то ездить, а он на самом деле обманывал меня...

А потом эти два парня, сидевшие в углу, вдруг заинтересовались мной, купили кучу выпивки. Очевидно, они заметили, что я очень расстроена. Они были такие огромные, Руби,— больше шести футов росту, накачанные, как культуристы, бритоголовые, и у одного из них была татуировка на руке — отрубленная голова, но они оказались очень душевными людьми! Они расспрашивали меня обо всем, и так сочувствовали, и принесли салфетки, когда я расплакалась, и убеждали меня, что я заслуживаю большего, чем Грег. Я сама удивилась, Руби, но они не отпустили меня одну (я совершенно не держалась на ногах), довезли меня до дома, чтобы со мной ничего не случилось. По дороге я показала им, где живет Грег, и мы дружно погрозили ему кулаком. Такие хорошие парни. Видишь, никогда нельзя по одежке судить человека.

В общем, я не могу больше писать, у меня голова раскалывается, но знаешь что? Благодаря этой ночи я поняла, что на свете еще не перевелись настоящие мужчины.

Рози

* * *

НАПАДЕНИЕ НА БАНКОВСКОГО СЛУЖАЩЕГО

20 000 евро были похищены в результате дерзкого ограбления, происшедшего вчера утром. Потерпевший, сорокатрехлетний Грег Коллинз, сотрудник банка «AIB» (Уолл Роад, Дублин), был жестоко избит неизвестными грабителями.

Двое мужчин в масках рано утром проникли в дом Грега Коллинза на Абигейл Роад. Потерпевший был дома один, поскольку недавно развелся с женой. Его грубо разбудили, потребовали открыть двери банка и достать деньги из сейфа. Мистер Коллинз пытался оказать сопротивление, но получил серьезную травму лица. В результате его нос, недавно оправившийся от перелома, снова был поврежден.

Потерпевший рассказал, что ему завязали глаза и прямо в пижаме затолкали в фургон, принадлежащий грабителям. Судя по описанию, оба нападавших выше шести футов ростом и внешне похожи на культуристов. Мистер Коллинз не смог разглядеть их лица, однако заметил татуировку в виде отрезанной головы на руке одного из них.

Преступники похитили из банковского сейфа 20 000 евро и скрылись в неизвестном направлении. Полиция обнаружила Грега Коллинза на полу в банке, он был одет в пижаму, на теле виднелись следы многочисленных побоев.

Пострадавший не знает, откуда у грабителей его домашний адрес. «Я всегда стараюсь быть как можно более осторожным и, возвращаясь домой, очень внимательно слежу за тем, чтобы за мной никто не ехал. Тем вечером я никого не заметил. Это была самая ужасная ночь в моей жизни, настоящий кошмар! – сказал мистер Коллинз, все еще дрожа.– Эти головорезы вломились прямо ко мне в дом. Это страшно».

Полиция начала расследование, однако нам сообщают, что дело вряд ли будет раскрыто из-за недостатка улик. Если у вас есть какая-либо информация, которая может помочь расследованию этого преступления, просим вас немедленно сообщить об этом в полицию.

На фото внизу: Грег Коллинз со сломанным носом на фоне банка.

***

У Вас входящее сообщение от: РУБИ

Руби: Ты читала сегодняшние газеты?

Рози: Да ну, я больше не верю в гороскопы.

Руби: Я рекомендую тебе как можно скорее купить «Дэйли Стар». Это поможет тебе вспомнить субботнюю ночь.

Рози: О нет, неужели папарацци заметили, как я выхожу из бара? То-то смеху.

Руби: Это не смешно, Рози, речь о тех мужчинах. Скорее купи газету.

Рози: Что? Какие мужчины? Ты о чем?!

Руби: Газета. Быстро. Иди.

Рози: Ладно.

Связь с РОЗИ прервана.

От кого	Рози
Кому	Алекс
Тема	Последние новости

Привет, это Рози. Скорее проверь свой факс! Я отправила тебе статью из сегодняшней газеты. Помнишь, что случилось со мной в субботу ночью? Прочитай статью и напиши мне, что ты думаешь. Скорее! Мне очень нужен твой совет.

От кого	Алекс
Кому	Рози
Тема	Re: Последние новости

Ха ха

Глава 37

У Вас входящее сообщение от: РОЗИ

Рози: О. Боже. Мой. Алекс.

Алекс: Да, Рози?

Рози: Ты не занят, можешь говорить?

Алекс: Вообще-то я работаю, но поболтать могу.

Рози: Неужели ты научился делать операции прямо через Интернет? Доктор, вашим талантам нет предела!

Алекс: Что-то в этом роде. Что скажешь?

Рози: Ты не представляешь себе, что я сегодня утром обнаружила в квартире Брайана-Комбайна.

Алекс: Наемного убийцу.

Рози: Нет!

Алекс: Предписание на твой арест.

Рози: Нет! Не надо говорить такие ужасы! С чего тебе это в голову пришло?

Алекс: Если женщина нанимает головорезов, чтобы избить и ограбить своего бывшего мужа, то полиция должна этим интересоваться. Мне кажется, это вполне естественно.

Рози: Алекс Стюарт, прекрати немедленно! Нельзя обсуждать такое по Интернету, это опасно! К тому же, я ни в чем не виновата!

Алекс: Ты права, это опасно, ведь группа полицейских через дорогу следит за твоим окном, в бинокль отслеживая каждую клавишу, которую ты нажимаешь.

Рози: Перестань, Алекс, мне и так не по себе. Я не сделала ничего плохого, просто повела себя немного наивно.

Алекс: Немного? Ты правда считаешь, что «парни, похожие на наемных убийц», всегда так внимательно относятся к одиноким женщинам в ночных барах?

Рози: Слушай, я напилась и плохо понимала, что делаю. Вернее, вообще не понимала. Сама знаю, что это глупо, но, поскольку я до сих пор жива, нет смысла заново обсуждать, какая я дурочка. В конце концов, они все же очень хорошие. Представляешь, я спускаюсь утром на кухню, а на столе лежит коричневый пакет с моим именем. Я его открываю, и знаешь, что там внутри? 5 000 евро! А ты говоришь, что они негодяи!

Алекс: А они приложили записку со словами благодарности?

Рози: Ну почему ты никогда не разговариваешь серьезно? Нет, записок там не было, так что, может быть, это совсем и не от них.

Алекс: Рози, откуда на твоем столе взяться пакету с 5 000 евро? Если у почтальона нет ключа от твоей двери, значит, разумно предположить, что это все же были они.

Рози: Что же мне сказать полицейским?

Алекс: Разве ты не оставишь себе деньги?

Рози: Алекс, у меня маленькая дочь. Мне кажется неразумным утаивать информацию об ограблении банка (и энную сумму украденных денег). Кроме того, у меня есть совесть, хоть ты в это и не веришь.

Алекс: Знаешь, я обычно и сам за то, чтобы говорить правду и соблюдать закон, но мне кажется, что щас тебе лучше попридержать язык. О том, что произошло, знаете только вы трое. А ведь они смогли зайти в твой дом посре-

296

ди ночи, и никто не услышал — ни ты, ни соседи. Мне кажется, что эти деньги они принесли тебе не для того, чтобы ты смогла начать новую жизнь. Это не те люди.

Рози: Алекс, у меня мурашки по спине от твоих слов! Какой кошмар! Совсем как в кино. Но я же не могу скрывать это от полиции.

Алекс: Тебе жить надоело?

Рози: Можно и так сказать.

Алекс: Рози, я серьезно. Оставь себе деньги и держи рот на замке. Если они тебе так неприятны, можешь отдать на благотворительность. Например, сделай взнос в Фонд кардиохирургии Реджинальда Вильямса.

Рози: Буээ, сейчас меня стошнит. Спасибо, обойдусь. Хотя сама идея о благотворительности мне нравится. Думаю, я так и сделаю.

Алекс: И в какой же фонд ты их отдашь?

Рози: В Благотворительный фонд Рози Дюнн. Отдам их женщинам, сто лет не видевшим своих друзей в Америке.

Алекс: Какая хорошая идея! Я уверен, что несчастная женщина наконец будет вне себя от счастья. Как ты думаешь, когда они с дочерью смогут навестить своего друга-доктора?

Рози: Я уже забронировала им билеты на пятницу. Они прилетят в девять утра и останутся на две недели. Ты прав — когда кому-то помогаешь, сразу чувствуешь себя гораздо лучше.

Алекс: Ничего себе! Ты уже все спланировала? Я вас встречу.

Рози: Вот и хорошо. Только вот ты *до сих пор* не сказал ничего о моей работе.

Алекс: О работе? Ты устроилась на работу? Когда? Куда? Что за работа?

Рози: Алекс, твой автоответчик сохранил приблизительно 22 496 сообщений об этом. Ты их не слышал?

Алекс: Ой, ну не знаю. Так что за работа?

Рози: Обещай, что не будешь смеяться.

Алекс: Обещаю.

Рози: С августа месяца я работаю секретарем в средней школе св. Патрика.

Алекс: Ты будешь работать... где? Минуточку... то есть ты будешь работать с Миссис Носатой Вонючкой Кейси? Но почему?

Рози: Потому что мне нужны деньги.

Алекс: Я думал, что ты лучше с голоду помрешь! А почему она взяла тебя к себе?

Рози: Это загадка.

Алекс: Ха ха ха ха ха

Рози: Ты же обещал не смеяться

Алекс: Ха ха ха ха ха

Рози: Ты обещал!

Алекс: Ха ха ха ха

Рози: Иди к черту.

Связь с РОЗИ прервана.

Дорогие Рози и Кати!

Привет с Арубы!

Здесь просто рай!

Надеемся, у вас тоже все хорошо!

С любовью,

Мама и папа

* * *

У Вас входящее сообщение от: РУБИ

Руби: Берегись, Ирландия, мы идем!

Рози: Кто это мы?

Руби: Гэри и Руби Минелли.

Рози: Ты так и оставила это имя? И что же приготовили нам Руби и Гэри Минелли?

Руби: Мы решили все же выступать под этим именем. Гэри только рад, потому что так никто из друзей и коллег не сможет его узнать. Через несколько месяцев состоится чемпионат Ирландии по сальсе, соревноваться будут по одной паре из каждой области, победители станут чемпионами страны! А потом будет европейский чемпионат и чемпионат мира.

Рози: То есть вы намерены покорить весь мир?

Руби: Речь пока не идет про весь мир, но с Ирландией мы обязаны разобраться.

Рози: Что сказал на это Тедди?

Руби: Он ничего не знает, и я надеюсь, никогда не узнает. Впрочем, мы еще не прошли отборочный тур, так что нет смысла подвергать себя смертельной опасности в лице Тедди, пока мы не попали хотя бы на чемпионат страны. Отборочный тур состоится через пару недель. Ты придешь?

Рози: Ты еще спрашиваешь?

Руби: Здорово!

***

От кого	Стефани
Кому	Рози
Тема	Хочу тебя навестить

Привет, дорогая моя! Надеюсь, у тебя все хоть немного наладилось. Ты так решительно действовала, так хорошо справилась со всем! Я тобой восхищаюсь. Знаю, что тебе пришлось несладко, а я была так далеко, ничем не помогла тебе. Я бы с удовольствием приехала к тебе в гости. Как тебе идея? Скажем, на недельку. Тебе наверняка очень одиноко в Дублине, мама с папой уехали, а мы так редко видимся. Давай съездим к Кевину в Килкенни! Мы втроем не собирались уж не знаю сколько лет. (Не волнуйся, в отель заходить не будем. Или, если хочешь, закидаем окна яйцами!)

Если честно, я сама хочу немного отдохнуть, Жан-Луи меня порядком утомил. У меня, к сожалению, уже не столько сил, как у этого сумасшедшего ребенка, так что Пьер возьмет неделю отпуска и посидит с ним, пока я съезжу к тебе.

Я знаю, что ты живешь у Брайана, так что я остановлюсь у подруги, не буду портить вашу семейную идиллию... Я его не видела с самого выпускного. Мне очень запомнился его синий смокинг (ты права, смокинг действительно был синий, а не черный). Интересно будет взглянуть на него, и, кроме того, мне не терпится высказать ему все, что я о нем думаю. Кстати, если ты придумаешь еще что-нибудь веселенькое, я буду только рада.

От кого	Рози
Кому	Стефани
Тема	Re: Хочу тебя навестить

Конечно, приезжай! Очень удачно, что ты приедешь на следующей неделе, лучше и придумать нельзя. А у меня тут такое происходит! Представь себе, родители Брайана-Комбайна вдруг решили приехать к нам со своих чертовых куличек. Самое противное, что они постоянно мерзнут, хотя сейчас середина лета и все вокруг ходят в шортах. Стоит мне открыть окно, как они начинают трястись от холода и просят еще одно одеяло. Они, видите ли, не привыкли к этому на своей *вилле* — хотя у них в Санта-Понса никакая не вилла, а обычная двухкомнатная квартира... Они живут вместе с нами, безнадежно пытаясь познакомиться поближе со мной и с так называемой «своей внучкой». А сейчас каникулы, и Кати целыми днями гуляет с Тоби — какой ей интерес сидеть дома с дряхлыми старичками-Комбайнами?

Из-за них квартира стала еще меньше. Скоро у меня начнется клаустрофобия. Представляешь, я не могу дождаться, когда же я выйду на работу и перееду к себе. Тоби такой смешной: все время поучает нас с Кати, что нужно быть с ними повежливей на случай, если снова придется у них жить. Поэтому они с Кати каждый день приносят старичкам чай прямо в постель. Надо признать, мальчик неплохо соображает для своих тринадцати лет, так что и я стала посылать им вместе с чаем бисквитное печенье.

Теперь ты понимаешь, дорогая моя сестричка, что твой приезд как нельзя кстати! Ты моя спасительница. И я очень соскучилась! Хоть немного повеселюсь, пока не началась эта чертова работа.

От кого	Рози
Кому	Кевин
Тема	Приезжает Стеф

Стеф на недельку приедет из Франции. Когда у тебя выходные? Мы бы к тебе заехали. Поужинаем, поболтаем. Мы сто лет уже не виделись.

От кого	Кевин
Кому	Рози
Тема	Re: Приезжает Стеф

Я не против. Последний раз мы собирались втроем, когда нас заставляли вместе принимать ванну. У меня выходной во вторник. Приезжайте, я приглашаю вас на ужин.

От кого	Рози
Кому	Кевин
Тема	Re: Приезжает Стеф

Я не против поужинать вместе, но только не в отеле. Я не смогу даже войти туда, после того, как там был как-бишь-его с этой женщиной. Стефани вспомнила молодость и предложила забросать отель яйцами, чтобы как-то отомстить. Так что готовь яйца. братишка. Мы приедем в понедельник. Увидимся.

* * *

Счет№:   KIL000321
Рег.№:   6444421

	Счет
	EUR
Сумма ущерба от повреждения окон отеля «Два озера» в Килкенни	6232,00
НДС 21%	1308,72
Итого	7540,72

Заметка:
Прежде чем бросать яйцо, убедись, что оно не вареное.

От кого	Рози
Кому	Алекс
Тема	Мой самолет

Самолет приземляется в девять утра, не забудь!

* * *

Привет из Барбадоса!

Здесь так весело! Погода фантастическая. Мы перезнакомились с огромным количеством чудесных людей.

Целуем вас обоих,

Мама и папа

* * *

У Вас входящее сообщение от: РОЗИ

Рози: Я верну-у-у-лась!

Руби: Неужели ты решила вернуться?! Не могу поверить.

Рози: Еле заставила себя. Ни за что бы не вернулась, если бы не Брайан-Комбайн и его родители, так мечтающие стать моими лучшими друзьями.

Руби: Иногда приходится думать о других людях. Как все прошло?

Рози: Это было изумительно. Как в раю.

Руби: Он был рад тебе?

Рози: Даже больше, чем я ожидала.

Руби: А вы —

Рози: Нет!

Руби: А ты сказала ему, что ты —

Рози: Нет! Ну зачем говорить ему? В этом нет смысла. Я только испорчу нашу дружбу. Я никогда не замечала, чтобы он чувствовал ко мне что-то особенное. Вспомни, ведь это я в прошлый раз поцеловала его, а не он меня. С меня хватит и одного раза, я больше не переживу такого стыда. И потом, у него есть другая женщина, и, даже если это все лишь шлюшка Бетани, я все равно не могу встать между ними. Мы, кстати, разговаривали о ней. Он пригласил меня в восхитительный

303

итальянский ресторан — двухэтажный, с прекрасными венецианскими фресками на стенах, каждый столик в отдельной маленькой беседке, и, чтобы добраться до столика, нужно пройти через множество мостиков и арок. Под мостиками приятно журчала вода; правда, из-за этого мне пришлось раз десять бегать в туалет. И никакого электричества — повсюду свечи в огромных витых канделябрах, как страшный сон страхового агента, но чрезвычайно романтично. Видимо, он специально пригласил меня, чтобы поговорить про шлюшку Бетани и объяснить, что происходит.

Так вот, похоже, между ними нет ничего серьезного. Он сказал, что устал быть один, а Бетани никогда не упрекает его за то, что он вечно торчит на работе, и они не так уж часто видятся. Она, по его мнению, тоже не считает эти отношения серьезными. Судя по всему, он собирается с ней расстаться. Он очень серьезно об этом говорил, в какой-то момент мне даже показалось, что он вот-вот заплачет. Это так странно выглядело. Он сказал, что Бетани — не та, кто ему нужен.

Руби: И что потом?

Рози: А потом позвонил Джош — в истерике. Они с Кати дурачились, Кати упала, и они были уверены, что она сломала запястье. Нам пришлось уехать. Правда, мы успели съесть десерт, так что ничего страшного не случилось. На этом все и закончилось.

Руби: Или началось.

Рози: Ты о чем?

Руби: Слушай, твоя тупость меня порой выводит из себя!

Рози: Руби, ну как ты можешь судить на расстоянии! Мне очень приятно, что ты помогаешь мне советами, но говорить с ним все равно придется мне самой! Я признаюсь ему, когда будет подходящий момент.

Руби: А тот момент чем тебе не подошел?

Рози: Я жду, когда снова настанет тишина.

Руби: Какая тишина?

Рози: Долго рассказывать. В общем, с Кати ничего страшного не случилось, она вывихнула запястье. Еще неделю не сможет ходить на тренировки и очень из-за этого расстроилась.

Руби: В твоем расписании на следующую неделю записан чемпионат Дублина по сальсе?

Рози: Конечно, конечно, я приду. Возьму Кати и Тоби. Тедди по-прежнему злится?

Руби: Я так и не решилась ему сказать, Рози. Я боюсь, что он припрется прямо на выступление вместе со своими дружками-водителями и устроит скандал, требуя, чтобы мужчины не участвовали в этих «голубых» мероприятиях. Нет уж, я не хочу все время провести в страхе, что Тедди вот-вот вломится внутрь, изображая рассвирепевшего Гомера Симпсона. Я так горжусь моим Гэри. Я не хочу, чтобы Тедди своей тупостью и хамством разрушил все, чего мы столько лет добивались.

Рози: Очень хочу посмотреть, как вы танцуете! Надо не забыть фотоаппарат. Если Тедди потом сменит гнев на милость, он сможет увидеть, как вы были прекрасны. А что ты наденешь?

Руби: Даже не спрашивай, с этим просто беда. Обычно участники соревнований раздеваются чуть не догола, но, к сожалению, ни в одном салоне больших размеров не нашлось на меня сексуального платья. Все, что они предлагают, — какие-то бесформенные мешки с дыркой для головы. С Гэри дело обстоит не легче. Наша единственная надежда — мисс Бихэйв, она больше на меня не дуется и обещала помочь. Она сказала, что привыкла шить «женскую одежду для людей, не обладающих от природы женской фигурой». Но она не признается, что это будет, хочет сделать нам сюрприз. Впрочем, она пообещала обойтись без розового цвета, перьев и прочей ерунды.

Рози: Мне уже не терпится увидеть!

Ba'ax ka wa'alik из Мексики!

У нас здесь настоящие приключения. Надеемся, что вы там тоже не скучаете!

Целуем.

Мама и папа

С днем рождения, Тоби!

Надеюсь, тебе понравилась моя радиоуправляемая машина. Парень в магазине сказал, что гоночные машины — самые лучшие (и самые дорогие). Я ее привезла из Штатов, так что здесь такая вряд ли у кого-то есть. У Джоша такая же, это я об нее споткнулась и вывихнула запястье. Они так быстро ездят!

Ну вот, тебе уже четырнадцать. Еще лет десять, и ты сможешь наконец ковыряться у кого-нибудь в зубах. Понятия не имею, зачем тебе быть зубным врачом? Хотя ты всегда был с приветом. Кстати, я тут слышала, что Моника Дойл встречается с Шоном. Не повезло тебе, приятель.

Кати

От кого	Тоби
Кому	Кати
Тема	Re: С днем рождения

Спасибо за машинку. Я притащу ее в субботу на ваши танцульки. Хоть погоняю ее в коридоре, пока вы таращитесь на танцоров и красите ногти.

* * *

Aloha с Гавайев!

Смотри, это мы с папой и несколько ребят, с которыми мы тут познакомились на корабле. Нам так весело! Сейчас едем на Самоа и Фиджи. Скорей бы!

Целую тебя и Кати.

Мама и папа

* * *

Руби и Гэри Минелли!

Удачи!

Я хотела пожелать тебе сломать ногу, но потом что-то засомневалась, подходит ли это к случаю. Желаю вам быть лучше всех! Мы будем за вас болеть.

Целуем.

Рози, Кати и Тоби

* * *

У Вас входящее сообщение от: РОЗИ

Рози: Прими мои поздравления, Королева Сальсы! Я так тобой горжусь! Надеюсь, ты счастлива?

Руби: Если честно, я не очень понимаю, как это получилось. Мы не должны были выиграть.

Рози: Да ладно! Вы потрясающе танцевали. Мисс Бихэйв смастерила чудесные наряды. Оказывается, она знает такие слова, как «простота» и «изящество». Твой блестящий черный костюм на общем фоне смотрелся просто шикарно. От всех прочих разноцветных тряпок у меня в глазах рябило. Поверь мне, ты заслужила эту победу!

Руби: Но ведь мы даже не вышли в финал...

Рози: А кто виноват, что эти растяпы ушли практиковаться в коридор? Там обо что угодно можно было споткнуться, не только об эту злосчастную машинку (не понимаю, зачем Тоби ее притащил). Пусть пеняют на себя. Не переживай, колено у нее заживет, и в следующем году она сможет отвоевать титул. Если захочет.

Руби: Рози, но ведь на первое место могут претендовать только те две пары, которые вышли в финал, то есть мы в принципе не должны были выиграть. Победить должна была вторая пара...

Рози: Ну а вы-то тут причем? Дамочка в фиолетовом платье споткнулась о машинку Тоби (ужас, как быстро ездит эта штука!) и разлила стакан с водой — так это она виновата, что дамочка в желтом поскользнулась и упала. Вы автоматически вышли в финал, это совершенно справедливо! Ты должна радоваться!

Руби: Я и радуюсь, только как-то странно. Мы с Гэри теперь выступим в шоу мисс Бихэйв в «Джордже».

Рози: Вот это да! Я так за тебя рада, Руби! Моя подруга стала суперзвездой!

Руби: Я бы никогда не научилась танцевать, если бы ты не подарила мне тот первый абонемент. Я так тебе благодарна, Рози! И спасибо, что ты так громко за меня болела, я все время слышала только твой голос. Жаль, что охрана вывела вас из зала...

Глава 38

Рози и Кати!

Magandang tanghali ро из Филиппин!

Несколько дней назад покинули Австралию, были в Брисбене и Сиднее — очень красивые города. Еще немного пробудем здесь, а потом поедем в Китай.

Целуем, скучаем.

Мама и папа

            * * *

От кого	Рози
Кому	Алекс
Тема	Шлюшка Бетани

Ну что, Алекс, ты наконец ее бросил?

От кого	Алекс
Кому	Рози
Тема	Не вмешивайся

Прекрати, Рози! Когда это случится, я сам тебе скажу.

* * *

Nǐ hao из Китая!

Прости, что мы не смогли помочь вам с переездом.

Желаем удачи на новом месте!

Уверены, что оно принесет вам счастье.

Целуем.

Мама и папа

Рози: Эта квартира омерзительная, Руби. Совершенно омерзительная.

Руби: Да что ты, неужели хуже моей?

Рози: В сто раз хуже.

Руби: Боже упаси, разве такое бывает? Что с ней такого страшного?

Рози: Сейчас я тебе расскажу... ну, во-первых, она расположена на втором этаже прямо над салоном татуировок и индийским бистро, и у меня вся одежда уже провоняла карри и помидорами.

Во-вторых, там просто фантастические обои, выпущенные году в семидесятом: такого изысканного серо-зеленого цвета в цветочек (нужно заметить, что это очень гармонирует с занавесками), к тому же они наполовину отклеились.

А еще там замечательные коричневые ковры, сплошь покрытые загадочными пятнами и дырками от сигарет. Пахнут они непередаваемо. Думаю, за тридцать лет, что они там пролежали, их ни разу не пылесосили. А кухня такая крохотная, что двоим не разминуться. Правда, нужно отметить, что водопровод и унитаз работают, но я уверена, что это случайность. Понятно, почему за нее хотят так мало денег — ни один человек в здравом уме там не поселится.

Руби: Но ты же поселилась.

Рози: Я утешаю себя мыслью, что это ненадолго. Чудесным образом я раздобуду кучу денег и вытащу свою малышку из этой дыры.

Руби: И откроешь отель.

Рози: Да.

Руби: И будешь жить в пентхаусе.

Рози: Да.

Руби: Кевин будет твоим шеф-поваром.

Рози: Да.

Руби: А Алекс — штатным врачом, будет спасать несчастных, отравившихся в твоем ресторане.

Рози: Да.

Руби: А ты будешь владельцем и управляющим.

Рози: Да.

Руби: А я кем буду?

Рози: А вы с Гэри будете выступать по вечерам. Танцевать сальсу, пока с ног не попадаете.

Руби: Как это звучит! Давай, Рози, шевели поршнями, отель нужно открыть до того, как мы состаримся и поседеем.

Рози: Я стараюсь. Как там Тедди, оправился от шока?

Руби: Он смирился с этой жизнью... Ох, Рози, он такой вредный. Порою мне кажется, что я больше не смогу жить с ним. Ты бы видела, что с ним было, когда я сказала, что мы выиграли в конкурсе и теперь будем выступать в «Джордже» — у него просто крышу снесло. Впрочем, она быстро вернулась на место, и на следующий день он даже предложил подвезти нас на занятие. Я чуть в обморок не грохнулась, когда услышала. В пятницу он придет в гей-клуб смотреть на нас (не знаю, то ли он действительно гордится нами, то ли устал сам гладить себе рубашки). И возьмет с собой своего громилу-приятеля, чтобы никто не попытался с ним заигрывать. Можно подумать, кому-то может прийти в голову такая бредовая мысль! Впрочем, хватит обо мне. Что у тебя новенького?

Рози: Я выхожу на работу. Пока что буду работать неполный день, то есть печатать письма, сообщающие о начале учебного года, укладывать их в конверты, наклеивать марки и рассылать. Не знаю, как ты, а я в восторге от такой перспективы. Ладно, это всего на пару недель, потом начнется учебный год и у меня будет нормальный рабочий день.

Я все пытаюсь привести в божеский вид эту дыру. Ты не поверишь, но Брайан-Комбайн очень мне помогает. Он одолжил шлифовальную машинку, завтра мы выбросим все эти вонючие ковры, отшлифуем пол и покроем его лаком. Мне страшно даже думать о том, что там под коврами. Должно быть, полуразложившиеся трупы.

Кати и Тоби очень повеселились, отдирая обои, — правда, там мало что пришлось отдирать. Мы выкрасим стены в белый цвет, потому что, даже если вкрутить в люстру лампочки по тысяче ватт, комната все равно похожа на могилу. У нас все будет в таком, знаешь, минималистском духе. Не потому, что я модница, просто у меня мебели нет. А из старых занавесок устроим ритуальный костер.

Умница Кевин с радостью согласился приехать и забрать у как-бишь-его мои вещи. Как-бишь-его был готов на все — видно, боится, что ему снова сломают нос. Так что мне неожиданно достался кожаный диван, который был у него еще до свадьбы. Думаю, я это заслужила.

Руби: Рози, у тебя будет настоящий дом!

Рози: Да, еще бы избавиться от запаха карри. Мне кажется, там даже стены им пропитались. Я никогда больше не смогу есть в индийском ресторане.

Руби: Слушай... ведь это лучше любой диеты! Нужно жить над рестораном и постоянно дышать этим запахом, тогда о еде будет даже думать противно.

Рози: Ну да, что-то в этом есть.

* * *

Ei Je из Сингапура!

Тут так хорошо, что домой не хочется!

Удачи тебе на новой работе, дорогая! Мы постоянно о тебе думаем, нежась у бассейна!

(Шутка, шутка.)

Целуем.

Мама и папа

* * *

У Вас входящее сообщение от: АЛЕКС

Алекс: Есть минутка?

Рози: Прости, я очень занята, наклеиваю марки.

Алекс: Понятно. Можно, я позвоню попозже?

Рози: Да я шучу, Алекс. Миссис Носатая Вонючка Кейси попросила меня составить обзор школьных новостей, вот я и сижу на сайте школы, пытаюсь найти, о чем вообще можно написать. Думаю, для начала я напишу о том, что я здесь работаю.

Алекс: Как работа?

Рози: Ничего. Я уже несколько недель здесь, немного освоилась, и пока что все в порядке. Не знаю, о чем тебе рассказать.

Алекс: Прости, мы так давно не разговаривали. Я и не заметил, что прошло столько времени. Время снова летит слишком быстро.

Рози: Ничего. Я догадалась, что ты занят. Я переезжала в новую квартиру, и все такое.

Алекс: Ах да, точно. И как квартира?

Рози: Ничего. Она была просто омерзительна, когда мы въехали, но Брайан-Комбайн здорово нам помог. Он

313

починил все сломанное и отмыл всю грязь. Из него получился бы прекрасный робот-уборщик.

Алекс: Как вы с ним?

Рози: Получше. Меня уже почти не тошнит от его присутствия. Не больше одного раза в день.

Алекс: Это уже кое-что. Может, у вас что-то получится?

Рози: Чего? С Брайаном-Комбайном? Ты давно проверялся у психиатра? Он годится только на то, чтобы оттирать плесень и шлифовать полы.

Алекс: Понятно. Может, у тебя есть кто-нибудь еще?

Рози: Разумеется. Тринадцатилетняя дочь, новая работа и полный комод неоплаченных счетов. Мне есть чем заняться. Хотя недавно один из соседей звал меня на свидание.

Алекс: Здорово. Ты пойдешь?

Рози: Даже не знаю. Может, ты мне посоветуешь? Его зовут Санджай, ему шестьдесят лет, он женат, живет с женой и двумя детьми, и ему принадлежит индийское бистро на первом этаже нашего дома. Ты никогда не догадаешься, куда он пригласил меня на ужин.

Алекс: Куда?

Рози: В свое индийское бистро. Сказал, что он угощает.

Алекс: И что, ты до сих пор сомневаешься?

Рози: Очень смешно.

Алекс: Зато у тебя дружелюбные соседи.

Рози: Он еще ладно. Вот рядом со мной живет владелец салона татуировок (того, который прямо под моей квартирой). У него татуировки по всему телу с головы до пят, потрясающе красивые блестящие черные волосы, заплетенные в косу, и аккуратная испанская бородка. Он выше шести футов ростом и неизменно носит кожаные штаны, кожаную куртку и огромные казаки с железными каблуками. Если он не разукрашивает очередную спину, то сидит в своей квартире у меня за стеной и на полной громкости слушает музыку.

Алекс: Видимо, он принял тебя за фанатку тяжелого рока и надеется таким образом пленить.

Рози: А вот тут ты не угадал. Его зовут Руперт, ему тридцать пять лет, он закончил престижный Дублинский Тринити-колледж, у него диплом по истории Ирландии и степень магистра про ирландской литературе. Его идол — Джеймс Джойс, и прямо поперек груди у него красуется надпись: «Ошибки — это врата открытий».

А слушает он только оперу и классическую музыку. Каждый вечер в пять часов он закрывает салон и пересчитывает кассу под звуки Брамса, концерт для фортепиано с оркестром си-бемоль мажор, опус 83. А потом поднимается в свою квартиру, готовит что-то невероятно изысканное и ароматное, в стотысячный раз перечитывает «Улисса» Джеймса Джойса или слушает избранные записи Паваротти, уделяя особенное внимание «Nessun Dorma».

Мы с Кати уже знаем ее наизусть, а Тоби в прошлый раз засунул себе подушку под футболку, встал на диван и очень похоже изображал самого Паваротти. Так что благодаря Руперту дети хотя бы будут знать, что такое настоящая музыка. Кати бредит идеей обработать «Nessun Dorma» и сделать из нее танцевальную мелодию. Брайан-Комбайн купил ей вертушки, я его чуть не убила, я хотела подарить их на Рождество. Я не разрешаю ей приносить их в квартиру, пусть играет у него дома, не нужно издеваться над соседями. Хотя они бы, наверное, ничего и не заметили, учитывая все то, что творится в этом доме. А я рассказывала тебе, что в конце коридора живет Жанна д'Арк?

Алекс: Нет, этого я еще не слышал!

Рози: Так вот, там живет женщина по имени Жанна, или Мэри, или Бриджит, что-то в этом роде, ей лет тридцать, наверное. В первый же день она зашла ко мне поздороваться, и как только узнала, что я отнюдь не вдова, но тем не менее живу вдвоем с дочерью, она тут же ушла, не попрощавшись, и с тех пор с нами не общается.

Алекс: Ну, хоть одна ваша соседка тихо себя ведет.

Рози: То, что она игнорирует меня, несчастную грешницу, вовсе не значит, что она себя тихо ведет. Вечером каждого понедельника в квартиру Жанны д'Арк проходит длинная вереница слонов. Путем осторожных наблюдений мне удалось выяснить, что приходят к ней одни и те же двадцать человек с Библиями в руках. Оказывается, она каждую неделю проводит у себя библейские чтения. А теперь она повесила на двери табличку со следующими словами: «Господу, Богу вашему, последуйте и Его бойтесь, заповеди Его соблюдайте, и гласа Его слушайте, и Ему служите, и к Нему прилепляйтесь».

Вот я не понимаю, что значит «прилепляйтесь»? Что она, интересно, имела в виду?

Алекс: Щас помру со смеху!

Рози: Ты, вероятно, хотел сказать СЕЙЧАС, а не ЩАС? Неужели ты никогда не запомнишь, как оно пишется? А дальше по коридору живет семья из Нигерии. Зареб, Малика и четверо их детей. Представляешь, а я-то думала, что нам с Кати тесно в этой квартире!

Алекс: А как твои родители?

Рози: Родители стали настоящими полиглотами. Маме недавно исполнилось шестьдесят, по этому случаю я получила от нее открытку с надписью «Zdravstvuite из России!» Они наслаждаются жизнью, как та парочка старичков из «Корабля любви»[1]. Да, раз уж мы упомянули это страшное слово на букву «л» — с чего ты взялся задавать вопросы о моей личной жизни?

---

[1] «Корабль любви» — американский телесериал.

Алекс: Потому что я не хочу, чтобы ты была одна. Ты должна быть счастливой.

Рози: Алекс, разве я могу быть счастлива с мужчиной? Я недавно развелась с мужем и пока не собираюсь искать другую жертву. Может быть, никогда уже не соберусь.

Алекс: *Никогда?*

Рози: Я не знаю. По крайней мере, замуж я точно больше не хочу. Мне нравится, как я живу. У меня новая работа, новая квартира, повзрослевшая дочь, мне тридцать два года, моя жизнь в последнее время очень сильно изменилась. Мне кажется, я наконец выросла. В конце концов, что плохого в том, что я хочу быть одна? Ведь ты тоже один!

Алекс: Нет.

Рози: Пока что нет.

Алекс: Нет, Рози, не «пока что».

Рози: Ты передумал расставаться со шлюшкой Бетани?

Алекс: Во-первых, я не говорил тебе, что мы расстанемся, и, пожалуйста, не называй ее шлюшкой.

Рози: О боже, здравствуйте, Мистер Половая Тряпка, меня зовут Рози Дюнн. Приятно познакомиться.

Алекс: Я не тряпка. Я никогда не говорил, что собираюсь расстаться с Бет.

Рози: А месяц назад за ужином, когда ты рассказывал мне про нее, это прозвучало именно так.

Алекс: Забудь про тот ужин, я не знаю, что на меня нашло. Я хочу быть счастлив с Бетани и хочу, чтобы ты тоже была счастлива с кем-то. Тогда мы оба будем счастливы.

Рози: Ах вот оно что! Так ты не хочешь, чтобы я была одна, потому что я тебя смущаю? И если у меня будет мужчина, тогда, может быть, ты сможешь держаться от меня подальше? Теперь я все поняла. Я раскусила тебя, Алекс Стюарт. Ты любишь меня. Ты хочешь, чтобы я родила тебе детей. Ты ни дня не можешь прожить без меня.

Алекс: Я... не знаю, что тебе ответить...

Рози: Расслабься, я пошутила. Итак, что же заставило тебя изменить твое отношение к Бетани?

Алекс: Нет, только не начинай все сначала...

Рози: Алекс, я твоя лучшая подруга, я знаю тебя с пяти лет. Никто не знает тебя лучше меня. Я спрашиваю последний раз и хочу услышать правду. Почему ты передумал расставаться со шлюшкой Бетани?

Алекс: Она беременна.

Рози: Господи боже мой. Иногда из-за того, что ты мой лучший друг, мне кажется, что ты нормальный, такой же, как я. А потом ты сделаешь что-то такое, и мне снова приходится вспоминать, что ты мужчина.

* * *

Фил: Подожди, Алекс. В прошлом году ты пытался увести Рози у мужа, а сейчас ты сам хочешь, чтобы у нее кто-то был?

Алекс: Да.

Фил: Чтобы мысли о ней не смущали тебя, пока ты с Бетани?

Алекс: Я этого не говорил!

Фил: А звучит это именно так. Знаешь, я начинаю думать, что ты ее просто недостоин.

ЧАСТЬ 4

Глава 39

Мама и папа!

Добро пожаловать домой!!! Failte go h-Eirinn[1]!

Мы очень рады, что вы вернулись к нам целыми и невредимыми!

Готовьтесь рассказывать о своих приключениях и показывать фотографии!

Увидимся на выходных.

Целуем.

Рози и Кати

Дорогая Стефани и Пьер!

Поздравляем вас с рождением дочери!

Нам не терпится скорее увидеть малышку Софию, пока что высылаем ей несколько нарядов, чтобы она росла такой же модницей, как ее мать!

С любовью,

Рози и Кати

---

[1] Добро пожаловать в Ирландию! (ирл.)

С днем рождения, Джош!
С любовью,
Рози и Кати

***

Привет, Кати!

Спасибо за открытку и подарок на мое день рождение. Папа наверно сказал вам, что Бетони биременна. Это значит что у меня скоро будет братик или сестренка. Наверно только я считаю что это хорошо.

Еще я слышал, что она четыре месяца в интересном положении. Не знаю, чего в ней интересного. Я сегодня ее видел, такая же скучная как обычно. Мама очень смеялась, когда папа сказал ей, а потом очень ругалась. Она сказала, что твоя мама наверное очень счастлива теперь. Не знаю, почему она так сказала, ведь твоя мама совсем не обрадовалась, да?

Папа очень расстроился, сказал, что все девушки его нинавидят. Твоя мама, моя мама и Бетони тоже. Недавно он сказал, что надо было раньше рассказать твоей маме и еще что-то сделать, я не понял что. Он стал такой странный, скорей бы все это кончилось.

Бетони очень злится потому что он на ней не женится. Я слушал как они ругались. Бетони плакала и говорила что папа ее не любит, а он говорил что любит но нужно больше времени. Она спросила куда больше, потому что они начали встречаться пятнадцать лет назад. Папа сказал что будет заботиться о ней и о ребенке, но жениться пока рано. Она сказала что хочет купить дом возле дома ее родителей, а папа ответил, что так она будет целыми днями сплетничать с мамочкой. Он сказал, что она раньше хотела домик на острове Нантакет, а она ответила, что совершенно не хочет. Ей теперь нравятся виноградники Марты [1]. Я никогда не видел Марту и не знаю, как мы можем просто взять и переехать в ее виноградник. И я ненавижу виноград.

Папа сказал что нужно больше узнать друг о друге, прежде чем жениться. Бетони ответила что он знает он ней все, что они знакомы с шестнадцати лет и она с тех пор не изменилась, что она биременна его ребенком и что если он на ней не женится ее папа очень рассердится и уволит его.

Я думаю папа должен жениться. Я очень хочу братика, а папа очень сильно любит свою работу. Если я узнаю еще что-нибудь, я сразу напишу вам с Тоби. Я здесь приезжаю только на выходные, так что пропускаю самое интересное.

Поблагодори маму за мой подарок.

Джош

Д-Р ВИЛЬЯМС БЫЛ УДОСТОЕН ПРЕСТИЖНОЙ НАГРАДЫ

Д-р Реджинальд Вильямс вчера вечером получил награду Американской ассоциации здравоохранения. Эта награда считается одной из высочайших в сфере медицины и здравоохранения и вручается за наибольший вклад в развитие медицинской науки и охраны здоровья.

На церемонии д-ра Вильямса сопровождали жена Миранда, дочь Бетани и ее жених д-р Алекс Стюарт, кардиохирург госпиталя св. Иуды в Бостоне, о чьей помолвке с Бетани Вильямс счастливый отец с гордостью объявил во время своей благодарственной речи.

На странице четыре Приложения находится подробный обзор Вэйн Гиллеспи.

---

[1] Виноградники Марты (Martha's Vineyard) — маленький остров к югу от Бостона, популярное место отдыха американской элиты.

* * *

У Вас входящее сообщение от: РОЗИ

Рози: Ты не мог сказать мне сам?

Алекс: Извини, Рози.

Рози: Извини? Ты женишься, а я узнаю об этом из газеты? Да что с тобой происходит?

Алекс: Рози, извини,— это все, что я могу сказать.

Рози: Я не понимаю, о чем ты думаешь, Алекс, ведь ты даже не любишь ее.

Алекс: Люблю.

Рози: Очень убедительно.

Алекс: Я не думаю, что я должен кого-то в этом убеждать.

Рози: Только себя самого. Алекс, ведь ты сказал мне, что не любишь ее. Ты хотел с ней расстаться. Я не понимаю, с чего ты вдруг так резко изменил свое мнение?

Алекс: Ты все понимаешь. Речь идет о ребенке.

Рози: Чушь. Мой Алекс никогда ни на ком не женился бы из-за ребенка. Ведь это жестоко в первую очередь по отношению к малышу — он будет расти в семье, где родители не любят друг друга. Зачем это делать? Смотри, ты не живешь с Салли, но у Джоша все хорошо. Я понимаю, каждый хочет, чтобы его семейная жизнь выглядела идеально, но ведь из этого ничего хорошего не выйдет.

Алекс: Для Джоша я отец только на выходных, и я не хочу повторять свои ошибки. Это неправильно.

Рози: Неправильно жениться на женщине, которую не любишь.

Алекс: Я очень тепло к ней отношусь, у нас прекрасные отношения, мы отлично ладим.

Рози: Я рада слышать, что ты «отлично ладишь» со своей будущей женой. Если ты не передумаешь, Бетани

322

станет второй Салли. Зачем тебе еще один неудачный брак?

Алекс: Это брак будет удачным.

Рози: Ну да, я поняла. Главное, чтобы не было сплетен, а на остальное — наплевать.

Алекс: Почему ты считаешь себя вправе давать мне советы? Чего ты добилась в жизни? Ты жила с мужчиной, который много лет изменял тебе, а ты закрывала на это глаза. Что ты знаешь о браке?

Рози: Достаточно, чтобы не бежать в церковь с первым встречным. Достаточно, чтобы не жениться из-за денег, власти и положения в обществе. Я никогда не вышла бы замуж ради того, чтобы видеть свою фотографию в газетах, чтобы примазаться к чьей-то славе, или ради дурацкого повышения на работе.

Алекс: Мне просто смешно тебя слушать, Рози. Ты не знаешь, о чем говоришь. Ты слишком много времени просидела дома, и все твои теории не имеют ничего общего с реальностью.

Рози: Конечно, конечно. Торчу в своей квартирке, бедная необразованная мать-одиночка. То ли дело ты и твои гарвардские приятели — вы целыми днями сидите в клубах, покуриваете сигары и хлопаете друг друга по плечу. Может быть, сейчас мы действительно живем в разных мирах, Алекс Стюарт, но я знаю, каким ты был, и мне противно смотреть, во что ты превратился.

Что бы сделал старина Реджинальд, если бы узнал, что его дочь беременна, а олух, который за это в ответе, не хочет на ней жениться? Какой позор на семью! Что скажут люди! Теперь же у нее будет кольцо на пальце, а у тебя — повышение на работе, и все останутся довольны.

Алекс: Не все бросают своих детей, Рози. Не нужно думать, что мужчины всегда поступают так, как поступили с тобой.

323

Рози: Алекс, бога ради! Никто не говорит о том, чтобы бросить ребенка! Будь рядом с ним, заботься о нем. Но зачем для этого жениться!

Алекс: С меня хватит, Рози, я устал от твоих бесконечных претензий. Ты не жена мне и не мать, чтобы я оправдывался перед тобой. Почему ты думаешь, что я буду жить так, как ты хочешь? Мне надоело, что ты во все вмешиваешься. Это моя жизнь, я взрослый человек, и я буду сам принимать решения.

Рози: Тогда хоть раз в жизни ВЕДИ СЕБЯ КАК ВЗРОСЛЫЙ ЧЕЛОВЕК!

Алекс: Да кто ты такая, чтобы учить меня? Ты смогла в своей собственной жизни принять хоть одно нормальное решение? Сделай одолжение, не беспокой меня до тех пор, пока хоть чего-нибудь не добьешься сама.

Рози: Отлично! Я больше не буду тебя беспокоить. Связь с РОЗИ прервана.

Алекс: Ты невозможна.

***

Фил: Что же ты делаешь?

Алекс: Фил, ты все прекрасно знаешь.

Фил: Почему ты на ней женишься?

Алекс: *Ее* зовут Бетани.

Фил: Почему ты женишься на *Бетани?*

Алекс: Потому что я ее люблю.

Фил: Правда? Насколько я помню, когда ты в прошлый раз заходил в мою виртуальную исповедальню, ты говорил, что хочешь с ней расстаться. Ты чувствуешь себя обязанным это сделать? На тебя давит ее отец?

Алекс: Нет-нет-нет. Никто на меня не давит Я сам хочу это сделать.

Фил: Почему?

Алекс: Ну, а почему нет? Почему ты женился на Маргарет?

Фил: Я женился на Маргарет, потому что всем сердцем люблю каждый сантиметр ее тела, потому что хочу провести с ней всю свою жизнь, в болезни и в здравии, пока смерть не разлучит нас. Она самый близкий мне человек, у нас пятеро прекрасных детей, и, хотя порой они бывают невыносимы, я не смогу ни дня прожить без них. Мне кажется, у вас с Бетани такого нет.

Алекс: Не все семьи похожи на вашу.

Фил: Но к этому нужно стремиться с самого начала. С Бетани была тишина?

Алекс: Давай не будем про тишину.

Фил: Ты же сам помешан на тишине. Так что говори, была?

Алекс: Нет.

Фил: Тогда не нужно на ней жениться.

Алекс: Хорошо. Раз ты так считаешь, я не буду.

Фил: Что сказала Рози?

Алекс: Ничего. Она со мной не разговаривает.

Фил: А ты что?

Алекс: Мне все равно, что она думает, я слишком на нее обижен. Я не хочу больше иметь с ней дела. Мое будущее — Бетани и наш ребенок. Исповедь окончена?

Фил: Да. Произнеси пять раз Аве Мария и Отче Наш, и пусть Господь успокоит твою грешную душу.

***

У Вас входящее сообщение от: КАТИ

Кати: Что-то тебя сильно заинтересовала женская репродуктивная система.

325

Тоби: Да нет. Я и так обо всем узнаю, на практике.

Кати: Думаешь, ты доживешь до этого?

Тоби: А ты юмористка, что ли? Салат на обед ела, верно?

Кати: Щас подумаю... Да, а откуда ты знаешь?

Тоби: СЕЙЧАС, а не ЩАС. У тебя на скобке висят кусочки салатных листьев. Чего тебе надо?

Кати: Хоть ты этого и не заслужил, но я иду к ортодонту, может, ты тоже хошь. Как обычно, задашь ему миллион дурацких вопросов и доведешь его до белого каления. Мне нравится, как он бледнеет при виде тебя.

Тоби: Это да. Прости, я не могу с тобой. Ко мне придет Моника, будем смотреть футбол.

Кати: Моника, Моника, Моника. Я не могу больше слушать про эту дуру Монику. А меня ты почему не позвал?

Тоби: Потому что ты идешь к зубному.

Кати: Но ты же не знал об этом!

Тоби: Ладно. Хочешь сегодня посмотреть у меня дома чемпионат по футболу, несмотря на то, что ты ненавидишь футбол?

Кати: Не могу. Я занята.

Тоби: Вот видишь? И не жалуйся потом, что я никуда тебя не зову.

Кати: Когда ты узнал, что я иду к зубному?

Тоби: Пять минут назад

Кати: А когда ты пригласил к себе домой Монику Дойл?

Тоби: Неделю назад.

Кати: Об этом я и говорю!

* * *

У Вас входящее сообщение от: КАТИ

Кати: Мама, я ненавижу мужчин.

Рози: Поздравляю, дорогая, добро пожаловать в наш клуб. Членскую карточку получишь по почте. Какой торжественный момент, жаль, что у меня нет фотоаппарата!

Кати: Пожалуйста, мама, я серьезно.

Рози: Я тоже серьезно. Ну, что там натворил Тоби?

Кати: Он позвал к себе Монику Дойл смотреть футбол, а меня не пригласил. То есть он пригласил, но только после того как узнал, что я занята.

Рози: Ух ты, а у него соображалка уже работает. Ты говоришь про плаксу Монику? Про ту девочку, которая весь вечер плакала на твоем дне рождения, когда вам было по десять лет, потому что у нее отвалился накладной ноготь?

Кати: Да.

Рози: О боже. Какой противный ребенок.

Кати: Она не ребенок, мама. Ей четырнадцать лет, она крашеная блондинка, и у нее самая большая грудь во всей школе. Она никогда не застегивает верхние пуговицы на рубашке, и на физкультуре специально наклоняется так, чтобы мальчики видели ее грудь. Она даже с мистером Симпсоном флиртует! Делает вид, что ничего не понимает, только чтобы он подошел к ней поближе. Ее вообще ничего в жизни не интересует, кроме магазинов, и я не понимаю, чего ей дался этот футбол. То есть понимаю, конечно.

Рози: Похоже, мы имеем дело с характерным случаем шлюшечного бетанизма.

Кати: Чего-чего? Мам, ну что мне с ней делать?

Рози: Это просто. Ее нужно умертвить.

Кати: Ну мама, неужели ты не можешь говорить серьезно!

Рози: Я невероятно серьезная женщина. Придушить ее сейчас — это единственно возможный выход. Иначе она вернется через много лет и будет преследовать тебя, даже когда тебе будет тридцать два года. Единственный выход — насильственная смерть.

Кати: Спасибо большое. Может, все-таки придумаешь что-нибудь еще?

Рози: Говоришь, он тебя пригласил?

Кати: Да, но только потому, что я не могу прийти, и он это знает.

Рози: Моя дорогая неопытная дочь, приглашение есть приглашение. Отказываться невежливо. Сегодня вечером ты должна быть у него, я дам тебе денег на автобус.

Кати: Но, мам, я не могу! Мне нужно к ортодонту.

Рози: Ортодонт подождет. Я запишу тебя на другой день. Пойми, этот футбольный матч очень важен для тебя, ты не должна пропустить его из-за такой глупости, как починка зубов. А теперь хватит болтать, а то мистер Симпсон заметит, донесет Миссис Носатой Вонючке Кейси и меня уволят.

Кати: Ты только об этом и мечтаешь. Не знаю, как ты вообще у нее работаешь.

Рози: Вынуждена признать, что она совсем не так плоха, как кажется. По сравнению с тем, какие бывают начальники, она на редкость приятная женщина. Ее зовут Джулия. Представляешь? Оказывается, у нее есть имя. И при этом нормальное, вполне женское имя, а я-то думала, что ее зовут Владимир или Адольф.

Кати: Вот цирк, я тоже так думала. Тебе, наверно, неловко с ней работать, вы же столько ругались.

Рози: Да, немного неловко. Как будто она — мой бывший парень, и мы встретились через много лет после разлуки. Каждый день мы разговариваем чуть дольше, чуть дружелюбней, чуть-чуть меньше о работе и чуть-чуть больше о жизни. Нам самим это кажется странным, ведь мы столько лет друг друга ненавидели. Ты представляешь, она думала, что Алекс — твой папа!

Кати: Правда?!

328

Рози: А когда я сказала ей, что твой отец — Брайан, она так смеялась... Впрочем, тебе не стоит об этом рассказывать, наверное.

Кати: Это еще что. Когда Алекс услышит, что ты с ней подружилась, он в обморок упадет.

Рози: Тогда можешь ему рассказать, если хочешь.

Кати: А, точно, я забыла, что вы теперь не разговариваете.

Рози: Ну да, это длинная история.

Кати: Когда люди говорят «это длинная история», обычно имеется в виду, что история такая короткая и дурацкая, что стыдно рассказывать. Так почему ты с ним не разговариваешь?

Рози: Потому что меня больше не интересует, что он делает. Его ошибки — это его личное дело. Да он меня и не слушает.

Кати: А наш сосед Руперт говорит: «Ошибки — это врата открытий».

Рози: Это не Руперт говорит. Это сказал Джеймс Джойс.

Кати: Какой Джеймс? Я его знаю?

Рози: Он умер.

Кати: Ой, мне очень жаль, вы были хорошо знакомы?

Рози: Чему вас вообще учат в вашей школе?

Кати: Сейчас урок сексуального воспитания. Скучно до чертиков.

Рози: Вынуждена с тобой согласиться. Так вот про Алекса. Понимаешь, дорогая, он очень изменился. Он стал совсем другим человеком, он не тот, кого я знала.

Кати: Ну и ладно. Ему же было всего пять лет, когда вы познакомились, он был совсем сопляк. Если Тоби доживет до твоего возраста и будет по-прежнему вести себя как четырнадцатилетний пацан — вот это будет ненормально.

Рози: Поверь мне, дорогая, ты в своей жизни встретишь много тридцатилетних мужчин, по-прежнему считающих, что им четырнадцать.

Кати: Да-да-да. Это все я уже слышала. Папа приедет домой на Рождество. Он просил меня спросить у тебя, не хотим ли мы отпраздновать Рождество с ним и его родителями. Я подумала, что идея отличная, все равно у нас с тобой щас никого больше нет.

Рози: Не могу тебе передать, как я рада. Представляю себе, каким счастливым будет это Рождество...

* * *

Привет, дорогая!

Как хорошо, что ты нас проведала. Я обещаю, что к следующему твоему приезду в доме будет порядок. Мне сейчас так трудно прийти в себя после всех этих путешествий.

Это так интересно — у нас теперь новый дом, новый город, все новое. Люди здесь очень дружелюбные. Мы с папой даже вспомнили ирландский язык. Конечно, у нас не такие занимательные соседи, как у тебя, но папа просил передать, что нашей стране вообще не повезло с соседями: Европа с одной стороны, Америка — с другой...

Рози, девочка моя, мы с папой тобой гордимся. Хочу, чтобы ты это знала. Ты сильная, тебя не пугают трудности. Кати должна быть счастлива, что у нее такая мать. Она тоже растет очень сильной, правда? Вся в тебя. Прости, что мы с Дэннисом оставили вас, когда ты переживала все это с как-бишь-его. Я скрепя сердце заставила себя уехать. Ты молодец, ты со всем справилась. Помни, что пережитые трудности делают тебя сильнее.

330

Ты обязательно должна приехать к Алексу на свадьбу. Я недавно разговаривала с Сандрой, она сказала, что свадьба будет огромная, они запланировали ее как раз на Рождество. Они хотят пожениться до того, как родится ребенок. Сандра будет очень рада, если вы с Кати приедете, они ведь знают вас обеих с малых лет. Похоже, Сандра тоже не в восторге от Бетани, но она любит Алекса и готова принять его выбор.

Сандра и нас с Дэннисом пригласила, но мы не сможем приехать, мы уже пообещали встретить Рождество со Стефани и Пьером. Я уверена, что в Париже будет восхитительно, и мне не терпится поскорее увидеть вторую внучку! Жалко, что вы с Кати не едете с нами, хотя я понимаю, конечно, что она хочет побыть с папой, познакомиться с новыми бабушкой и дедушкой. В глубине души я немножко ревную — как это они будут вместо меня праздновать Рождество с моей Кати!

Кевин, представь себе, познакомился с девушкой и поедет на праздники в Донегал к ее родителям. Похоже, это у них серьезно! Она, кажется, работает официанткой в том же отеле, но точно сказать не могу — ты же знаешь, как сложно вытянуть из Кевина хоть слово.

Папа передает тебе привет, он сразу после твоего отъезда свалился с ужасным гриппом, так что ты вовремя уехала. Он очень устал от всех этих путешествий. Представляешь, Рози, нам обоим уже за шестьдесят. Время бежит до того быстро, что начинаешь ценить каждый новый день. Все, мне пора, он меня зовет. Он так стонет и жалуется, словно это не грипп, а смерть его пришла!

Очень люблю вас, мои дорогие девочки.

Мама

* * *

Д-р Реджинальд и Миранда Вильямс
счастливы пригласить **Кати Дюнн** *на церемонию*
бракосочетания своей возлюбленной дочери
Бетани Вильямс
и
д-ра Алекса Стюарта,
которая состоится в
церкви Поминовения при Гарвардском университете
а также на банкет в
Бостон Харбор Отель
28 декабря

Глава 40

Добро пожаловать в дублинский чат «Развелся и доволен».

В настоящий момент в чате находятся шесть человек.

Разведенка_1: Одинокая, перестань хныкать и посмотри на вещи трезво. Ты же должна его ненавидеть! Повторяй за мной: я сильная женщина.

Одинокая: Я сильная женщина.

Разведенка_1: Я контролирую свою жизнь.

Одинокая: Я контролирую свою жизнь.

Разведенка_1: Я не виновата, что Томми ушел.

Одинокая: Я не виновата, что Томми ушел.

Разведенка_1: И мне наплевать на него, потому что он подонок.

Одинокая: Нет, этого я не скажу!

Разведенка_1: Дай-ка я тебе напомню, как все было. Он ушел от тебя через полгода после свадьбы, забрал мебель, посуду, даже дешевый коврик из ванной, и оставил тебе — что? Записку. Поэтому, дорогая, повторяй за мной: мне наплевать, что он ушел, потому что он подонок!

Одинокая: Мне наплевать. что он ушел, потому что он ПОДОНОК!

Разведенка_1: Пошел в жопу!

Одинокая: Пошел в жопу!

Неуверенная: Вы знаете, я что-то не уверена, что ей это поможет.

Разведенка_1: Да ну тебя, ты никогда ни в чем не уверена!

Одинокая: Да ну тебя, ты никогда ни в чем не уверена!

Разведенка_1: Это можно было не повторять.

Травка: Ха-ха-ха-ха!

Неуверенная: Такое впечатление, что только ты одна имеешь право на собственное мнение.

Разведенка_1: А что, у тебя есть собственное мнение?

ОдинокийСэм: Девочки, успокойтесь. Не валяй дурака, Неуверенная, нам всем очень интересно тебя послушать. Итак, что же ты думаешь по поводу того, что Леонард тебе изменил?

Разведенка_1: Она поступила очень мудро: переехала в гостиную и поставила крест на своей жизни.

ОдинокийСэм: Тихо, тихо, Разведенка_1, дай человеку сказать.

Неуверенная: Спасибо, Сэм, ты настоящий джентльмен. Понимаете, я не могу пойти на развод. Я выросла в католической семье, и пастор говорил, что развод — «это зло, расползающееся по обществу, как чума». Я с ним согласна. Люди женятся, чтобы всегда быть вместе. И мы останемся вместе, что бы ни случилось.

Разведенка_1: Твой пастор никогда не жил с моим бывшим мужем.

Неуверенная: Если ты будешь продолжать в том же духе, я вообще не буду с тобой разговаривать.

Травка: Но ведь католическая церковь допускает расторжение брака.

Неуверенная: Я не могу.

Травка: Почему? Это почти то же самое, только священник дает свое, так сказать, благословение.

Неуверенная: Нет.

Травка: Хотя бы объясни, почему?

Разведенка_1: Потому что она зациклилась на своем муже.

Неуверенная: Нет, Разведенка_1, просто это будет неправильно. Для детей.

Разведенка_1: А разве правильно, что ваши дети видят, как отец спит в вашей спальне, с телевизором и прочими удобствами, а ты ютишься в гостиной? Как ты сидишь дома по выходным, а он уходит на свидания? Они подумают, что все супруги должны спать в разных комнатах и заводить себе любовников.

Одинокая: Ты что, действительно позволяешь ему ходить на свидания?

Неуверенная: Да нет же, что ты ее слушаешь. Это не свидания, это деловые встречи. Я же не могу запретить ему работать из-за того, что его начальник — женщина.

ОдинокийСэм: Неуверенная, но ведь в прошлый раз он изменял тебе именно со своей начальницей...

Травка: ха ха ха ха ха

Одинокая: А я понимаю Неуверенную. Она хотя бы может жить с человеком, которого любит, может видеть его каждый день, разговаривать с ним... Ну и что, что он ее не любит?

Неуверенная: Ты должна была вместе с Томми бороться за вашу семью. Полгода — это слишком мало, чтобы научиться жить вместе.

Разведенка_1: Неуверенная, Томми снял все деньги с ее банковского счета, забрал ее обручальное кольцо, вывез мебель, телевизор, магнитофон, компакт-диски, одежду, он забрал вообще все — и исчез. Кому надо, чтоб он вернулся? Да я б его и на порог не пустила!

Неуверенная: Ты не понимаешь: она его любит, и брак — священен.

Разведенка_1: Но ведь он *вор*. Девочки, вы просто не в себе.

Травка: Как говорится, любовь слепа.

Разведенка_1: А в данном случае еще и слабоумна.

Лютик входит в чат.

Разведенка_1: Ну наконец-то хоть один нормальный человек пришел!

Лютик: Вы представляете, что сделала эта скотина? Он женился на ней!

Разведенка_1: Отлично. Пошел в жопу.

ОдинокийСэм: Ты говорила с ним?

Лютик: Нет. Он же просил меня больше ему не надоедать.

ОдинокийСэм: Я думал, что он мог прислать тебе приглашение.

Лютик: Нет, этот жалкий самовлюбленный —

Неуверенная: Не надо, Лютик, не ругай его, ведь он и так наказан, раз женился на этой женщине.

Одинокая: Вот если бы мой отец мог повысить Томми на работе! Тогда бы он точно ко мне вернулся.

Разведенка_1: Какая хорошая идея, Одинокая! Именно так и создаются счастливые семьи!

Лютик: Зато они пригласили мою тринадцатилетнюю дочку! Она что, одна в Бостон поедет? Он совсем спятил, похоже. Все. Он мне больше не друг.

Одинокая: Лютик, давай с тобой дружить?

Разведенка_1: Вот несчастная женщина.

Одинокая: Ну что опять такое?

Травка: А ты бы поехала на свадьбу, если бы он тебя пригласил?

Лютик: Да ни за что, даже если бы свадьба сама приехала ко мне.

Одинокая: Может быть, он знал, что ты не приедешь, и решил не печатать лишнее приглашение. Они же ужасно дорогие. Я помню, как мы с Томми вместе составляли список гостей... мы тогда были так счастливы...

Разведенка_1: Особенно Томми — он-то знал, что с половиной гостей не успеет даже познакомиться!

Одинокая: Как это несправедливо.

Лютик: Да нет, дело не в деньгах, у этих людей куча денег. И почему он тогда пригласил Кати? Видимо, только для того, чтобы плюнуть мне в лицо. Я физически чувствую у себя на лице этот плевок... Впрочем, я знаю, что их семейное счастье долго не продлится. Он скоро присоединится к нашей компании, ведь эта женщина — настоящая ведьма.

Разведенка_1: Брак священен, даже брак с ведьмой! Правда, Неуверенная?

Травка: ха ха ха ха ха

Неуверенная: Не смешно.

Разведенка_1: Что-то ты весь вечер смеешься. Мне кажется, наша Травка балуется травкой, если вы меня понимаете.

Неуверенная покинула чат.

Травка: Зачем ты так с ней, Разведенка_1?

Разведенка_1: Да ладно, ей это нравится. А иначе чего бы она каждый вечер сюда приходила? Мы же единственные взрослые люди, с кем она может поговорить.

Лютик: Как прошло Рождество?

Травка: Я всю неделю так веселилась! Просто супер. Никогда не видела столько Санта-Клаусов одновременно. Ха-ха. Ладно, мне пора бежать, сегодня иду на маскарад. Между прочим, оденусь кроликом из «Плейбоя»! Всем пока!

Травка покинула чат.

Лютик: А остальные что скажут?

Разведенка_1: Я набрала фунта два за эти праздники.

Одинокая: У меня ничего особенного не было

ОдинокийСэм: Зато по телеку в этом году показывали много интересного.

Разведенка_1: Это да.

Лютик: Да, я люблю рождественские программы.

Разведенка_1: Их и детям можно смотреть.

Лютик: Ага.

ОдинокийСэм: Показали парочку чудных документальных фильмов.

Лютик: О да.

Разведенка_1: Я смотрела вчера вечером фильм про белых медведей.

Лютик: Я тоже…

ОдинокийСэм: Оказывается, все белые медведи — левши.

Лютик: Забавно, правда?.. и улитки…

Разведенка_1: Улитки тоже левши?

ОдинокийСэм: Нет, зато они могут спать три года без перерыва.

Лютик: Вот везучие твари…

Разведенка_1: Да, по телевизору было много чего хорошего…

ОдинокийСэм: Вообще-то не так уж и плохо одному встречать Рождество. Хоть посидишь в тишине.

Одинокая: В *полной* тишине…

Лютик: Да уж, тишины было достаточно…

ОдинокийСэм: Вы знаете, когда я был женат, мы каждое Рождество устраивали шумные вечеринки, беспрерывно ходили по гостям… И отдохнуть-то времени не было. В этом году как раз наоборот. Никого не было, никаких гостей, никакого шума…

Лютик: У меня тоже.

Разведенка_1: Слушайте, кого мы обманываем? Это было самое ужасное Рождество в моей жизни.

Лютик: И у меня тоже.

ОдинокийСэм: И у меня.

Одинокая: И у меня.

Чтобы распечатать страницу, нажмите значок слева.

* * *

От кого	Джулия Кейси
Кому	Рози
Тема	Факс для тебя

Не хотелось бы тебя отвлекать, ты так напряженно работаешь (как там Руби?), но мне только что прислали факс. На нем не написано, что он для тебя, но кто еще из моих сотрудников мог дать номер моего факса для личных писем? Кажется, там внизу написано «Ат Джоша». Зайди ко мне в кабинет, забери его. Ну и раз уж на то пошло, перенаправь все звонки на меня, прихвати две чашечки кофе и не забудь сигареты.

* * *

СВЕТСКАЯ ЖИЗНЬ

Элоиза Паркинсон.

Счастливчики, которым довелось присутствовать на свадьбе Бетани Вильямс и Алекса Стюарта (достойной именоваться свадьбой года или как минимум свадьбой недели), никогда не забудут этого роскошного, изысканного и щедрого приема, устроенного для трехсот избранных гостей.

На свадебной церемонии не экономили. Церковь Поминовения при Гарвардском университете была завалена розами, тысяча свечей освещала ковровую дорожку ведущую к алтарю, превращая ее в подобие взлетной полосы, с которой начнется совместный полет этой изысканной пары.

34-летняя Бетани выглядела как всегда безукоризненно, ее восхитительное платье создал по особому заказу известный в кругу звезд (и в моем кругу) модельер Джереми Дуркин. Корсет, расшитый десятью тысячами жемчужин, ненавязчиво скрывал беременность, о которой давно говорит весь город. Прекрасные длинные волосы невесты были аккуратно стянуты на затылке, завершая задуманный образ. Пышная юбка из многих слоев нежного тюля тихо шелестела, когда счастливый отец доктор Реджинальд Вильямс вел дочь к алтарю.

Миранда Вильямс — с головы до ног идеальная мать — красовалась в алом брючном костюме от Армани. Ее сопровождал знаменитый Филип Трэйси, который своим появлением чуть не отвлек внимание публики от виновников торжества. Манекенщицы Сара Смит и Хэйли Броадбанк (имена которых едва ли что-то говорят Бетани), выступили в качестве подружек невесты. Они были одеты в одинаковые платья из красного шелка, сексуально облегающие их неприметные изгибы. В тщательно ухоженных руках девушки несли полдюжины роскошных роз, из таких же роз был составлен букет невесты (пойманный, кстати, вашей покорной слугой).

А у алтаря Прекрасный Принц, одетый в классическую черную тройку с белой рубашкой, красным галстуком и красной розой в петлице (розы в этот день были повсюду!), с гордостью смотрел как приближается к нему его красавица-невеста.

Шикарный банкет состоялся в ресторане «Харбор Отеля», и самую прочувствованную речь произнес шафер — восьмилетний Джош Стюарт — сын же-

340

ниха от первого брака с подругой по колледжу Салли Грюбер.

Церемония и банкет превзошли все ожидания и соответствовали самым высоким стандартам «Светской жизни». Для всех, кто видел первый танец молодоженов, стало очевидно, что этот брак — навсегда. Пожелаем им долгой, счастливой, безбедной и светской совместной жизни. Что касается меня, вашего любимого свадебного корреспондента, то я прощаюсь с вами и спешу со своим свадебным букетом на поиски нового суженого

* * *

Алексу:
С днем рождения, дедуля!
Вот тебе и 34 исполнилось!
Твоя любящая крестница,
Кати

* * *

Дорогая Рози!
С днем рождения, доченька!
Целуем.
Мама и папа

С днем рождения, сестренка!
Желаю хорошо повеселиться. (Не увлекайся больше вареными яйцами!)
Кев

Рози!
С днем рождения, подруга.

Вст и еще один год прошел.

Руби

От кого   Стефани
Кому   Рози
Тема   Твой приезд

Не могу дождаться, когда ты наконец приедешь посмотреть на Софию! Она ждет тебя с нетерпением. Жан-Луи тоже, как обычно, вне себя от счастья.

С днем рождения, сестричка! Уверена, что вы с Руби будете гулять до рассвета.

***

Дорогие Алекс и Бетани!

Поздравляем вас с рождением сына!

Наконец-то у Джоша появился братик, о котором он так мечтал!

Желаем счастья.

Рози и Кати

***

С днем рождения, родная моя!

Желаю хорошо повеселиться на дискотеке, но помни: никакого алкоголя, секса и наркотиков.

С любовью,

Мама

***

У Вас входящее сообщение от: РОЗИ

Рози: Итак, Кати Дюнн, кто же этот мальчик, с которым ты в пятницу всю ночь танцевала и целовалась?

Кати: Мам, я не могу щас разговаривать, мистер Симл - сон объясняет очень важную тему, я хочу послушать.

Рози: Врушка.

Кати: Я не вру. Он наверняка рассказывает что-нибудь очень важное.

Рози: Признавайся, кто это был?

Тоби: Привет, Рози.

Рози: Тоби, ты вовремя! Я как раз пытаюсь выяснить, что за таинственный кавалер был у Кати в пятницу ночью.

Тоби: Хи-хи. Все уже знают.

Кати: Не рассказывай ей, Тоби.

Рози: Так это правда?

Тоби: Ага.

Кати: Тоби сам всю ночь тискал Монику.

Рози: Тоби, неужели ты гуляешь с этой плаксой Моникой?

Тоби: А чего вы называете ее плаксой? Она не так уж часто плачет.

Рози: Видимо, твои поцелуи пошли ей на пользу. Ну что, дорогуша, рассказывай скорее, я вся внимание.

Кати: Его зовут Джон Маккенна, ему пятнадцать лет, он меня на год старше, и он очень милый.

Рози: Оооо, взрослый мужчина.

Кати: Да, мама, я знаю толк в мужчинах.

Рози: А ты что скажешь, Тоби?

Тоби: Нормальный парень, играет за школьную футбольную команду. Ничего такой.

Рози: Пообещай мне за ними присматривать.

Кати: Мама! Теперь он от меня не отвяжется!

Рози: Вы занимались сексом?

Кати: Мама! Мне же 14 лет!

Рози: На днях по телевизору показывали беременную девочку, которой тоже было всего четырнадцать лет.

Кати: Это была не я.

Рози: А наркотики ты не принимала?

Кати: Мам, ну перестань! Откуда у меня наркотики?!

Рози: Я не знаю, но та четырнадцатилетняя беременная девочка, которую показывали по телевизору, была наркоманкой!

Кати: Это была не я.

Рози: Вы пили?

Кати: Ну мама! Мама Тоби привезла нас на дискотеку и потом заехала за нами, когда бы мы успели выпить?

Рози: Не знаю. В наше время по телевизору постоянно показывают пьяных беременных четырнадцатилетних наркоманок.

Кати: Вот это уж точно не про меня!

Тоби: Что это вы за программы смотрите?

Рози: Главным образом новости.

Кати: Не волнуйся. Я знаю, что можно делать, а что нельзя. Хорошо?

Рози: Хорошо. Но помни, поцелуи — это замечательно, но дальше заходить не стоит. Поняла меня?

Кати: Мама! Мне ничего больше и не нужно!

Рози: Вот и хорошо, а теперь марш учиться. По этому предмету вы должны получить твердые пятерки!

Кати: Не получим, если ты и дальше будешь нас отвлекать!

* * *

Руби: Итак, какие у тебя планы на летние каникулы? Везет же — два месяца отпуска. А Энди-Крендель сказал мне, что свой отпуск я уже использовала, хотя все эти дни я провела на больничном. Он сказал, что невозможно проболеть шестьдесят пять дней за год и остаться в живых.

Рози: Да ты что, неужели у тебя вообще не будет отпуска? А я хотела съездить с тобой в Англию. В Блэкпул, например.

Руби: Не бойся, мы уже все уладили. Я сказала ему, что, если он даст мне две недели отпуска, я упомяну его скрепочную фабрику, когда мы с Гэри станем чемпионами мира и Опра пригласит меня на свое шоу. Так что ты собираешься делать?

Рози: Пока не знаю. Джулия хочет, чтобы я поступила на курсы гостиничного менеджмента. Как будто это так легко.

Руби: А почему это должно быть тяжело? Попробуй, Рози! Сколько я тебя знаю, столько ты бредишь отелями. У тебя дом и то похож на музей гостиничного дела. Ты наворовала столько ковриков, что дверь в ванную уже еле открывается. Мне сложно понять, почему ты на этом помешалась, но раз тебе так нравится, значит, стоит попробовать!

Рози: Джулия сказала, что, если я не поступлю, она меня уволит. И еще она сказала, что, когда я получу диплом, она все равно меня уволит.

Руби: Я бы на твоем месте послушалась. Как-никак, она твоя учительница.

Рози: Руби, но мне придется целых три года учиться, чтобы получить диплом! Это стоит кучу денег, и это будет так тяжело — днем работать, ночью учиться...

Руби: Отговорки всегда найдутся, Рози.

* * *

Дорогая Рози!

Спасибо тебе за открытку.

Прости, что мы долго не отвечали, было столько дел! Ведь у нас родился малыш, и жизнь нашей семьи так изменилась!

С наилучшими пожеланиями,
Бетани (а также Алекс, Тео и Джош)

***

У Вас сообщение от: РОЗИ

Рози: Знаешь, Руби, я тут подумала и поняла, что на ближайшие три года у меня запланировано не так уж много дел! А если есть время, почему бы не заняться самообразованием?

Глава 41

Привет, мам!

У нас опять зима. Когда я думаю о том, как быстро бежит время, мне становится не по себе. Жизнь проходит, а я этого даже не замечаю, только вижу, как с каждым днем меняется Кати. Она очень повзрослела за этот год. У нее уже есть собственное мнение по любому поводу, и она все чаще задает вопросы, ответов на которые я не знаю.

Время идет, а я по-прежнему в пути — между прошлым, которое осталось позади, и будущим, которое я пока не нашла. Я как будто что-то ищу и ни на чем не могу остановиться. У меня такое чувство, будто это я, а не вы, путешествовала весь год Бог знает где, а сейчас вернулась и не могу понять, что делать дальше. Наверное, вдвоем намного легче. По крайней мере, ты точно знаешь, где твой дом — он там, где папа.

Я начала понимать, что дом — это не место, а состояние души. Я могу навести в квартире идеальный порядок, заставить все подоконники цветами, у порога положить коврик с надписью «Добро пожаловать», потом надеть передник и напечь пирогов, но уютнее от этого не станет. Я ведь знаю, что когда-нибудь мы все равно отсюда уедем. Я словно провожу ночь на вокзале в ожидании своего поезда.

Вроде бы все просто: мой дом — там, где живет Кати. Но ведь это я должна создавать для нее дом, а не наоборот. К тому же, я точно знаю, что пройдет несколько лет и она уйдет от меня.

К тому времени, когда она меня покинет, я должна научиться жить своей собственной жизнью, ведь прекрасный принц мне уже не светит. Какую злую шутку играют с нами сказки. Я точно знаю, что не нужен мне ни рыцарь, ни принц, что от них бывают одни только огорчения и неприятности; но каждый раз, когда мне становится невмоготу, я опять мечтаю, чтобы кто-нибудь прискакал (по-настоящему прискакал, на белом коне!) и забрал меня отсюда. Все равно куда.

Я сейчас как тренер готовлю Кати к настоящему испытанию — к взрослой жизни. Вряд ли она понимает, что это такое — жить без меня. То есть она, конечно, мечтает об этом, воображает, как будет путешествовать по миру, играть в клубах, возвращаться домой на рассвете — и все это без меня. Но толком она себе этого не представляет. Да и не должна представлять — ей ведь всего четырнадцать. Она еще не доросла до самостоятельной жизни. Мне до сих пор приходится следить, чтобы она не прогуливала школу.

Впрочем, в последнее время она просыпается сама и бежит на занятия чуть ли не вприпрыжку. Это из-за Джона, ее нового мальчика. Парочка в последнее время просто неразлучна. Каждую пятницу они ходят танцевать в клуб «GAA» возле его дома. Джон играет в городской футбольной команде юниоров нападающим. У него чудесная мама, она даже порою подвозит Кати домой после дискотеки. О Тоби уже несколько месяцев ни слуху ни духу, недавно я встретила его мать в школе, и она сообщила мне по большому секрету, что он тоже целыми днями гуляет со своей новой девочкой Моникой.

Помнится, я не бегала по свиданиям, когда мне было четырнадцать. Нынешняя молодежь слишком быстро взрослеет... (Тьфу, я говорю, как СТАРУХА!) Да, мама, спасибо, что напомнила... Я действительно забеременела в семнадцать лет, не имея ни мужа, ни образования, ни головы на плечах, и чуть не довела вас с папой до инфаркта, но, между прочим, в некоторых странах семнадцать лет для женщины — серьезный возраст, так что благодари судьбу за то, что это не случилось раньше.

На выходных приезжал Кевин со своей девушкой. Она мне очень понравилась, вот только никак не могу понять, что она в нем нашла? Представляешь, они встречаются уже целый год! Он такой скрытный, это просто невозможно. Чувствую, нашему семейству предстоит пережить еще одну свадьбу. Передай папе, чтобы разыскал на чердаке свой старый смокинг и проветрил его от нафталина, а то мало ли что... Слава богу, в этот раз папе хотя бы не придется вести невесту под руку к алтарю. Признаться, на моей свадьбе я больше волновалась за него, чем за себя.

Жизнь в нашем северном «Стрэнд Палас» далеко не сахар. Окна тут выполняют исключительно декоративную функцию, осенний ветер легко продувает их насквозь. Ночью была страшная холодина, а потом пошел дождь, и стало еще хуже. Фонарь с улицы светит прямо в наше окно. Почему было не повернуть его чуть вправо, чтобы мешал не мне, а Руперту? Правда, благодаря этому фонарю можно экономить на электричестве. Из-за такого освещения улица выглядит очень живописно, и вечерами, глядя в окно, я почти жду, что из-за угла появится Джин Келли и исполнит свой знаменитый танец с зонтиком. Почему в кино даже такая неприятная вещь, как дождь, выглядит романтично?

По утрам я встаю в такую рань, что за окном еще темно, как в могиле (разве это нормально — вставать, когда даже солнце спит?). Я выскакиваю на улицу, дрожа с головы до ног, и иду под дождем к автобусной остановке. У меня мерзнут уши, тушь течет по лицу, зонтик вырывается из рук и выворачивается наизнанку, а волосы висят как сосульки (непонятно, зачем я вообще их укладываю перед выходом), и похожа я в этот момент на изрядно потрепанную Мэри Поппинс. А автобус, конечно, опаздывает. Или приходит вовремя, но не останавливается, потому что переполнен. На работу я приезжаю с опозданием и выгляжу при этом как мокрая курица, в то время как все остальные девушки встают на час позже, не спеша красятся, причесываются, садятся в машину и приезжают за полчаса до начала занятий, успевая перед работой еще и кофе попить. И так каждый день.

Если я еще раз услышу какую-нибудь песню о том, как прекрасен дождь, я за себя не ручаюсь.

Кстати, тебе интересно, почему я пишу тебе не по интернету? В Интернет-кафе у нас работает такой красавчик, что я готова съесть его целиком. Мне кажется, он уже понял, что я к нему неравнодушна, так что я решила временно туда не ходить. Кроме того, я очень занята — нужно делать вид, что я учусь. У нас с Кати скоро экзамены, и я недавно отругала ее за то, что она беспечно к ним относится. Теперь мне приходится подавать ей пример. Сейчас мы сидим с ней на кухне, стол завален учебниками и тетрадками, и у нас обеих ужасно умный и сосредоточенный вид.

Ты не представляешь себе, сколько всего мне пришлось вызубрить за неделю. Не было даже времени приготовить еду, так что питались мы в этой индийской забегаловке на первом этаже. Хорошо хоть Санджай делает нам скидку в сорок процентов на все, что мы уносим с собой. Недавно у него в меню появилось новое блюдо под названием «Курица карри а-ля Рози», вчера он бесплатно прислал нам ее вместе с нашим заказом. Мы попробовали, и сразу отправили обратно. Шучу. Это обычная курица с карри. Он добавил только имя. Но мне все равно было очень приятно видеть эту строчку в меню, а когда посреди ночи какой-то мужчина на улице начал громко кричать: «Рози»,— мне приснилось, что это мой Ромео пришел, зовет и бросает камушки в окно, чтобы пробудить меня ото сна. Правда, я довольно быстро осознала, что сейчас суббота, час ночи, паб только что закрылся, и проголодавшиеся пьяницы выкрикивают кассиру свой заказ, а в окно стучится дождь. Но это был приятный сон, и я не против, чтобы он снился мне снова и снова.

Кстати, прошлой ночью приснилось, что я курица и бегаю по огромной гостиничной кухне, а следом носятся повара, официанты и посетители, пытаясь меня зарезать. Понимай как хочешь.

Каждый раз, когда я прохожу мимо жены Санджая, она качает головой и неодобрительно цокает языком. А он по-прежнему зовет меня на свидания, иногда в ее присутствии. Тогда я очень громко ему отвечаю, что не могу на это согласиться, учитывая его семейное положение. Говорю, что он должен уважать свою жену, но даже если бы он не был женат, я все равно бы отказалась. Я уверена, что она меня слышит, но при встрече она по-прежнему цокает языком, а Санджай улыбается как ни в чем не бывало и бесплатно добавляет в мой заказ пару чечевичных лепешек. Этот человек явно не в себе.

Руперт (единственный нормальный человек из всех моих соседей) пригласил меня в Государственный концертный зал. Видимо, там будет его любимый Брамс, концерт для фортепиано с оркестром си-бемоль мажор, опус 83. Впрочем, это даже не свидание — ведь Руперт совершенно бесполый. Мне кажется, ему просто нужна компания.

Меня это полностью устраивает, так что я, наверное, соглашусь. Представь себе, на руке у него написано: «Я люблю мамочку». По-моему, это способно охладить даже самую страстную женщину. И цитата из Джойса у него на груди тоже выводит меня из себя — Руперт очень высокий, так что эта татуировка находится прямо на уровне моих глаз, и при встрече мне каждый раз приходится читать: «Ошибки — это врата открытий». Я начинаю думать, что это какой-то знак, что Руперта специально поселили рядом со мной, чтобы бесконечно мучить меня напоминанием о моих ошибках. Нет бы написать что-нибудь оптимистическое. Например: «Шоколад полезен для здоровья!»

Кстати, об ошибках. С Алексом мы не разговариваем уже почти год. Похоже, на этот раз все серьезно. Время от времени мы обмениваемся бессмысленными поздравительными открытками, но не более того. Такое ощущение, что мы затеяли игру в гляделки, и ни один из нас не хочет уступить. Я безумно по нему скучаю. Каждый день происходит столько всяких забавных мелочей, которые можно было бы ему рассказать. Например, сегодня утром почтальон принес почту в дом напротив, и на него снова напала эта безмозглая собачка Джека Рассела по кличке Джек Расселл. Он попытался стряхнуть ее со своей ноги, как делал это каждое утро, но случайно пнул в живот, бедный песик упал на асфальт и больше уже не поднялся. Потом на улицу вышел хозяин, и почтальон сделал вид, что, когда он пришел, песик уже лежал на асфальте. Хозяин ничего не заподозрил, и они устроили настоящее шоу, пытаясь вернуть собаку к жизни. Наконец Джек Расселл поднялся, посмотрел на почтальона, зарыдал и убежал к себе в дом. Это было ужасно смешно. А почтальон пожал плечами и ушел. Когда он дошел до моего дома, он уже что-то беспечно насвистывал. Алекс бы очень смеялся, если бы я ему рассказала. Эта проклятая собака постоянно лаяла по ночам, мешая нам спать, а по утрам воровала мою почту.

ИЕРАРХИЧЕСКАЯ ТЕОРИЯ ПОТРЕБНОСТЕЙ МАСЛОУ

Не пугайся, это Кати пыталась подсмотреть, что я делаю. Мне кажется, она ничего не заподозрила. Ладно, мне и правда пора заниматься. Передай папе привет, скажи, что я его очень люблю.

В субботу вечером по милости Руби мне предстоит свидание вслепую. Я ее чуть не убила, когда узнала, но отменять уже поздно. Пожелай мне удачи. Пусть мне не придется ужинать с маньяком-убийцей.

С любовью,
Рози

* * *

У Вас входящее сообщение от: РОЗИ

Рози: Привет, Джулия. Я добавила вас в список друзей и теперь всегда могу видеть, что вы в Интернете, и посылать вам сообщения.

Джулия: Только пока я тебя не заблокирую.

Рози: Что-то мне подсказывает, что вы этого не сделаете.

Джулия: Зачем нам разговаривать по Интернету, если я сижу в соседней комнате?

Рози: Мне так больше нравится. Так я могу делать несколько дел одновременно. Могу разговаривать с кем-нибудь по телефону и одновременно обсуждать с вами дела. Кстати, миссис Кейси, а чем вы вообще занимаетесь? Кроме того, что мучаете невинных детишек и достаете их измотанных родителей.

Джулия: Пожалуй, это мои основные обязанности. Знаешь, Рози, ты была одной из самых неприятных учениц в моей жизни и еще более неприятной родительницей. Вызывать тебя в школу было сущим наказанием.

Рози: Для меня наказанием было приходить.

Джулия: А сейчас ты добавляешь меня в список друзей. Кто мог знать, что все так изменится. Кстати, на следующей неделе я устраиваю небольшие посиделки в честь дня рождения. Может быть, заглянешь ко мне?

Рози: А кто еще придет?

Джулия: Еще парочка запуганных мною детишек. Мы любим иногда собираться и вспоминать старые добрые времена.

Рози: А если серьезно?

Джулия: Да так, парочка друзей соберется пропустить по паре стаканчиков и съесть пару бутербродов, всего на пару часиков. Нужно же отметить событие. А потом можете идти на все четыре стороны.

Рози: А сколько вам исполняется? Мне нужно купить соответствующую открытку и сделать надпись на подарке.

Джулия: Только попробуй, я уволю тебя в ту же минуту. Мне будет пятьдесят три.

Рози: Вы всего на двадцать лет меня старше! А мне всегда казалось, что вы ужасно старая!

Джулия: Забавно, да? А ведь когда ты закончила школу, мне было столько лет, сколько тебе сейчас. Детям ты, наверное, тоже кажешься ужасно старой.

Рози: Я себя так и чувствую.

Джулия: Старушки не ходят на свидания вслепую. Рассказывай давай, как все прошло? Что за мужчина?

Рози: Невероятно привлекательный. Его зовут Адам. Он очень воспитанный, остроумный и милый. Он заплатил за еду, за выпивку, за такси, вообще за все, не позволил мне даже кошелек достать (и правда, откуда у меня деньги, при моей-то нищенской зарплате, кха-кха...). Он высокий красивый брюнет, одевается безупречно. Красивые брови, ровные зубы и ни волосинки в носу.

Джулия: И чем он занимается?

Рози: Он инженер.

Джулия: То есть он воспитанный, привлекательный и обеспеченный мужчина. Слишком хорошо, чтобы быть правдой. Вы договорились еще встретиться?

Рози: После ужина от отвез меня в свой пентхаус. Он живет на набережной сэра Джона Роджерсона, там невероятно красиво. Он поцеловал меня, я осталась ночевать, он предложил мне снова встретиться, я отказалась.

Джулия: Ты что, не в себе?

Рози: Видимо, да. Понимаете, он очень хороший, но этого мало. Должно быть что-то особенное, какая-то искра.

Джулия: Это же было всего лишь первое свидание! Нельзя судить по первому свиданию.

Рози: Но по первому поцелую уже можно.

Джулия: А чего же ты ждала, фейерверков?

Рози: Как раз наоборот. Я хочу тишины, мгновения абсолютной тишины.

Джулия: Тишины?!

Рози: Долго объяснять. В общем, эта ночь только доказала еще раз, что можно познакомить меня с человеком, идеальным во всех отношениях, но у нас все равно ничего не получится. Я не готова. Не надо на меня давить, должно пройти время.

Джулия: Ладно, ладно, я обещаю больше не поднимать этот вопрос, пока ты сама не скажешь, что время пришло. Как там, кстати, твоя учеба?

Рози: Плохо. Очень трудно учиться, работать и воспитывать ребенка одновременно. Я вчера просидела всю ночь напролет, размышляя о жизни, о Вселенной и ее обитателях — то есть к учебникам так и не притронулась.

Джулия: Не переживай, это бывает. Поверь мне, когда ты доживешь до моего возраста, подобные мысли перестанут тебя беспокоить. Я могу тебе чем-то помочь?

Рози: Вообще-то да. Если бы мне немного подняли зарплату, было бы просто потрясающе.

Джулия: Не думаю, что это возможно. Что, все так плохо?

Рози: В целом нет, не считая того, что нужно. есть, одеваться, учить ребенка и ежемесячно платить хозяевам за то, что мы живем в этой коробке из-под телевизора.

Джулия: Да, деньги вечно уходят на всякие глупости. С Алексом не общалась?

Рози: Нет.

Джулия: Какие же вы смешные оба. Я всю жизнь пыталась вас разлучить, а тут вдруг вы сделали все за меня! Передай ему, что Миссис Носатая Вонючка Кейси разрешила вам снова сидеть вместе.

Рози: Он все равно никогда вас не слушался. Ему пишет только Кати, я с ним не общаюсь, разве что посылаю поздравления по разным поводам. Он отвечает мне тем же. Раз в несколько месяцев приходит открытка из какой-нибудь экзотической страны, содержащая увлекательные сведения о погоде. Так что мы не полностью игнорируем друг друга. У нас очень культурная ссора.

Джулия: Не разговаривать друг с другом действительно очень культурно. Его ребенку уже полгода, а ты даже не знаешь, как он выглядит. Не тяни, Рози, годы пролетят незаметно, и, когда ты опомнишься, может быть слишком поздно.

Глава 42

Дорогие Рози и Кати Дюнн!

Примите новогодние поздравления от имени больницы св. Иуды!

Я, моя жена и двое сыновей желаем вам и вашим близким здоровья и счастья в Новом году!

Счастливого Рожества и с Новым годом!

Д-р Алекс Стюарт MD BSc MBChB FRCS (CTh)

Кому: Д-р Алекс Стюарт MD RIP [1] ЛЯ ЛЯ ЛЯ

Пусть грядущий год будет счастливым для Вас и Вашей семьи!

Рози Дюнн С.У.В.А.Ж.Е.Н.И.Е.М.

***

У Вас входящее сообщение от: АЛЕКС

Алекс: А ты знаешь, что такое уважение?

Рози: Вот это да! Ты со мной разговариваешь?

---

[1] RIP, requiescat in pace — мир праху твоему (общепринятая надпись на надгробии) *(лат.)*.

Алекс: У нас было достаточно времени, чтобы наобижаться вдоволь. Кто-то из нас должен сделать первый шаг. Хотя, насколько я помню, не я был виноват.

Рози: Ты.

Алекс: Нет, Рози, не я.

Рози: Ты, ты!

Алекс: Ну хватит уже! Я сказал тебе, что Бетани беременна, из-за чего ты начала кричать, брызгать слюной и ругать меня последними словами, потому что быть мужчиной — это страшная и постыдная болезнь. Чтоб ты знала — я сделал ей предложение тем же вечером, когда проходила церемония награждения. Бетани так обрадовалась, что при встрече сразу рассказала об этом родителям (как сделал бы любой нормальный человек). А ее отец поднялся произносить благодарственную речь и попутно объявил, что его дочь выходит замуж (и так сделал бы любой счастливый отец).

Там были журналисты, они сразу же сообщили новость в редакции, чтобы она успела попасть в утренние газеты. Я отпраздновал помолвку со своей невестой и ее семьей, вернулся домой, уснул, а проснулся на следующий день оттого, что телефон разрывался — мои родственники требовали объяснить, почему я не сообщил им, что женюсь. Мой почтовый ящик был переполнен письмами от обиженных друзей, и не успел я толком со всем этим разобраться, как ворвалась ты, обвиняя меня во всех смертных грехах.

Я отправил вам с Кати приглашения на свадьбу, надеясь, что, несмотря на твое неодобрение и все эти чудовищные истории, которыми ты пыталась объяснить мой поступок, ты все равно поведешь себя как друг, на звание которого ты всегда претендовала, и приедешь, чтобы быть рядом со мной в этот день.

А за прошлую открытку извини, это случайно вышло. Твое имя было в списке на рассылку поздравлений, но я что-то перепутал, и ты получила текст, который я обычно рассылаю своим пациентам.

Рози: Минуточку, я не получила приглашения!

Алекс: Что?

Рози: Я не получила приглашения на твою свадьбу. Приглашение для Кати было, а для меня — нет. А Кати не смогла бы поехать, ведь ей всего четырнадцать, и потом — где бы она остановилась? Не в гостинице же. Мы, честно говоря, не можем себе этого позволить —

Алекс: Подожди! Дай сообразить. Ты не получила приглашения?

Рози: Нет. Только Кати.

Алекс: А родители получили?

Рози: Да, они получили, но не смогли приехать, потому что гостили у Стеф в Париже и —

Алекс: Хорошо, хорошо! А может, твое приглашение по ошибке пришло на их адрес?

Рози: Нет.

Алекс: Ну, а мои родители разве ничего тебе не сказали?

Рози: Они сказали, что были бы очень рады меня видеть, но ведь они не могут пригласить меня, если ты этого не сделал.

Алекс: Но ты точно была в списке гостей! Я своими глазами видел твое приглашение у нас на кухонном столе.

Рози: Вот как.

Алекс: Как же это могло случиться?

Рози: А я откуда знаю? Я вообще не знала, что для меня было приглашение! Кто их рассылал?

Алекс: Бетани и наш свадебный менеджер.

Рози: Так... то есть мое приглашение исчезло после того, как Бетани направилась к почтовому ящику, но до того, как оно успело упасть в щель...

Алекс: Не надо, Рози, Бетани тут не при чем. Ей незачем строить против тебя козни, у нее достаточно своих дел.

Рози: Каких, интересно? Например, сплетничать с мамочкой?

Алекс: Перестань.

Рози: Я потрясена.

Алекс: И ты все это время думала, что я не хотел тебя видеть?

Рози: Да.

Алекс: А почему же ты ничего не сказала? Почему ты целый год молчала? Если бы ты меня не пригласила на свадьбу, я бы как минимум сказал что-нибудь!

Рози: А почему ты не спросил, из-за чего я не приехала? Если бы я пригласила тебя на свадьбу, а ты не приехал, я бы как минимум сказала тебе что-нибудь!

Алекс: Я на тебя сердился.

Рози: Я тоже.

Алекс: Я все еще не могу забыть то, что ты мне тогда наговорила.

Рози: Скажи мне вот что, Алекс. Разве за несколько месяцев до того ты не говорил мне, что Бетани — «не та, кто тебе нужен», что ты не любишь ее?

Алекс: Да, но —

Рози: Разве ты не собирался расстаться с ней, пока не оказалось, что она беременна?

Алекс: Да, но —

Рози: Разве ты не волновался за свою работу, когда отказался жениться на Бетани?

Алекс: Да, но —

Рози: И разве ты —

Алекс: Перестань, Рози. Это еще не все. Я действительно хотел быть рядом с Тео и Бетани.

Рози: Тогда я не понимаю. Если ты на самом деле пригласил меня на свадьбу, а я была не так уж неправа в том, что тебе наговорила, почему же мы целый год не разговаривали?

Алекс: Щас меня больше волнует вопрос. куда, черт возьми, подевалось твое приглашение. Менеджер не мог ошибиться. Разве что это был...

Рози: Кто?

Алекс: Это сделал не человек. Рози.

Рози: А кто же?

Алекс: Джек Рассел Джека Расселла. Я сверну ему шею, как только доберусь до него.

Рози: Нет, Алекс...

Алекс: Да, да! Я этого маленького хвостатого воришку —

Рози: Боюсь, что ты опоздал. Он умер. Почтальон совершенно случайно (я свидетель) пнул его в живот, и так повторялось несколько дней подряд, и в один прекрасный день Джек уже не смог подняться.

Алекс: Ах, как жалко.

Рози: Мне тоже.

Алекс: Так что, мир?

Рози: Мир. И давай не будем больше ссориться.

Алекс: Давай. Слушай, мне пора — мой ребенок вылил завтрак себе на голову и втирает его в волосы с выражением крайней сосредоточенности на лице. Что-то мне подсказывает, что пора менять подгузник.

* * *

Доченька!

Вот ты и стала еще на год старше!

С днем рождения, Рози!

Мы верим, что экзамены пройдут отлично, тьфу-тьфу-тьфу, чтоб не сглазить!

С любовью,

Мама и папа

361

Сестричка!

Я рада, что ты наконец догоняешь меня, мне надоело быть единственной сорокалетней кошелкой в нашей компании! Желаю успешно сдать экзамены. У тебя есть целых два месяца, ты успеешь подготовиться. Уверена, все пройдет как по маслу!

С днем рождения!

Целуем,

Стефани, Пьер, Жан-Луи и София

С днем рождения, мама!

Надеюсь, подарок тебе понравится. Если он на тебя не налезет, можешь отдать мне!

Целую.

Кати

Моей замечательной подруге.

С днем рождения, Рози!

Итак, тебе уже 36. Я тут работаю над проектом по замедлению времени, хочешь поучаствовать в экспериментах?

Желаю веселого праздника. Надеюсь, скоро увидимся!

Алекс

Рози!

Снова поздравляю с днем рождения!

Отпразднуем это дело, а потом — никаких развлечений, ты должна сдать экзамены на пятерки. Ты моя единственная надежда на новую жизнь. Я хочу выступать в твоем отеле!

Целую.

Руби

У Вас входящее сообщение от: РОЗИ

Рози: 16. Моему маленькому ангелу уже 16 лет. И что же мне теперь делать? Есть какие-нибудь советы матерям?

Руби: Слушай, она же не вчера родилась. У тебя было шестнадцать лет, чтобы подготовиться к этому дню. Я не понимаю, чему ты так удивляешься.

Рози: Ты бездушное существо, Руби. Неужели тебя ничто не трогает? Каково тебе было, когда Гэри исполнилось шестнадцать?

Руби: Я смотрю на это по-другому. Я не придаю большого значения возрасту, дням рождений — это такие же дни, как и остальные. Их придумали для того, чтобы было о чем поговорить. Ты правда считаешь, что в свой шестнадцатый день рождения Кати вдруг проснется другим человеком? Тебе вот месяц назад исполнилось тридцать шесть, то есть до сорока осталось четыре года. И что же — в сорок лет ты будешь сильно отличаться от самой себя в тридцать девять или сорок один? Люди навыдумывали все это, чтобы продавать книжки по возрастной психологии, писать глупости в поздравительные открытки, придумывать названия для чатов и оправдывать чем-то свои жизненные кризисы.

Например, так называемый «кризис среднего возраста» у мужчин — чистое очковтирательство. Проблема не в возрасте, проблема в голове. Мужчины изменяли всегда — со времен пещерного человека и до наших дней. Они так устроены, и возраст тут не при чем. А твой ребенок всегда будет твоим ребенком, даже когда у нее самой будут дети. Не волнуйся об этом.

Рози: Я не хочу, чтобы у моего ребенка был ребенок. Пусть сначала вырастет, выйдет замуж и разбогатеет. Я как вспомню, что я делала на свой шестнадцатый день рождения... Вообще-то, я не очень хорошо это помню.

Руби: Почему?

Рози: Потому что я была очень маленькой и глупой.

Руби: И что же ты такого натворила?

Рози: Мы с Алексом подделали почерк родителей и написали в школу записки от их имени о том, что нас обоих в тот день не будет.

Руби: Совершенно случайное совпадение.

Рози: Ну да. Нашли в городе паб, где старик-владелец не требовал удостоверений личности, и целый день там просидели. К сожалению, под конец я все испортила, потому что упала и ударилась головой, меня пришлось отвезти на скорой в больницу, наложить семь швов и промыть желудок. Родители были, мягко говоря, недовольны.

Руби: Я догадалась. А почему ты упала? Снова устроила свои дурацкие танцы?

Рози: Нет, просто сидела на стуле и упала.

Руби: Ой, не могу! Только ты одна могла ни с того ни с сего свалиться со стула.

Рози: Ну да, звучит странно. Как это произошло, интересно?

Руби: Об этом надо спрашивать Алекса, а не меня. Он рассказал тебе, что случилось?

Рози: Мне раньше как-то не приходило в голову спросить, но это хорошая идея! Ой, он как раз в сети, так что я спрошу прямо сейчас.

Руби: По-моему, это не так уж важно, но как я понимаю, тебе нужен повод. Ладно, я подожду тут, пока ты выяснишь. Мне тоже стало интересно...

У Вас входящее сообщение от: РОЗИ

Рози: Привет, Алекс.

Алекс: Привет. Ты хоть когда-нибудь работаешь? Когда бы я ни вышел в Интернет, ты тут как тут!

Рози: Я болтала с Руби. По Интернету проще, не нужно отчитываться на работе за телефонные счета, траффик у нас неограниченный. И кроме того, со стороны создается впечатление, что мы работаем. Слушай, я хочу тебя кое о чем спросить.

Алекс: Давай.

Рози: Помнишь, как мы праздновали мое шестнадцатилетие, я тогда упала, ударилась головой, и все такое?

Алекс: Хе-хе, разве это можно забыть? А ты чего вдруг это вспомнила, из-за дня рождения Кати? Да, если она хоть немного на тебя похожа, тебя ожидают крупные неприятности. Кстати, что ей подарить? Может быть, набор инструментов для промывания желудка?

Рози: Возраст — это просто цифры, а не состояние ума или причина для какого-то определенного поведения.

Алекс: А... га, ладно. Так что ты хотела спросить?

Рози: Я хотела спросить, как я вообще могла упасть и удариться головой об пол, если я сидела на стуле?

Алекс: О господи. Вот он, *тот самый вопрос*. Тот самый *вопрос*. Тот самый Вопрос.

Рози: А что такого я спросила???

Алекс: Рози Дюнн, я двадцать лет ждал, что ты задашь мне этот вопрос. Я думал, ты вообще никогда не спросишь.

Рози: Что???

Алекс: Я не понимаю, почему ты не задала его раньше. На следующий день ты проснулась и заявила, что ничего не помнишь. Я не хотел тебя расстраивать, боялся, что твой желудок не выдержит еще одного расстройства.

Рози: О чем ты вообще говоришь?! Алекс, рассказывай немедленно! Почему я упала со стула???

Алекс: Я думаю, ты еще не готова это услышать.

Рози: Я не готова? Я — Рози Дюнн! Я всегда ко всему готова.

Алекс: Что ж, раз ты так в себе уверена...

Рози: Уверена, уверена! Рассказывай скорее!

Алекс: Мы целовались.

Рози: Мы *что делали???*

Алекс: Да-да. Ты слишком сильно наклонилась ко мне, стул под тобой зашатался, а пол был старый и неровный, ножка стула попала в трещину на плитке пола... И ты упала.

Рози: ЧТО???

Алекс: Если бы ты только знала, какие нежности ты шептала мне на ухо в ту ночь... И тем хуже было на следующий день обнаружить, что ты ничего не помнишь. И это после того, как я весь вечер держал тебя за руку, пока тебя тошнило!

Рози: *Алекс!*

Алекс: Ну что?

Рози: *Почему ты ничего не сказал мне?!*

Алекс: Потому что нам запретили встречаться, а писать об этом в письме я не хотел. И потом, ты сказала, что хочешь обо всем забыть, так что я подумал, что на трезвую голову ты просто пожалела о том, что произошло.

Рози: Ты должен был сказать мне.

Алекс: И что бы ты мне ответила?

Рози: Я... не знаю... Алекс, не смущай меня.

Алекс: Ладно, извини.

Рози: Это невозможно. Из-за того, что я упала, все раскрылось, нас наказали, и я должна была целую неделю сидеть дома, а ты — работать у отца в офисе, где познакомился с Бетани. И сказал, что женишься на ней...

Алекс: Точно, я так и сказал!

Рози: Ну да, сказал...

Алекс: Вообще-то я это сказал только для того, чтобы проверить, как ты к этому отнесешься. Но тебе было наплевать, и я начал с ней встречаться. А я и забыл, что я это сказал! Бетани будет очень приятно это услышать! Спасибо, что напомнила.

Рози: Нет уж, это тебе спасибо, что напомнил...

У Вас входящее сообщение от: РУБИ

Руби: Ну что, Миссис Падучая, узнала, что произошло?

Рози: Я узнала, что я самая идиотская идиотка на всем белом свете... Ааааа!!!

Руби: И это все? Да я тебе это уже сколько лет говорю!

* * *

Моя милая Кати!
Поздравляю тебя! Ты теперь совсем взрослая!
Целую.
Мама

Нашей внучке
С днем рождения! Шестнадцать лет бывает только раз!
С любовью,
Бабушка и дедушка

Моей девушке
Вот тебе и исполнилось шестнадцать, с днем рождения!
С любовью,
Джон

Кати!
С днем рождения, несчастье мое. Еще пару месяцев, и снимут твои скобки. И я не смогу больше угадывать, что ты ела на завтрак.
Тоби

Моей дочке
Поздравляю, Кати, шестнадцать лет бывает только раз в жизни!
Надеюсь, Джон еще не пытался тебя поцеловать?
Целую.
Папа

Дорогие мама и папа!

С Рупертом я больше не разговариваю. Шестнадцать лет, шестнадцать лет, черт бы все это побрал!

Кати попросила отдать ей подарок деньгами, чтобы она сама купила себе одежду, какая ей нравится, и меня это вполне устроило, потому что я уже устала гадать, какой же выбрать подарок, чтобы она не запихнула его с отвращением под кровать. И вот она вернулась домой за ручку со своим добрым великаном (Джоном), и на лице у нее была такая странная улыбка, что я сразу поняла — дело нечисто. Она задрала майку, на дюйм спустила брюки, и я увидела это.

Мой самый страшный кошмар.

Ужасно-отвратительно-уродливая-да-мама-я-уже-начинаю-говорить-как-ты татуировка. Прямо на бедре, на самом видном месте.

Мама, это чудовищно! Представь себе, она еще кровоточила, только-только начала затягиваться. Руперт говорил, что он не делает татуировки детям младше шестнадцати лет, но я думаю, что и это рано, поэтому я спустилась вниз в Интернет-кафе, чтобы проверить в Интернете, можно ли привлечь его к ответственности. Похоже, все законно, но я не теряю надежды найти хоть какую-то зацепку. Я должна проучить его.

Этот симпатяга из Интернет-кафе только что спросил, все ли у меня в порядке, и серьезно так спросил. Я даже решила, что у нас с ним что-то получится. А потом до меня дошло, что я просто стучала кулаком по клавиатуре, и он беспокоился за свой компьютер. Нет, я не собираюсь тратить время на такого бесчувственного эгоистичного человека и поэтому не останусь здесь после закрытия клуба, чтобы заняться с ним страстной любовью прямо на столе. Не уговаривайте меня, это мое последнее слово.

Я сегодня весь день пыталась готовиться к выпускному экзамену, а эти звуки, доносящиеся снизу из салона татуировок, постоянно меня отвлекали. Если бы я знала, что проклятый Руперт как раз уродует тело моей дочери!

Не знаю, как мне объяснить Руперту, что я не переношу татуировок. Я не могу сказать ему прямо, он же сам — ходячая татуировка. Это было бы все равно что обругать кого-то из его семьи.

Но татуировка — еще не все. Она проколола себе язык. За это Руперт даже не взял денег. Теперь она разговаривает так, словно набрала полный рот жареной картошки. И вот представь себе мое состояние, когда она зашла с этой идиотской улыбочкой и сказала: «Мама, шмотри, што йа ждеаа», — и начала задирать майку. Джон тоже сделал татуировку на бедре — клюшку и мяч. Ты знаешь, что это напоминает? Руперт изобразил мяч слишком близко от клюшки и не с той стороны, представляешь, да?

Конечно, могло быть и хуже. Например, если бы они накололи имена друг друга. В конце концов, у Кати не такой уж и страшный рисунок — всего лишь маленькая клубничка размером с наперсток.

Может, я принимаю все слишком близко к сердцу?

Как же чувствовали себя вы с папой, когда я сказала, что беременна!

Я сейчас подумала надо всем этим и даже не знаю — может, надо было, наоборот, похвалить Кати?

Все, мне пора домой, в мою обитель грохочущей музыки. Надо еще позаниматься сегодня. Не могу поверить, что моя учеба почти позади. Три года пролетели, как один миг а ведь мне казалось, что днем работать, ночью учиться и одновременно заботиться о ребенке совершенно невозможно. Я рада, что не бросила учебу, хотя по десять раз на дню порывалась все бросить. Представляешь, мне вручат настоящий диплом! И вы с папой сможете полюбоваться, как я выйду его получать в этой уродливой мантии и шапочке. Пусть на пятнадцать лет позже, чем планировалось, но лучше поздно, чем никогда.

Впрочем, если я не сдам экзамен, то диплома мне не видать. Так что больше никаких развлечений, я пошла учиться!

Целую
Рози

* * *

От кого	Рози
Кому	Алекс
Тема	Папа

Случилось ужасное. У тебя на работе мне сказали, что ты в операционной. Я прошу, пожалуйста, перезвони мне сразу же, как только прочитаешь письмо!

Мне только что звонила мама, вся в слезах: у папы тяжелый сердечный приступ, его увезли в больницу. Она просто в шоке, но отговаривает меня ехать, ведь у меня завтра первый экзамен. Я не знаю, что делать. Я не понимаю, насколько это серьезно, доктора ничего нам не говорят. Ты не мог бы позвонить в больницу и узнать, ты же поймешь все эти медицинские объяснения? Я не знаю, что делать. Пожалуйста, прочитай мое письмо, мне не к кому больше обратиться.

Я так не хочу, чтобы мама была одна. Правда, Кевин сейчас едет к ней. Я не хочу, чтобы папа оставался один. Это все так ужасно.

О господи, Алекс, помоги мне, пожалуйста! Я не хочу потерять папу.

От кого	Алекс
Кому	Рози
Тема	Re: Папа

Я пытался тебе дозвониться, но у тебя все время занято. Держи себя в руках. Я звонил в больницу и разговаривал с доктором Фланнери, он лечащий врач твоего отца. Он объяснил мне, в каком состоянии Дэннис.

Мой тебе совет: собери вещи на несколько дней и первым же автобусом отправляйся в Голуэй. Ты понимаешь меня?

Забудь про свой экзамен, это важнее. Держи себя в руках, Рози. Тебе необходимо поехать к родителям. Скажи Стефани, чтобы она тоже приехала, если может. И пиши мне, как идут дела.

Глава 43

Алекс, он умер. Я не могу в это поверить. Он умер.

* * *

Дорогой Алекс!

Знаешь ли ты, что ширина гроба не должна превышать 76 см, что делается он из ДСП, а сверху обклеивается фанерой? Кроме того, допускается использование специального пластика, пригодного для кремации, и небольшого количества металлических шурупов. Можно вставлять деревянные уголки для придания дополнительной прочности, но располагаться они должны строго внутри гроба.

На крышке гроба обязательно указывается полное имя покойного. Видимо, чтобы не вышло путаницы. Чего я предпочла бы никогда не знать, так это того, что гроб изнутри обивается специальной тканью под названием «кремфилм», хорошо впитывающей влагу. Это на случай, если из тела начнет вытекать жидкость.

Я и понятия не имела обо всем этом.

А еще нужно заполнять бланки. Горы бланков. Бланки А, Б, В и Г, куча каких-то медицинских бумаг. А потом тебе приносят бланки Д и Е, про которые сначала почему-то ничего не говорят. Я не подозревала, что нужно столько бумаг, чтобы доказать, что человек мертв. Я думала, достаточно того, что у него остановилось сердце. Выходит, я ошибалась.

Больше всего это похоже на переезд в другую страну. Мы оформляем папе документы, одеваем его в лучший костюм, заказываем транспорт, и он отбывает в пункт назначения. Где бы этот пункт ни находился.

Мама так его любила, что чуть не отправилась сразу же вслед за ним. На похоронах она все время повторяла: «Он никак не мог проснуться. Я звала его, звала, а он не просыпался...» Ее трясло с того самого момента, как это случилось, и она была так расстроена, что выглядела на двадцать лет моложе. Вернее, нет: выглядела она даже старше чем обычно, но вела себя как ребенок. Словно она потерялась и не может найти дорогу домой.

Наверное, так и есть. Мы все потерялись и не можем найти дорогу.

Раньше такого никогда не случалось. Мне тридцать шесть лет, но я ни разу не теряла близкого человека. Раз десять бывала на похоронах, но это были чужие люди: чьи-то друзья или родственники, чья смерть мало меня трогала.

А теперь умер мой папа. И это, оказывается, очень тяжело...

Ему было всего шестьдесят шесть. Далеко не старость. И он был вполне здоров. Как мог здоровый человек шестидесяти шести лет заснуть и больше не проснуться? Может быть, он увидел такой красивый сон, что не захотел просыпаться? Думаю, так оно и было. Это на него похоже.

Не могу больше видеть, как плачет мама. С детства привыкаешь видеть родителей сильными, привыкаешь по ним судить о том, как идут дела. Если ты споткнулся и упал, то первым делом смотришь на родителей, еще не понимая, больно тебе или нет. Если они испуганы и бегут к тебе, ты начинаешь плакать. А если они смеются и шлепают землю рукой, приговаривая «плохая, плохая земля!»,— ты тоже начинаешь смеяться, встаешь и бежишь дальше.

Когда я узнала, что беременна, я была в таком шоке, что вообще ничего не чувствовала. Но родители сказали, что все будет хорошо, что они помогут мне, и я поняла, что это еще не конец света. Когда конец света наступит, первыми об этом узнают родители.

Родители — барометр, по которым ребенок проверяет свои эмоции. Но у этого есть и оборотная сторона. Я никогда не видела, чтобы моя мама столько плакала, и от этого мне так страшно, что я тоже плачу, а из-за меня начинает плакать Кати. Так мы рыдаем втроем целыми днями.

Знаешь, я всегда думала, что папа будет жить вечно. Он не мог умереть — ведь он лучше всех умел открывать консервные банки, мог починить любую сломанную вещь, он катал меня на плечах, гонялся за мной, когда мы играли в чудовище, подбрасывал меня в воздух и ловил, кружил меня до тех пор, пока не начинала кружиться голова… Он был всемогущим.

Мы не успели ни попрощаться с ним, ни поблагодарить его за все, что он сделал для нас. Я не хочу, чтобы моими последними воспоминаниями о нем стали размер гроба и медицинские документы.

Я все еще живу с мамой под Голуэем, на диком Западе. Здесь по-прежнему прекрасное лето, и это почему-то кажется неправильным. С пляжа доносится смех, чайки с криками бросаются в морскую воду, чтобы поймать себе рыбку на обед. Кажется очень неестественным, что кто-то радуется жизни, несмотря на то, что произошло.

Хотя это хорошо. Это похоже на агуканье младенца в церкви во время отпевания. Нет ничего более жизнеутверждающего, чем эти счастливые звуки. Ведь младенец не понимает, что все вокруг погружены в печаль. Слушая его, ты чувствуешь, что жизнь не закончилась с уходом одного человека, что все остальные — и ты в том числе — будут жить дальше. Все, кроме того единственного, с кем ты сегодня попрощался навсегда. Люди приходят и уходят, мы знаем, что это случится с каждым из нас, но невозможно быть к этому готовым. Извини за банальность, но ведь единственное, в чем может быть уверен живой человек, это в том, что он умрет. Мы знаем, что это случится, мы думаем, что смирились с этим, но с этим невозможно смириться.

Я не знаю, что мне сделать, что сказать маме, чтобы ей стало легче. Наверное, нет ничего, что могло бы сейчас ее утешить, но я не могу просто смотреть, как она плачет. Я чувствую, как ей больно. Наверное, когда-нибудь эти слезы просто иссякнут.

Алекс, ты же кардиолог, ты все знаешь про человеческие сердца. Скажи мне, что делать, когда сердце человека разбито? Неужели это никак не лечится?

Спасибо, что приехал на похороны, я была тебе очень рада. Жаль, что мы встретились при таких печальных обстоятельствах. Спасибо твоим родителям, они очень поддержали маму. Слава богу, что ты избавил меня от встречи с как-бишь-его — не хватало мне выяснять с ним отношения прямо в церкви. Он, конечно, молодец, что пришел, но, если бы папа мог его видеть, он поднялся бы из гроба и положил как-бишь-его вместо себя.

Стефани и Кевин уехали какое-то время назад, а я, наверное, останусь еще на несколько дней. Я не знаю, как мама будет здесь жить одна. Правда, у нее очень хорошие соседи, и ей будет не так уж одиноко, когда я наконец уеду. Я пропустила все экзамены, и, судя по всему, придется теперь заново учиться последний год, если я все еще хочу получить диплом. Но, по-моему, я уже ничего не хочу.

Наверняка почтовый ящик доверху забит счетами. Мне нужно появиться там до того, как отключат свет и воду или вообще выселят меня из квартиры.

Спасибо, что не бросил меня одну, Алекс. На нас с тобой это очень похоже — встречаться только перед лицом какой-нибудь трагедии.

Целую.

Рози

* * *

От кого	Рози
Кому	Алекс
Тема	Папа

Только что вернулась домой, открыла почтовый ящик — и среди кучи счетов нашла вот это письмо. Он отправил его за день до смерти.

Дорогая Рози!

Мы с твоей мамой очень смеялись над рассказом про Кати и татуировку. Я так люблю читать твои письма! Надеюсь, ты уже смирилась с тем, что твоя дочка стала подростком. Я очень хорошо помню, как ты сама была такой. По-моему, ты повзрослела даже быстрее, чем Стефани! Ты всегда стремилась быть впереди всех, моя бесстрашная Рози, ты все хотела узнать раньше других. Я думал, что ты уедешь от нас сразу после школы, и мы больше никогда тебя не увидим. Хорошо, что этого не произошло. Ты всегда приносила радость в наш дом. И ты, и Кати. Прости, что мы уехали, когда тебе была нужна наша помощь. Мы с твоей мамой много думали над этим. Надеюсь, мы все же приняли правильное решение.

Я знаю, что ты всегда чувствовала себя виноватой — ты думала, что подвела нас с мамой. Это неправда, Рози.

Я рад, что моя маленькая дочь выросла у меня на глазах, повзрослела и сама стала матерью. У вас с Кати прекрасная семья, ты очень хорошо воспитала ее. Я не думаю, что маленький рисунок на коже сможет как-то ее испортить.

Жизнь всем раздает разные карты, и я знаю, что твой расклад был самым сложным. Но ты справилась. Ты сильная девочка. И ты стала еще сильнее, когда это ничтожество (как-бишь-его, как называет его твоя мама) так тебя подвел. Ты собралась с силами и начала все заново — нашла новый дом, новую работу, обеспечила себя и Кати. Знай — твой папа очень гордится тобой.

Завтра у тебя начинаются последние экзамены. После всего, что тебе довелось пережить, ты наконец получишь диплом. Я буду счастлив увидеть это. Я буду самым счастливым отцом на свете.

Целую.
Папа

От кого	Рози
Кому	Алекс
Тема	Диплом

Я не могу теперь бросить колледж. Как мудро заметил Джонни Логан[1]: подумаешь, еще один год! Я сдам эти проклятые экзамены и получу диплом. Папа бы расстроился, если бы я отказалась от того, к чему так долго шла.

Это прощальное письмо — именно то, чего мне не хватало, Алекс. Какой прекрасный, прекрасный, прекрасный подарок...

---

[1] Джонни Логан (Johnny Logan) — всемирно известный ирландский исполнитель, в 1980 году выиграл Гран-при Евровидения с песней «Подумаешь, еще один год!» («What's another year!»).

* * *

От кого	Джулия
Кому	Рози
Тема	Остаешься со нами?

Итак, ты остаешься со нами еще на целый год?

Так и быть, я тебе разрешаю. Но как только ты получишь диплом, я тебя сразу уволю, так и знай! Я уже устала ждать, когда ты наконец добьешься исполнения своей мечты.

Тебе будет намного легче учиться в этом году. Во-первых, ты уже все проходила, и во-вторых — тебя будет поддерживать твой отец, его любовь и гордость за тебя. Это даст тебе силы закончить начатое.

Может, наконец объяснишь мне, почему ты обожаешь отели? Что тебя в них так привлекает?

От кого	Рози
Кому	Джулия
Тема	За что я люблю отели

Я их полюбила с первого взгляда. То есть с тех пор, как первый раз попала в настоящий отель. Отель — воплощение самого лучшего в жизни. Там о тебе всегда заботятся, там чисто и красиво, это так не похоже на обычный дом! На мой дом, по крайней мере. И каждый, кто туда приезжает, может насладиться этой роскошью. По-моему, работать в отеле — это почти то же самое, что работать администратором в раю.

Я обожаю сверкающие белоснежные ванны, пушистые банные халаты и мягкие тапочки. Где еще ты найдешь шоколадку у себя на подушке? Это лучше, чем Зубная фея[1] и

---

[1] Зубная фея — фея, которая ночью кладет монетку на подушку ребенка вместо выпавшего зуба.

378

Санта-Клаус вместе взятые. Там тебя обслуживают и днем, и ночью, там не нужно самому убирать постель, там повсюду мягкие ковры, вазы с фруктами и бесплатный шампунь... В отеле я себя чувствую, как Чарли на шоколадной фабрике[1]. Там есть все, чего только душа пожелает, — достаточно снять трубку, набрать магический номер, и люди на том конце провода будут счастливы тебе помочь.

Если жить в отеле — праздник, то работать в нем — одно удовольствие. Когда я закончу учиться, я смогу получить место менеджера. Я всю жизнь мечтала об этой работе и наконец найду ее. Она там — на конце радуги.

* * *

У вас входящее сообщение от: РУБИ

Руби: Здорово, путешественница!

Рози: Привет, Руби! Прости, что меня так долго не было, столько всего случилось...

Руби: Не извиняйся, я понимаю. Как мама?

Рози: Не очень. Все плачет и плачет. На днях приедет ко мне в гости.

Руби: К тебе домой?

Рози: Да.

Руби: И как ты себе это представляешь? Где она будет спать?

Рози: Ах да, мы ведь тысячу лет с тобой не общались. Дело в том, что Кати на все лето уехала на Ибицу. Брайан-Комбайн долго меня уговаривал, и в конце концов я согласилась. Не понимаю, как я могла на это пойти. Конечно, он убеждал меня, что он очень ответственный отец,

---

[1] «Чарли на шоколадной фабрике» — популярная детская книга Роальда Даля.

обещал заботиться о Кати, но я-то хорошо помню, как он сбежал, узнав о моей беременности, и вернулся только через тринадцать лет. Видимо, мы с ним по-разному понимаем ответственность. Кроме того, по ночам он работает, и я не представляю себе, как он сможет за ней присматривать.

Руби: Я думаю, Брайан в своем клубе не раз видел, чем занимаются шестнадцатилетние девочки, оставшиеся без присмотра. Вряд ли он захочет, чтобы его дочь пополнила их ряды. И потом, она же едет одна, и каково бы ей пришлось без дружеской поддержки?

Рози: Это ты *меня* спрашиваешь? К тому же к ней на несколько недель приедет Джон, и Тоби с Моникой собирались. Ты понимаешь, я не могла отказаться, ведь Брайан-Комбайн почти целый год здесь прожил, чтобы быть рядом с Кати, а летом ему действительно нужно работать. И потом, Кати хочется посмотреть, как живет ее отец. А еще Брайан сказал, что она сможет поработать у него ди-джеем, это пойдет ей на пользу.

Руби: В общем, ты себя убедила.

Рози: Это действительно так выглядит?

Руби: Да.

Рози: Ох, Руби, я не хочу показаться нытиком (ты знаешь, я редко жалуюсь), но этим летом я останусь совсем одна. Мама поживет у меня недолго, она собирается в Южную Африку на целый месяц, вместе с какой-то компанией — они познакомились в прошлом году в круизе. Папа очень хотел туда поехать. Он все время смотрел «Нэшнл Джиографик» и обещал себе, что обязательно увидит сафари. И он действительно будет там: мама решила взять с собой его прах, чтобы развеять среди слонов и тигров. Мне и в голову не пришло ее отговаривать, а вот Кевин почему-то очень расстроился. Говорит, что хотел навещать папу. Мама настаивает, что отец хотел именно этого, и мне кажется, что она права, ведь она знала его луч-

380

ше всех нас. Я не понимаю, почему Кев вмешивается. Он и при жизни папу почти не навещал, не говоря уже о том, чтобы приходить на кладбище. Видимо, он чувствует себя виноватым и потому сердится.

Мама не хочет быть одна в Коннемаре, поэтому решила две недели до отъезда пожить у меня. Рано или поздно все куда-то уезжают: мама, папа, Кати, Стеф, Кевин и Алекс. Я осталась одна, в школе каникулы, на работу ходить не нужно, так что мне остается только учиться целыми днями.

Руби: Может быть, пришла пора заводить новые знакомства?

Рози: Ну да... Я понимаю, что я сама во всем виновата. Когда мне было восемнадцать, все вокруг говорили о мальчиках, а не о детях, в двадцать один все обсуждали учебу в колледже, а не прорезающиеся зубы, в тридцать — свадьбу, а не развод, а сейчас, когда мне тридцать шесть, и я хочу наконец поговорить о мальчиках и учебе в колледже, все вокруг почему-то интересуются только своими детьми. Я пыталась подружиться с кем-нибудь на работе, пробовала разговаривать с другими матерями, ждущими детей возле школы. Ничего не получается. Ты одна меня понимаешь, Руби.

Руби: Да и то, признаться, с трудом. Ты уникум, Рози Дюнн, самый настоящий уникум. Не волнуйся, я-то тебя не брошу. Разве что мы с Гэри вдруг станем чемпионами Ирландии по сальсе и укатим в Мадрид на чемпионат Европы.

Рози: Спасибо тебе.

Руби: Да пожалуйста. Раз уж мы заговорили о новых знакомствах, скажи мне — ты собираешься снова ходить на свидания? Сколько можно дома сидеть?

Рози: Минуточку, а кто ходил на свидание с Адамом? Если честно, то, не считая этой чудесной ночи с ним, свидания обычно приносили мне мало радости.

Руби: Да ладно!?

Рози: Ой, ты не представляешь себе, какой однообразной была наша с как-бишь-его сексуальная жизнь. Он все время двигался в такт с будильником... этот проклятый будильник всегда так громко тикал, что я уснуть не могла (в смысле, по ночам, а не во время секса). Секс с Брайаном-Комбайном был какой-то пьяной возней в темноте, так что я даже толком не помню, как это было. Пожалуй, только ночь с Адамом мне чем-то запомнилась. Я уже не надеюсь встретить своего Дона Жуана, но меня это не расстраивает. Чего ты не имел, то не жалко потерять.

Руби: Но разве то, чего ты не имела, не вызывает у тебя ни малейшего, ни самого малюсенького любопытства?

Рози: Нет. У меня паршивая работа с паршивым окладом и паршивая квартира с паршивой квартплатой. У меня нет времени на паршивый секс с паршивым мужиком.

Руби: Рози!

Рози: Что? Я совершенно серьезно.

Руби: Ушам своим не верю. Вот это новости. Ну ладно, я вот что хотела сказать: на этих выходных мы с тобой идем в клуб.

Рози: В клуб? Ты хочешь затащить меня туда, где я буду на десять лет старше всех присутствующих? По-твоему, мне там будет весело? Думаешь, молодые горячие парни в наши дни интересуются толстенькими матерями-одиночками тридцати шести лет от роду? Что-то мне так не кажется. Я думаю, их больше привлекают женщины, у которых грудь заканчивается *выше* пояса.

Руби: Не преувеличивай, тебе же тридцать шесть, а не девяносто! Мы вот с моим Тедди тоже познакомились в ночном клубе, и пускай он не Бред Питт, но в постели он сполна искупает недостатки своей внешности.

Рози: Правда? То есть тебе нравится, как Тедди занимается сексом?

Руби: А что, по-твоему, мы с ним разговоры разговариваем, что ли?

Рози: Этого я не говорила, я же не совсем дура. Я догадывалась, что вас что-то держит вместе, но никогда бы не подумала, что дело в сексе.

Руби: Ну ладно, бог с ним. Так что, пойдем куда-нибудь, повеселимся?

Рози: Спасибо, Руби. В смысле — спасибо, нет. Я правда не хочу ни с кем знакомиться. Мне ведь некуда даже пригласить мужчину. Не домой же его вести, тут мама спит в соседней комнате.

Руби: В чем-то ты права, пожалуй. Даю тебе небольшую отсрочку. Но рано или поздно я заставлю тебя получать удовольствие от жизни. Ты понимаешь, что означает это слово, Рози? Удовольствие. Развлекаться.

Рози: Первый раз слышу.

Руби: Что ж, отлично. На этих выходных мы с тобой снова сходим в кино, а после него, предупреждаю, я выставлю тебя на продажу.

Рози: Хорошо, но имей в виду: если я соглашусь, то на полную цену, без всяких скидок. И никаких арендаторов, только покупка.

Руби: А как насчет самовольных захватчиков?

Рози: Ха-ха-ха. Лица, незаконно вторгшиеся на частную территорию, будут преследоваться в судебном порядке.

Руби: Так и вижу тебя с ружьем в руках, выдворяющую мужчин со своей территории.

Рози: Да-да, так оно и будет!

Глава 44

Дорогая мама!

Прости, что не написала сразу же — столько дел, никак не было времени взяться за письмо. Здесь ужасно жарко, и мне нужно как следует загореть к приезду Джона. Пусть увидит, что я стала настоящей южной красоткой!

Папа встретил меня в аэропорту и был невероятно забавным! Он так разоделся, вернее сказать, разделся — короткие шорты и шлепанцы. Я и не знала, что у него есть ноги. Ты бы смеялась до упаду, если бы увидела. Еще на нем была гавайская рубашка, синяя в желтых цветах, и он совершенно серьезно утверждал, что рубашка черная (теперь я верю, что и на выпускной он тоже надел синий смокинг: он совершенно не различает цвета).

У него классная машина — с откидным верхом, цвета «электрик» (он думает, что она черная). Никогда раньше не каталась на такой машине. Остров очень красивый. Папа живет за пределами делового центра, у него большая белая вилла, таких тут десять вокруг одного огромного бассейна Его сосед напротив — очень симпатичный парень, он целыми днями плавает в бассейне и загорает. Он такой красивый, коричневый, мускулистый — в общем, я целыми днями торчу у бассейна и пускаю слюнки. Папа ужасно бесится и просит его носить рубашку. Он вроде шутит, но видно, что очень сердится.

Через две недели приедут Тоби и Моника, будет весело, если, конечно, Моника не будет открывать свою пасть. Они будут жить в центре, там полно классных клубов. Кстати, насчет клубов — щас я тебе расскажу, что сделал папа. В день моего приезда он провел меня по всем барам и клубам и лично познакомил со всеми директорами и охранниками. Я решила, что теперь они меня запомнят и я смогу все время приходить. Так вот, на прошлой неделе я попыталась зайти в один из этих баров, а меня не пустили! И в остальные тоже. Ни в один! Я подумала, что они ненавидят папу и решили ему досадить, но вчера один из охранников привел своего пятнадцатилетнего сына, который тоже приехал к нему на лето, познакомил его с папой и ребятами на входе, а когда они ушли, папа велел своим парням запомнить этого мальчика и не пускать его внутрь.

Так что по вечерам я могу ходить только в папин клуб. Зато вчера мне позволили стоять за пультом рядом с диджеем, и я всю ночь смотрела, как он работает. Тут такое творится, ты не представляешь. У папы очень крутой клуб. По ночам набивается столько народу, что на танцполе не протолкнуться. Но, похоже, это никого не пугает: чем больше народу в клубе, тем он популярней.

Их постоянный ди-джей Сахар — просто потрясающий. Он мне все показал, объяснил, вчера я даже несколько минут смогла постоять за пультом. Я так увлеклась, что ничего вокруг не видела, хотела, чтобы у меня получилось так же профессионально, как у Сахара, а потом я подняла глаза и оказалось, что на меня все таращатся, потому что папа приволок огромный фотоаппарат и расставляет танцоров в красивые позы напротив моего пульта, чтобы все это сфотографировать. Мне было так стыдно!

Познакомилась тут с папиной подружкой. Ей двадцать восемь лет, ее зовут Лиза, она танцовщица в нашем клубе. Она танцует в огненном круге на огромном постаменте — футов десять над полом, в наряде из каких-то тигровых лохмотьев (платьем я бы это не назвала). Она из Бристоля, а сюда специально приехала в моем возрасте, чтобы стать танцовщицей. Она сказала, что раньше танцевала в другом клубе (полагаю, в стриптиз-клубе), а потом познакомилась с отцом, и он предложил ей работать у него (даже не хочу знать, в какой обстановке они познакомились!).

Она хочет на следующее выступление притащить змею, потому что нашла где-то костюм из змеиной кожи и думает, что все вместе будет выглядеть очень классно. Я предложила ей вместо этого станцевать с папой (видимо, в меня на минутку вселился твой дух). Папа не разрешает ей принести змею, и они уже целую неделю ругаются по этому поводу. Я ей прямо сказала, что по вечерам тут все такие пьяные, что никто не заметит, даже если она будет танцевать со слоном. А она ответила, что очень хочет написать потом об этом в своем резюме. На что папа спросил: она что, собирается работать в цирке? Они оба очень смешные.

Оказывается, мы с тобой никогда не были в отпуске. Ты ведь никогда никуда не ездила, не считая пару недель у Алекса и Стеф? Было бы здорово поехать куда-нибудь следующим летом, когда я закончу школу. Ты как раз тоже получишь диплом, заодно и отпразднуем! Надеюсь, учеба идет успешно. Хорошо, хоть я тебя больше не отвлекаю. Если Руперт будет слишком громко врубать музыку, стучи в стену, и он убавит громкость. Я всегда так делаю.

Еще напишу. Я по тебе скучаю!

Целую.

Кати

Дорогая Рози!

Пишу тебе из Южной Африки, из Кейптауна. Тут просто потрясающе! Ты бы умерла от зависти, если б увидела. В нашей группе обо мне очень заботятся, так что ни о чем не беспокойся. Все хорошо помнят Дэнниса по нашему прошлому круизу, и мне есть с кем поговорить и вспомнить былое. Тут еще одна женщина тоже потеряла мужа и впервые поехала в отпуск без него, и мы порою вместе плачем, вспоминая пережитое. Я рада, что она здесь, мы так понимаем друг друга.

Я очень скучаю по Дэннису. Ему бы понравился Кейптаун. Я чувствую, что он здесь, вместе со мной. Пусть Кевин считает меня ненормальной, но я развеяла прах твоего отца: часть в воздух, часть в воду, часть на землю. Теперь он повсюду вокруг меня. Я знаю, что он хотел этого. Он просил, чтобы я не позволила ему гнить под землей или стоять в урне на каминной полке. Теперь он сможет вместе с ветром облететь весь мир. Он видит сейчас больше, чем я смогу увидеть. Это его последнее путешествие.

Иногда мне так плохо, что очень хочется позвонить тебе и как следует выплакаться, но, к счастью, эта красота вокруг вовремя отвлекает мои мысли. Кевин совсем меня не понимает. Он думает, я должна одеться в траур и каждый день таскаться на кладбище, чувствуя себя жалкой, никому не нужной старухой. Я не хочу этого. Я вообще не понимаю, откуда у него такие мысли. Осталось еще три недели пробыть здесь, и мы уже почти собрали команду для следующего путешествия! У этих людей множество связей в туристических фирмах, так что можно будет организовать что-нибудь совершенно особенное. Пока еще не знаю, куда мы поедем, но поедем обязательно.

Как там Кати на своей Ибице? Думаю, Брайан за ней присматривает. Он стал очень серьезным человеком, дорогая, так что за Кати, по-моему, можно не беспокоиться. Я вложила в этот конверт письмо для нее, перешли ей, пожалуйста, а то я не уверена, что у меня правильный адрес.

Ты сейчас, должно быть, наслаждаешься тишиной и покоем. Тебе это как раз нужно для учебы. Надеюсь, Руби не таскает тебя каждую ночь на вечеринки.

Целую.

Мама

От кого	Руби
Кому	Рози
Тема	Пока!

Привет, Рози. Пишу быстро, у меня потрясающие новости! Мне удалось сегодня по дешевке купить две горящие путевки в Хорватию. 199 евро на две недели, включая жилье и перелет. Представляешь, как дешево?! Это потому, что отлет сегодня вечером! Так что я собираю чемоданы и одновременно пишу тебе это письмо (хорошо, что за годы на этой работе я научилась делать несколько дел одновременно).

Как ты думаешь, я успею обзавестись идеальной фигурой? А если не буду обедать в самолете? Может, тогда хоть ремень застегнется, ха-ха.

Ну все, прощай, подруга. Я уверена, ты будешь счастлива от меня отделаться, ведь я постоянно мешаю тебе заниматься. Желаю тебе как следует повеселиться с Алексом и компанией, но помни — он женатый мужчина! Не делай ничего, чего я не сделала бы на твоем месте.

Береги себя.

Руби

Рози!

Привет с Гавайев!

Как видишь, планы изменились! Моя сумасшедшая жена решила, что на Гавайях мы отдохнем гораздо лучше, чем в Ирландии. Понятия не имею почему!!!

Погода фантастическая, отель сказочный. (Я украл несколько вещиц из моего номера для пополнения твоей коллекции. Шапочка для душа и гель — все прямо с Гавайев! Надеюсь, шапочка подойдет.)

Рестораны тут тоже замечательные.

Ты, конечно, счастлива, что мы не приперлись и никто не мешает тебе заниматься. Надеюсь, Кевин наконец успокоился со своими претензиями по поводу твоей мамы. Я думаю, она все сделала правильно.

Целуем тебя.

Алекс, Джош, Тео (и, осмелюсь добавить, Бетани)

Рози!

Привет с Кипра.

Погода отличная. Отель отличный. Еда отличная. Пляж отличный.

Надеюсь, у тебя есть возможность спокойно позаниматься (если Стеф и остальная толпа не оккупировали твой дом). Кстати, нам нужно будет поговорить насчет маминой идеи развеять прах отца.

Кевин

Привет из Диснейленда!

Привет, сестричка, здесь изумительно! Словно мне опять десять лет. Вчера видели Микки Мауса, всей семьей с ним сфотографировались (как видишь, вид у меня несколько ошалелый, Пьер уже начал беспокоиться). Дети на седьмом небе от счастья. Здесь столько всего, у них голова кругом идет! Мы решили остаться еще на несколько дней, чтобы все посмотреть, и поэтому, к сожалению, не сможем заехать в Дублин.

Надеюсь, учеба идет успешно. Не позволяй больше Руперту таскать тебя по концертным залам, объясни ему, что тебе нужно учиться.

Целуем, обнимаем.

Стеф, Пьер, Жан-Луи и София

Привет, Рози!

Я тебе звонил, но тебя не было дома, так что я решил написать записку. Я на несколько недель уезжаю вместе с хором, в котором пою. Мы будем выступать в Казахстане. Будем ездить по всей стране, это очень интересно.

Я закрыл салон на время своего отсутствия, так что тебя теперь не будет беспокоить ни шум оттуда, ни музыка из моей квартиры. Сможешь спокойно учиться. На всякий случай оставляю тебе ключи от моей квартиры.

Желаю успехов в учебе, увидимся, когда вернусь. Может быть, тебе стоит познакомиться с этим парнем из Интернет-кафе? Мне кажется, ты ему нравишься. Он все время про тебя спрашивает.

Руперт (твой сосед)

Рози Дюнн!

Сообщаем, что сумма Вашей задолженности за пользование Интернетом в настоящий момент составляет 6.20 евро. Просим вас незамедлительно погасить существующую задолженность, иначе мы будем вынуждены принять меры

Росс (из Интернет-кафе на первом этаже)

Вы вошли в дублинский чат «Развелся и доволен».
В настоящее время в чате находится 0 посетителей.
Лютик входит в чат.
Лютик: Черт, куда все подевались?

Глава 45

У Вас входящее сообщение от: ТОБИ

Тоби: Спорим, ты ела на обед сандвич с салатом?

Кати: Только щас доела. А откуда ты знаешь?

Тоби: СЕЙЧАС, а не ЩАС. У тебя в скобках опять застряли куски салата. Странно, что ты до сих пор не догадалась перейти на пюре или бульоны. Твердая пища тебе явно не подходит.

Кати: Ничего-ничего, еще неделя, и ты больше не будешь надо мной издеваться. Конец твоему веселью. Скобки наконец снимут, и после трех с половиной лет, проведенных за решеткой, мои зубки, мои *ровные* зубки, наконец будут на свободе.

Тоби: Это еще не скоро. Надо будет обязательно посмотреть, как их будут снимать.

Кати: Зачем тебе щас на все это смотреть? В колледже успеешь налюбоваться.

Тоби: Если поступлю. А если я завалю экзамены и не наберу проходной балл?

Кати: Наберешь, Тоби.

Тоби: Посмотрим. А ты уже решила, куда пойдешь учиться? Думай скорее, экзамены на носу.

Кати: Это так сложно. Ну как я могу в шестнадцать лет (или в семнадцать, как ты) решить, чем мне заниматься всю оставшуюся жизнь? Я сейчас думаю только о том, чтобы закончить эту проклятую школу, а не о том, как скорее попасть в следующую. Хорошо тебе, ты знаешь, кем хочешь быть.

Тоби: Спасибо тебе и твоим кривым зубам. Вообще-то, ты ведь тоже знаешь, кем хочешь быть. Ди-джеем.

Кати: В колледже этому не учат.

Тоби: А кто сказал, что обязательно идти в колледж?

Кати: Все говорят. Учителя. Мама. Папа. Бог. Руперт. Санджай с нижнего этажа даже сказал, чтобы я ни о чем не беспокоилась, пока буду учиться в колледже, потому что он позаботится о моей маме.

Тоби: По-моему, Санджаю верить не стоит, он вынашивает какие-то зловещие планы. Учителям тоже, ведь у них такая работа. Думаешь, им не все равно, что ты будешь делать после школы? Руперт тут вообще ни при чем, а что касается папы, то он во всем соглашается с мамой, так что мама — единственный человек, которого стоит слушать. А Бог, как говорит твоя мама, просто смеется над нами.

Кати: Но мама так надрывалась на работе, чтобы в конце концов получить диплом, ей так трудно было дотянуть до конца обучения. Она всегда знала, чего она хочет, даже в моем возрасте, а я вот понятия не имею. Мама думает, что я хочу в колледж, но на самом деле для меня это все равно что тюремное заключение. Папа сказал, что я могу следующим летом приехать к нему и несколько ночей в неделю работать в клубе. А остальное время Сахар будет меня учить. Он сказал, что, если я действительно этого хочу, мне пора подумать об этом серьезно.

Тоби: Он прав.

Кати: Похоже, ты не будешь сильно по мне скучать.

Тоби: Конечно, нет. Если ты не уедешь, мне до конца жизни придется слушать твое нытье. Знаешь, мне кажется, что твоя мать так проталкивает тебя в колледж, потому что думает, будто ты сама об этом мечтаешь. Если ты ей объяснишь, что на самом деле хочешь быть ди-джеем, наверняка она не будет возражать.

Кати: Может быть, не знаю. Я вообще не думала, что мы доживем до окончания школы! После всех этих лет, проведенных взаперти на школьной скамье, я не собираюсь надевать на себя новый хомут. А что до тебя, дорогой Тоби, то ты повяжешь на шею галстук и сядешь за парту как миленький.

Тоби: Зато у нас больше не будет сдвоенных уроков информатики по понедельникам. А галстук я носить не собираюсь.

Кати: Ну, тогда наденешь вельветовые джинсы, отрастишь длинные волосы и будешь целыми днями валяться на траве и слушать Боба Дилана. Знаешь, мне начинает казаться, что выдержать два урока информатики в понедельник было легче, чем уехать от мамы и бабушки. Боже мой, а как же Джон?

Тоби: У Джона есть ноги. Он сядет на самолет и прилетит на Ибицу или в любое другое место, где ты будешь жить. Обо мне ты почему-то не беспокоишься. Похоже, ты только рада от меня отделаться.

Кати: Конечно, рада. Слушай, а может, на Ибице тоже есть какой-нибудь стоматологический колледж?

Тоби: Вряд ли, разве что бесплатные курсы по удалению зубов при помощи кулака.

Кати: Значит, мы с папой останемся вдвоем.

* * *

Дорогие Рози и Кати!
Удачи вам на экзаменах! Я буду молиться за моих девочек.
Ваша мама и бабушка

Рози и Кати!
Удачи!
Целуем.
Стеф, Пьер, Жан-Луи и Софи

Рози и Кати!
Желаю моей подруге и моей крестнице отлично сдать
экзамены! Уверен, вы будете великолепны, как всегда.
Сразу же напишите, как все прошло.
Целую.
Алекс

Рози!
Надеюсь, после экзаменов ты наконец начнешь хоть куда-нибудь ходить. Ты стала ужасной занудой, причем об-
разованной занудой, что еще хуже. С Тедди и Гэри общаться в последнее время вообще невозможно, в прошлый
раз они несколько часов обсуждали, какая машина лучше — астон-мартин-DB7 или феррари-575. Жизненно
важная проблема, я понимаю.

Конечно, я сама тебе советовала получить этот диплом, но имей в виду: если ты завалишь экзамены и останешься еще на один год, я найду себе другую подругу.
Не такую амбициозную. Ты знаешь, что излишняя амби-
циозность послужила причиной падения Макбета? (Или
во всем виновата его сумасшедшая жена, я точно не помню...)

В общем, не буду на тебя давить. Удачи.
Руби

Привет, мам.
Ну вот, через две недели мы обе будем свободны.
Удачи нам!
Кати

Кати!

Удачи тебе, дорогая, и спасибо за то, что училась со мной за компанию. Не знаю, как ты, а я тобой горжусь.

Мама

***

Результаты экзамена: Рози Дюнн
Номер: 4553901-L
Специальность: «Гостиничный менеджмент»
Аттестация произведена Ирландским институтом ресторанного и гостиничного бизнеса и Ирландской ассоциацией менеджеров предприятий общественного питания.

Предмет	Оценка
Бухгалтерский учет	4
Информатика	4
Экономика	4
Правовые основы гостиничного дела	4
Управление финансами и маркетинг	4
Управление персоналом	5
Управление предприятием	5
Язык (ирландский)	5
Туризм и гостиничное дело	5

Выпускник допущен к прохождению практики в гостиничной индустрии.

***

ДА! ДА! ДА! ДААААА! АЛЕКС, Я СДЕЛАЛА ЭТО! Я НАКОНЕЦ-ТО СДЕЛАЛА ЭТО!!

Рози, я так рад за тебя! Поздравляю!

От кого	Рози
Кому	Руби
Тема	Давай отпразднуем!

Теперь нам действительно нужно куда-то сходить! Кстати, Кати тоже пойдет с нами, так что готовься танцевать. Только не сальсу, умоляю тебя, не шокируй публику! Кати замечательно сдала экзамены и могла бы поступить в любой колледж, но она по-прежнему настаивает на том, что хочет быть ди-джеем. Тоби набрал проходной балл на факультет стоматологии Тринити-колледжа, так что мы все теперь счастливы!

Когда мне было восемнадцать лет и я не смогла уехать в Бостон, мне казалось, что жизнь моя на этом кончена. Пока все друзья учились и ходили на вечеринки, я стирала грязные пеленки. Я думала, моя мечта уже никогда не сбудется. Разве я могла представить, что выпускные экзамены я сдам в один день с собственной дочерью!

Мне грустно будет видеть, как уезжает моя девочка. Я долго готовилась к этому дню, и вот он настал. Кати расправляет крылья и скоро вылетит из гнезда.

Мне тоже пора это сделать. Я столько лет ждала, и наконец мой поезд пришел.

* * *

Рози Дюнн,	Директор Джулия Кейси
Ирландия	начальная школа св. Патрика
Дублин,	
Норстрэнд, 3	

Дорогая Рози!

Поздравляю тебя с успешно сданными экзаменами Ты доказала, что можешь добиться того, чего хочешь, и теперь ты вправе гордиться собой

396

Как и было обещано, я рада сообщить тебе, что начальная школа св. Патрика больше не нуждается в твоих услугах. Твой контракт не будет продлен на следующий учебный год.

Нам жаль, что ты уезжаешь, но ты должна это сделать Из-за тебя я на год позже ухожу на пенсию, но оно того стоило: ведь я была свидетелем твоего успеха. Рози Дюнн, ты самый долгий проект в моей жизни, ты моя самая старая ученица, и, хотя в начале у нас получалось плохо, а в середине и того хуже, я рада, что закончилось все хорошо.

Твое трудолюбие и самоотверженность вдохновляли всех нас. Пусть в будущем тебя ждет только хорошее. Не забывай нас. Кроме того, я надеюсь, что ты придешь проводить меня на пенсию. Впрочем, ты еще получишь специальное приглашение. И я попрошу тебя отправить приглашение Алексу Стюарту.

После того как я столько лет боролась, чтобы разлучить вас, мне будет очень приятно увидеть вас вместе Надеюсь, он сможет приехать.

Еще раз поздравляю.

Не пропадай

Джулия (Носатая Вонючка) Кейси

* * *

Кати!

Моя девочка уезжает от меня! Я горжусь тобой, любимая, ты делаешь очень смелый и решительный шаг. Главное, чтобы папа не забывал кормить тебя и одевать.

Я буду очень скучать, мне было так хорошо с тобой вдвоем. Я постараюсь приезжать к тебе часто-часто!

Если я буду тебе нужна, просто позвони, и я сразу приеду.

Целую.

Мама

* * *

Дорогой Брайан!

Как ты понимаешь, на тебя теперь ложится большая ответственность. Пожалуйста, присматривай за Кати, чтобы она не влипла в какие-нибудь неприятности. Ты прекрасно знаешь, что такое восемнадцатилетние мальчишки, ты сам когда-то был одним из них. Постарайся оградить ее от них, как только сможешь. Она должна учиться, а не пьянствовать и шляться по мальчикам.

Рассказывай мне обо *всем*, что у вас происходит. Даже о том, что она сама побоится рассказать. Я мать, я должна знать все. Пожалуйста, будь к ней внимателен и помогай ей. Если тебе покажется, что с ней что-то не так, но она откажется рассказать, скажи мне, и я все узнаю сама.

И еще. Спасибо тебе за то, что подарил мне моего ребенка. Нашего ребенка.

С наилучшими пожеланиями,

Рози

* * *

Уважаема Рози Дюнн!

Поздравляем Вас с окончанием курса «Гостиничный менеджмент».

Рады сообщить Вам о том, что Ваша практика по гостиничному бизнесу начнется в начале августа. Распределение выпускников по предприятиям производилось с помощью компьютера, для того чтобы избежать несправедливого или предвзятого распределения. Выпускник не имеет права требовать перераспределения.

Согласно контракту, Вы обязаны в течение двенадцати месяцев работать в должности помощника управляющего отеля «Гранд Тауэр», расположенного в деловой части Дублина. Вы должны приступить к работе в понедельник, 1-го августа, в 9 часов утра. Для получения дополнительной информации по поводу Ваших должностных обязанностей обращайтесь к м-ру Кронину И'Хьялли, управляющему и владельцу отеля «Гранд Тауэр». Адрес и телефон отеля Вы найдете на обороте настоящего письма.

Желаем Вам удачи на новой работе и успеха в будущем!

С уважением,

Кейт Ричардс,

директор курсов бизнес-менеджмента при начальной школе св. Патрика

* * *

Алекс: Звучит солидно, Рози. Отель «Гранд Тауэр». Очень солидно.

Рози: Да-да-да, я тоже об этом подумала. Впрочем, я никогда не слышала про этот отель, а ты?

Алекс: Нашла кого спрашивать! Каждый раз, когда я приезжаю в Дублин, я обнаруживаю все новые и новые незнакомые здания, выросшие на ровном месте. Я щас уже вообще ничего в Дублине не знаю. Сходила бы да посмотрела сама.

Рози: Ты что, с ума сошел? Вдруг они застукают, как я брожу вокруг отеля и что-то вынюхиваю, а на следующий день я заявлюсь, претендуя на должность менеджера! Они решат, что я ненормальная.

Алекс: Ненормальная? Нет. Скорее, они решат, что ты серьезно относишься к работе.

Рози: Сильно дотошных никто не любит, Алекс. Кстати, ты знаешь, что у тебя пропал акцент? Это я в прошлый раз заметила, когда мы по телефону разговаривали!

Алекс: Рози, я уже двадцать лет здесь живу. Я здесь провел больше времени, чем в Ирландии, мои дети — американцы. Конечно, мне приходится разговаривать на этом варварском языке! Вполне естественно, что акцент исчезает.

Рози: Я бы сказала, что у тебя не столько исчезает старый акцент, сколько появляется новый. Но вот двадцать лет... неужели прошло столько времени?

Алекс: Пока мы развлекаемся, время идет.

Рози: Ну, если я развлекалась эти двадцать лет, то не могу себе даже представить, как должно бежать время, когда людям по-настоящему хорошо.

Алекс: Все было далеко не так плохо, Рози.

Рози: Куда хуже, чем ты думаешь.

Алекс: Да ладно...

Рози: Может, это было не так уж и плохо, но я не отказалась бы, чтобы все стало еще примерно в тысячу раз лучше.

Алекс: Поверь мне, я бы тоже не отказался. Ты рада, что получила эту работу?

Рози: Конечно, рада! Я себя чувствую, как ребенок в канун Рождества. Давно уже у меня не было такого чувства. Я знаю, что это временная работа, я всего лишь практикантка, но я так долго ждала этой возможности!

Алекс: Слишком долго. Уж я-то знаю, как ты об этом мечтала. Ты меня все время заставляла играть в гостиницу.

Рози: Ха-ха. Я помню. Я была хозяйкой гостиницы, а ты должен был быть постояльцем.

Алекс: Изображать постояльца было просто ужасно, ты не давала мне ни секунды покоя. Постоянно взбивала подушки и задирала мои ноги на табуретку, потому что «гостю так будет удобней».

Рози: Господи, а я и забыла! Мне просто очень запомнился «Остров фантазии»[1] — там герой так заботился о своих гостях, что посылал им приятные сны.

Алекс: А, так ты изображала службу приятных сновидений! Вот для чего ты укладывала меня в постель в два часа дня и так кутала, что дышать было нечем. Не знаю, как ты представляла себе работу менеджера тогда, но, если с тех пор твои представления не изменились, боюсь, тебя ждет не один судебный иск со стороны измученных клиентов!

Рози: По крайней мере, это было лучше, чем играть в больницу, когда я должна была падать замертво на асфальт, а ты оказывал мне первую помощь. Мама с папой, помню, сильно удивлялись, откуда у меня столько ссадин и синяков.

Алекс: Вот это было весело!

Рози: У тебя всегда было странное представление о веселье. Поэтому последние двадцать лет тебе тоже показались очень веселыми.

Алекс: Ну, все веселятся по-разному.

Рози: Это да...

Алекс: Отели и больницы. Звучит, как название порнушки.

Рози: Размечтался!

Алекс: Что мне еще остается. Мой четырехлетний сын видишь ли, любит спать между мной и Бет.

Рози: А я бы с удовольствием ушла в монастырь.

---

[1] «Остров фантазии» («Fantasy Island») — популярный американский телесериал.

Алекс: Да ну, не может быть!

Рози: Точно тебе говорю. После тех мужчин, с которыми я имела дело, обет безбрачия был бы настоящим подарком.

Алекс: Я не про обет безбрачия говорю. Ты ни за что не выдержишь обет молчания.

Рози: Очень смешно. Знаешь, Алекс, иногда молчание дарит нам такую тишину, от которой забываешь про все на свете. На этой радостной ноте я тебя оставлю.

Связь с РОЗИ прервана.

Алекс: Такую тишину я тоже знаю.

Глава 46

Привет, мам!

Пишу пожелать удачи на новой работе (она тебе понадобится). Уверена, что народ тебя полюбит!

Ни пуха ни пера!

Целую.

Кати

* * *

У Вас входящее сообщение от: РУБИ

Руби: Ну что, Миссис Помощница Управляющего, как
оно? Как продвигаются дела?

Рози: Очень, очень мееееееедленно.

Руби: Мне спросить почему?

Рози: Ты готова выслушать длинную тираду? Если
нет, у тебя есть возможность ее избежать. Откажись, пока
не поздно.

Руби: Поверь, я хорошо подготовилась к этому разго-
вору. Давай, рассказывай.

Рози: Итак. Прекрасным ранним утром я приехала на
указанную мне улицу и минут сорок пять ходила по ней ту-

да-сюда, пытаясь найти этот грандиозный отель «Гранд Тауэр». Я расспрашивала владельцев магазинов и кафе, останавливала прохожих, но никто из них не имел ни малейшего понятия о том, что же это за отель и где его искать.

В конце концов я поняла, что в первый рабочий день я опоздаю и, чуть не плача, позвонила директору курсов, думая, что он дал мне неверный адрес. Он проверил еще раз и подтвердил, что все правильно. Но это казалось невероятным, потому что по указанному адресу находилось какое-то заброшенное здание.

Наконец, он согласился позвонить владельцу отеля, чтобы еще раз уточнить информацию, а я в ожидании ответа присела на грязные ступеньки этого здания (и испачкала свой новый брючный костюм). Еле сдерживая слезы, я думала о том, что опоздала на полчаса и администрация отеля явно будет недовольна. Внезапно сзади раздался такой странный звук, словно кто-то громко пукнул. Я с ужасом обернулась и увидела, что это отворилась дверь здания. На пороге стояло Оно. Какое-то время мы просто смотрели друг на друга, а затем Оно заговорило, обнаружив сильнейший дублинский акцент, и представилось мне как Кронин И'Хьялли, владелец данного здания, причем настояло на том, чтобы я называла его Бобчиком.

Поначалу меня смутило такое странное прозвище, но в течение этого бесконечного дня все стало предельно ясно. Странный пукающий звук, который я услышала утром, издавали не дверные петли, а сам Бобчик — вернее, газы, которые он испускал.

Он пригласил меня внутрь и провел по первому этажу. Затем спросил, есть ли у меня вопросы, и я, конечно, сразу же захотела узнать, почему мне назначили встречу в каком-то заброшенном доме, ведь предполагалось, что я буду работать в отеле. На что он гордо ответил: «Эта и ест ател. Кароши, да?»

Затем он спросил, нет ли у меня каких-нибудь свежих маркетинговых идей, и я предложила ему повесить на фасад вывеску с названием, чтобы было понятно, что здесь находится отель (хотя отсутствие вывески, возможно, тоже неплохой коммерческий ход). Кроме того, можно распространять информацию среди владельцев близлежащих магазинов, чтобы они рекомендовали этот отель приезжим (или хотя бы облегчали поиски тем, кто безуспешно пытается его найти).

Он очень внимательно на меня посмотрел, пытаясь понять, не издеваюсь ли я над ним. Но я была совершенно серьезна. Так что в настоящий момент я жду, когда привезут вывеску.

Затем он вручил мне значок с моим именем, заявив, что я обязана постоянно его носить. Для того чтобы недовольные постояльцы знали, на кого пожаловаться. Этот человек очень позитивно настроен, как видишь. Единственная проблема с этим значком (не считая самой необходимости его носить) состоит в том, что он неправильно расслышал по телефону мою фамилию.

Так что я целую неделю ходила по отелю с надписью «Рози Гадюн» на груди.

Бобчика это почему-то ужасно веселило. Он вообще, как ты уже поняла, очень серьезно и обстоятельно подходит к управлению своим так называемым отелем.

Для меня загадка, как его заведение просуществовало так долго. Похоже, это одно из тех зданий, которые были роскошными и современными много лет назад, но с годами пришли в совершенный упадок. Кажется, под половицами что-то очень давно гниет — не знаю, чем еще объяснить ужасный запах, который там стоит.

В доме четыре этажа, а в подвале, как я недавно выяснила, находится маленький ночной клуб, тоже принадлежащий Бобчику При входе в отель ты первым делом натыкаешься на стол администратора (из красного дерева, как и вся остальная мебель), за которым свалены в кучу пыльные зонтики и шляпы, забытые прежними жильцами. Стены в холле до половины обиты деревянными панелями, что в общем выглядит неплохо, а верхняя часть их, видимо, была когда-то покрашена в чудесный оливково-зеленый цвет. Теперь они зеленые в основном от покрывающей их плесени. По стенам развешаны светильники в форме фонариков, но света от них практически никакого. Больше всего это место похоже на склеп. Ковры здесь постелили, видимо, еще в семидесятых годах — они сплошь испещрены дырками от сигарет, черными кляксами прилипшей жвачки и прочими пятнами, о происхождении которых я и знать не хочу.

Через все здание идет длинный коридор, в конце которого — огромный бар, где тебя встречает все то же самое: грязные ковры, темное дерево, стулья и кресла с обивкой из «пейсли», а когда сквозь цветные стекла окон изредка вдруг проглядывает солнце, в воздухе видны полосы табачного дыма, очевидно, оставшегося с тех пор, когда лет двести назад какой-то старик выкурил здесь трубку.

Обеденный зал состоит из двенадцати столов и предлагает весьма скромное меню. На полу все те же ковры, помимо обычных пятен украшенные следами от еды и напитков. Еще имеются коричневые бархатные шторы и тюлевые занавески. Столы покрыты кружевными скатертями — некогда белыми, а теперь скорее желтыми, на которых красуются ржавые столовые приборы и мутные бокалы. Стены белые, так что это единственное светлое помещение во всем здании, зато здесь всегда холодно, сколько бы его ни прогревали.

Конечно, самое страшное — это запах. Он пропитал все — мебель, стены, мою одежду. Такое ощущение, что тут кто-то умер и гниет.

Всего в отеле шестьдесят номеров. Винни с гордостью сообщил мне, что половина из них — со всеми удобствами. Можешь себе представить, как я обрадовалась. Это будет звучать очень убедительно, когда мы дадим свою рекламу: в *некоторых* номерах нашего отеля есть ванные комнаты.

Две замечательные женщины, Бетти и Джойс (каждой лет по сто, не меньше), три раза в неделю убирают комнаты. По-моему, это просто ужасно. Но учитывая, насколько медленно они двигаются, я поражаюсь, как они успевают так быстро обойти весь отель.

Сначала я не могла понять, кому может прийти в голову мысль здесь переночевать, но ответ на вопрос был найден, когда я однажды засиделась на работе допоздна. Как только дискотека внизу закрывается, веселье перемещается на этаж выше. По-моему, это еще одна причина нанять побольше горничных.

Это место совсем не похоже на роскошный отель, а я — на привратника, препровождающего гостей в райские кущи. Шоколад на подушке здесь можно найти, только если его не доел предыдущий жилец. Шапочки для душа здесь надевают исключительно для того, чтобы защитить волосы от грязно-желтой воды, текущей из кранов (может, она и безвредная, но я предпочитаю воду из бутылок).

Неделю назад нам позвонили с радио, чтобы предложить отелю принять участие в конкурсе. Видимо, отчаялись найти других, а может, их ввело в заблуждение шикарное название отеля. Я не смогла придумать ничего, чтобы отказаться. По условиям конкурса, люди присылают письма, где рассказывают, почему они заслужили роскошные выходные в Дублине. Победителей ожидает вечер в театре, ужин, день развлечений в Дублине и две ночи в одной из центральных гостиниц. Конечно, для нашего отеля это была хорошая реклама: про нас целую неделю говорили по радио, и в результате мы получим несколько новых постояльцев. Хотя никто из них даже не подозревает, во что ввязывается.

Победила пара, приславшая самое трогательное письмо. Я чуть не расплакалась, когда его зачитывали по радио. Я привела в порядок номер для новобрачных (это самый обычный номер, но я посоветовала Бобчику повесить на дверь какую-нибудь табличку, чтобы польстить победителям. Бобчик взялся сделать это самостоятельно и битый час рисовал надпись черным маркером, высунув от напряжения язык), мы украсили номер цветами и оставили там бесплатную бутылку шампанского. Я сделала все, что было в моих силах. Я практически разорила отель, купив в номер новое постельное белье и все такое, но, к сожалению, наш скудный бюджет не позволил мне сделать многого.

В общем, когда они узнали, что победили в конкурсе, они так обрадовались, что каждый день звонили нам, чтобы убедиться, что ничего не изменилось. А потом они приехали, зашли внутрь, поглядели на все это безобразие и ровно через пятнадцать минут убрались прочь.

Руби, эти люди остались без крыши над головой, муж потерял работу, сломал себе обе ноги и разбил машину, к тому же им пришлось уехать из родного городка. Им оплатили все расходы, они могли жить в нашем отеле совершенно бесплатно — но они все равно не захотели тут останавливаться! Представляешь, насколько все плохо?

Рози: Руби?

Рози: Руби, ты где?

Рози: Э-эй, Руби! Ты меня слышишь?

Руби: Хррррррррррррррррррррр...

Рози: Руби!!!

Руби: Что?! Я пропустила что-нибудь интересное? Похоже, я заснула в самом начале твоего рассказа, потому что успела как следует выспаться.

Рози: Прости, Руби. Я же тебя предупреждала.

Руби: Не волнуйся, я тем временем сделала себе чашечку кофе и вернулась, уже когда ты рассказывала про оливково-зеленые стены и разлагающиеся трупы.

Рози: Прости. У меня был трудный месяц.

Руби: Новая работа не всегда оказывается такой, как ты ожидаешь. Хочешь сказать, что ты предпочла бы работать секретарем на скрепочной фабрике Энди-Кренделя? Или все-таки помощником менеджера в отеле «Гранд Тауэр»?

Рози: О-о-о, конечно в отеле «Гранд Тауэр».

Руби: Ну вот, Рози Гадюн, у тебя еще не самая худшая работа.

Рози: Похоже на то. Но у меня есть одна маленькая проблема.

Руби: Маленькая? Или опять на час?

Рози: Маленькая. Понимаешь, через пару месяцев будет торжественный вечер по случаю ухода на пенсию Джули Кейси. Алекс с Бетани приедут, и они забронировали номер в моем отеле. Понимаешь, я ему столько рассказывала... и он заказал номер с хорошим видом.

Не знаю, смогу ли я найти хотя бы номер с окном (ну ладно, шучу). Что касается вида, я хотела с тобой посоветоваться. Как ты думаешь, какой вид ему больше понравится: на мясную лавку или на помойку?

Руби: Какой кошмар...

* * *

У Вас входящее сообщение от: АЛЕКС

Алекс: Привет, Рози. Поздновато ты сегодня.

Рози: Ты тоже.

Алекс: У нас разница во времени пять часов.

Рози: У Кати сегодня выпускной. Она сейчас там, празднует.

Алекс: А, понятно. Не можешь заснуть?

Рози: С ума сошел? Как я могу уснуть? Ведь это я выбирала ей платье, я помогала ей причесываться, я фотографировала ее — улыбающуюся, счастливую. Это такая особенная ночь. Сегодня она в последний раз увидит своих друзей, прежде чем они расстанутся на много лет, возможно навсегда, несмотря на обещания не забывать друг друга. Такое ощущение, словно я сама вернулась на двадцать лет назад.

Я знаю, что она — не я, она другой человек, у нее другая жизнь, но все равно мне сегодня казалось, что это я иду на бал, держа под руку парня в смокинге. Взволнованная предчувствием праздника, взволнованная тем, что ждет меня впереди, взволнованная всем на свете. Какая я была маленькая тогда. Я и не подозревала, что меня ждет. У меня была куча планов. Я знала, чего хочу. Я все продумала, я знала все про следующие несколько лет моей жизни.

Но я не знала, что через несколько часов произойдет то, что разрушит все мои планы. Как выяснилось, Мисс Всезнайка знала далеко не все.

Я надеюсь только на то, что Кати вернется сегодня вовремя.

Алекс: Она смышленая девочка, Рози. Ведь это ты ее воспитала, значит, волноваться не стоит.

Рози: Я себя не обманываю, Алекс. Она дружит со своим мальчиком вот уже четыре года, и вряд ли они просто держатся за руки. Но хотя бы сегодняшней ночью — ночью, которая изменила всю мою жизнь, пусть она вернется пораньше...

Алекс: В общем, мне нужно немного тебя развлечь, пока она не вернется, я правильно понял?

Рози: Если тебе не сложно.

Алекс: Как там дела с нашим номером? Надеюсь, управляющий сможет выделить для нас самые лучшие комнаты!

Рози: Вообще-то я всего лишь помощник управляющего, как ты помнишь, а этот отель, он на самом деле не совсем...

Алекс: Не совсем что?

Рози: Ну, он не такой шикарный, как те, в которых ты привык останавливаться.

Алекс: И все-таки это самый лучший отель в Дублине, раз им управляет мой лучший друг.

Рози: Ты понимаешь, я же не могу полностью отвечать за него...

Алекс: Да брось! Чем бы ты ни занималась, ты всегда собой недовольна.

Рози: Я серьезно, Алекс. Если честно, я вообще не могу отвечать ни за что, что тут происходит. Я работаю всего несколько месяцев, и у меня пока не было возможности что-то изменить. Я только выполняю указания...

Алекс: Глупости. Здорово будет на все это посмотреть... Было бы весело, если бы кто-нибудь отравился в ресторане, а я бы его спас. Помнишь, мы мечтали об этом в детстве?

Рози: Помню, и боюсь, что это весьма возможно. Разве вы с Бетани не хотели бы поужинать где-нибудь в городе? В Дублине открылось столько замечательных новых ресторанов.

Алекс: Может быть. Я, кстати, попытался зайти на сайт отеля в Интернете и ничего не нашел.

Рози: Да, сайт сейчас как раз на реконструкции. Я сообщу тебе, когда он будет готов.

Алекс: Отлично. Здорово будет повидать Миссис Носатую Вонючку Кейси. Наконец-то она уходит на пенсию. Детишкам давно пора от нее отдохнуть.

Рози: Ее зовут Джулия. Постарайся запомнить, пожалуйста. Она очень помогала мне последние годы, так что, прошу тебя, будь с ней повежливей.

Алекс: Ладно, ладно. Не волнуйся, меня и раньше выпускали из дома, так что я знаю, как разговаривать с людьми.

Рози: Конечно, знаешь, Мистер Сверхъестественно Популярный Хирург.

Алекс: Не знаю, каким уж ты меня себе представляешь, но выброси эту чушь из головы.

Рози: Не волнуйся, я всегда тебя представляю исключительно в голом виде.

Алекс: Тогда умножь все размеры на десять.

Рози: Боже, целых десять дюймов?!

Алекс: Ну ладно, не валяй дурака. Расскажи лучше, как дела у твоей мамы? Готовы результаты обследования?

Рози: Нет еще. Она сейчас уехала к Стефани, чтобы немного передохнуть после всего, а когда вернется, как раз будут готовы результаты. Похоже, никто толком не знает, что с ней такое. Я очень за нее волнуюсь. В прошлый раз на нее посмотрела и ужаснулась, как она постарела. Как будто я лет десять ее не видела…

Алекс: Ей всего шестьдесят пять, она совсем не старая.

Рози: Да, но я все это время помнила ее такой, какой она была много лет назад. А потом посмотрела на нее на больничной койке и поняла, что она уже старенькая… Надеюсь, они смогут поставить диагноз и вылечить ее. В последнее время здоровье у нее совсем никуда.

Алекс: Сообщи мне сразу, как только они что-то узнают, ладно?

Рози: Конечно. Я так устала каждые выходные ездить в Голуэй. Конечно, я очень люблю маму, но на работе график совершенно убийственный, а по выходным приходится мотаться в другой город, у меня уже несколько недель не было ни одного свободного дня, и я просто с ног падаю.

Алекс: А куда девался Кевин? Неужели у него тоже нет ни одного свободного дня, чтобы помочь тебе?

Рози: Это больной вопрос. Кевин только что купил себе дом, и сейчас он со своей девушкой занят переездом. Если бы не это, то, может быть — может быть — у него и нашлось бы время на нас с мамой.

Алекс: Неужели Кевин решился? Вот это да! Слушай, поговори с ним, попытайся ему объяснить, что маме нужна его помощь. Ты не можешь делать все одна.

Рози: Я не одна. На неделе за мамой присматривает Стеф, но у нее самой двое детей, ей тоже трудно (как странно звучит, правда,— *присматривать за мамой*). Я, в общем, не жалуюсь. Я сама хочу быть рядом, ведь ей сейчас так одиноко. Я знаю, каково это.

Алекс: Если ты попросишь его помочь, это не значит, что ты не любишь маму. Тебе нужно обязательно поговорить с Кевином. Вернее, он сам давно должен был об этом сказать.

Рози: Ладно, я подожду, пока он разберется с переездом. Но, если он и после этого не предложит свою помощь, мне придется начать этот разговор. Пока папа был жив, Кевин его почти не навещал, и я знаю, что сейчас он об этом жалеет. Я вообще никогда Кевина не понимала, он всегда был очень замкнутым. Даже когда мы жили в одном доме, он никогда ничего о себе не рассказывал. После папиной смерти он вдруг решил, что теперь он старший, и взялся нами командовать, но надолго его не хватило. И вот сейчас, когда мама болеет, он опять куда-то запропастился. Мы много раз пытались ему об этом говорить — и я, и Стеф, но до него почему-то не доходит. Думаю, он эгоист, вот и все. Погоди минутку, кто-то подъехал к дому, сейчас посмотрю...

Алекс: Ну что, это Кати?

Рози: Нет.

Алекс: Не волнуйся, она —

Рози: Ой, слава богу, она! Все, я выключаю компьютер и ложусь, не хочу, чтоб она знала, что я ее дожидалась. Спасибо тебе, Господи, что вернул домой моего ребенка. Спокойной ночи, Алекс.

Алекс: Спокойной ночи, Рози.

Глава 47

Дорогая мамочка!

Как было здорово побывать дома! Болтать с тобой на кухне всю ночь напролет... А у меня для тебя хорошие новости! Вчера в папином клубе был Тони Спенсер — англичанин, хозяин клуба «Бессонница». Так вот он меня послушал, ему понравилось, и он предложил мне поработать у него в клубе! Правда, здорово? А еще он летом организует музыкальные фестивали в Европе, и я тоже буду там выступать! Я в восторге!

«Бессонница» — очень популярный клуб, он обычно открыт часов до шести-семи утра. Я сначала буду работать с 10 вечера до 12 ночи. Там здорово платят. Как только я получу свой первый чек, сразу пришлю тебе немного денег. Я познакомилась тут с кучей классных ребят, они все тоже только закончили школу и работают в местных барах. Мы с тремя девочками — Дженифер, Люси и Сарой — думаем снять квартиру на четверых.

Я щас уже не знаю, приедет ли Джон. С тех пор, как он начал учиться в колледже, он каждую ночь где-то тусуется, и я вообще никого не знаю из его компании. Он периодически звонит мне со своих вечеринок, и я слышу в основном чьи-то пьяные крики. Странно все у нас получается. И еще более странно, если мы наконец встречаемся после того, как столько недель не виделись. Все изменилось, и мне это не нравится Раньше я думала, что мы никогда не расстанемся, а теперь не знаю даже, будем ли мы вместе до конца лета.

От Тоби я уже давным-давно ничего не слышала. Я сама виновата он мне тысячу раз звонил, когда я переехала, но у меня не было времени перезвонить ему. Время так летит. Я каждый раз себе обещала, что позвоню завтра, а в результате прошло столько месяцев, что мне стало неудобно. Когда мы последний раз разговаривали, он только начал учиться в своем колледже и был совершенно счастлив от обилия зубов вокруг него. Завтра обязательно ему позвоню, обещаю.

Как работа? Ну ты даешь — почему ты продлила контракт? Ты же ненавидела этот отель. Расскажи мне скорее, я не знаю, что думать.

Недавно получила письмо от Алекса. Он рассказывал, как они с Бетани приехали на вечеринку к Миссис Носатой Вонючке Кейси и остановились у тебя в отеле. Я так смеялась! Ты правда не знала, что в клубе на первом этаже будет рождественская дискотека? Похоже, Алекса совершенно не смутило, что у них на барной стойке танцевал полуголый Санта-Клаус. А Бетани на самом деле отказалась там ночевать? Чувство юмора у этой женщины отсутствует напрочь. Щас я уже не понимаю, что Алекс в ней нашел Я ее видела всего пару раз, но она всегда такая злая и нервная, а Алекс такой спокойный, и не представляю, как они живут вместе. И еще я очень смеялась, когда читала, что Алексу пришлось откачивать в ресторане кого-то из посетителей. Тот и правда отравился? Чем же у вас кормят? Слава богу, доктор оказался рядом.

Ладно, мне пора, нужно подобрать треки для сегодняшнего выступления. Папа разрешил мне играть по два часа, чтобы я потренировалась перед «Бессонницей». Лиза меня достает, чтобы я ставила песни восьмидесятых, она придумала какой-то номер в этом стиле — накладные плечи, химия, все такое. Раз уж со змеей выступить не разрешили.

Приезжайте ко мне, когда бабушка поправится. Тут же не только бары и ночные клубы, есть еще куча красивых пляжей, вы сможете отдохнуть. Подумай. Мне кажется, бабушке пойдет на пользу.

Скучаю, целую.

Кати

У Вас входящее сообщение от: РУБИ

Руби: Он меня выгнал.

Рози: Кто? Тедди?!

Руби: Ой, не смеши! Тедди без меня даже булочную не найдет, зачем ему меня выгонять? Нет, меня отверг мой любимый сын. Он заявил, что мои услуги танцовщицы больше не требуются и что он меняет меня на более свежую модель.

Рози: Да ты что, Руби! Как неприятно. У него другая женщина?

Руби: На самом деле я не обиделась, просто притворяюсь. То есть сначала я действительно очень разозлилась и съела в одиночку целый шоколадный торт, любимый торт Гэри, который я по счастливому совпадению в этот день купила. Примерно на половине торта злости здорово поубавилось, а когда я доела последнюю ложку, ко мне вернулась способность трезво мыслить (видишь, что со мной делают сладости). Короче говоря, я решила пригласить эту женщину на ужин, чтобы иметь возможность ее отравить.

В конце концов, мне просто нужно было посмотреть, на кого Гэри меня променял. Как выяснилось, ей около тридцати, она из Испании, работает в школе учительницей испанского языка (там-то Гэри с ней и познакомился — он подрабатывал в отделе технического обеспечения). Она худенькая, симпатичная и очень обаятельная.

Рози: Как раз таких ты всегда ненавидела.

Руби: Но не в этот раз. Ведь мой Гэри наконец нашел свою любовь!

Рози: О-о-о!

Руби: Вот именно! Правда же, замечательно? Так что я не собираюсь стоять у них на пути и скромно повешу на гвоздь свои танцевальные туфельки. Вообще-то я и сама уже подумывала отделиться от Гэри. Мне скоро пятьдесят, и мне нужен партнер постарше — такой, у которого не будет сил бросать меня через весь зал, как это делает Гэри. Я уже не в том возрасте. Хорошо, что Гэри наконец нашел себе девушку. Может, Мария убедит его переехать в отдельную квартиру.

Рози: Разве ты не расстроишься, если он уедет?

Руби: Так же расстроюсь, как если бы нашла миллион евро у себя под матрасом. Он уже не мальчик, ему давно пора жить собственной жизнью. Что ж, мне вечно готовить ему обед и стирать рубашки? Ладно, довольно обо мне, как там твоя мама?

Рози: Не очень. Кажется, что все ее болячки вдруг вылезли наружу. Артрит так разыгрался, что она еле ходит. Пока они с папой ездили по теплым странам, этой проблемы не было. Климат в Коннемаре ей совсем не подходит, хоть зима в нынешнем году и не холодная. Но она не хочет никуда уезжать. Я за нее беспокоюсь. Она то и дело попадает в больницу с какими-то инфекциями и заболеваниями таких органов, про которые я вообще никогда не слышала. Словно после смерти отца ее тело не хочет жить дальше.

Руби: Она выкарабкается, Рози, она у тебя крепкая старушка.

Рози: Будем надеяться.

Руби: Как дела на работе? Когда эта дыра наконец превратится в шикарнейший отель города?

Рози: Ой, Руби, у меня уже никаких сил нет. В конце месяца я увольняюсь.

Руби: Ты это каждый месяц говоришь. Видимо, хочешь дождаться, пока тебе продлят контракт еще на год. Чтобы уволиться, нужно найти другую работу.

Рози: Ну когда мне искать работу, я же тут сижу каждый день допоздна, а в выходные езжу к маме. Мы когда в последний раз с тобой виделись?

Руби: Вчера.

Рози: Ах да, я стояла на остановке, а ты промчалась мимо, посигналив и махнув рукой из машины. Спасибо, что ты нажала на газ, проезжая через лужу. Я вымокла насквозь.

Руби: Мы ехали совершенно в другую сторону, а тебе определенно был нужен душ.

Рози: Ну понятно. Я только хотела сказать, что уже целый месяц никуда не могу выбраться. Это просто смешно. Никакой личной жизни. Я хотела проведать Кати, и Алекс много раз звал меня в гости, но я не могу себе этого позволить из-за мамы. То есть я ее не виню, конечно.

Руби: Как только маме станет получше, все сразу наладится.

Рози: Ей *не становится* лучше, Руби. Она не хочет поправляться. Она уже почти прикована к инвалидному креслу, и это в шестьдесят восемь лет!

Руби: Пусть лентяй Кевин поможет.

Рози: Ну что Кевин, он же ничего не умеет, да и маме удобнее, когда ей помогаю я. Ладно, посмотрим, как дальше пойдет.

* * *

Джош!
С днем рождения!

Теперь ты тоже стал тинейджером!
С любовью,
Рози

Рози!
Огромное спасибо за подарок и открытку. Все просто супер. Не знаю, где сейчас Кати, передавайте ей от меня привет. Она все время присылает мне открытки из разных стран, и мне кажется, что она очень счастлива. У нее такая классная работа! Что слышно про ее старого друга Тоби? Он куда-то пропал или как? Еще раз спасибо за подарок. Теперь я смогу купить новую компьютерную игру.
До встречи.
Джош

* * *

Мам, привет!
Я в Амстердаме, познакомилась с изумительным парнем, он зарабатывает на жизнь тем, что собирает землянику. Совершенно не говорит по-английски, но мы прекрасно находим общий язык.

Здесь здорово, у меня была куча концертов, и кафе тут просто отличные!
Целую.
Кати

С днем рождения, Рози!
Какой кошмар, через пару лет нам с тобой стукнет 40!
Выпей за меня по такому случаю.
Целую.
Алекс

Рози, если ты думаешь, что 38 — это много, то представь, каково мне, когда через год будет пятьдесят! А-а-а! Устроим грандиозную пьянку. Не будем никого звать. Только ты и я. С днем рождения!

Руби

* * *

Привет, мам!

Я в Андорре. Познакомилась с изумительным парнем. Он лыжный инструктор, учит меня, как не сломать себе шею. Ни слова не знает по-английски, но мы прекрасно находим общий язык. Здесь очень здорово, нам с тобой нужно будет обязательно покататься на лыжах, тебе понравится! Фестиваль проходит отлично, буду выступать пару раз. На Рождество приеду домой, наговоримся вдоволь! Очень хочу скорей тебя увидеть!

Целую.
Кати

Привет, мама!

Хочешь остаться у меня на Рождество? Кати обещала приехать, мы сможем отпраздновать втроем. Это будет очень здорово. Спать ты сможешь в комнате Кати, а для нее я разложу диванчик. Бобчик даже дал мне выходной, так что соглашайся скорее!

Рози

Рози!

Конечно, давайте отпразднуем вместе! Очень хочу посмотреть на малышку Кати. Правда, она уже совсем не малышка, наверно!

Целую.
Мама

***

От кого	Кати
Кому	Мама
Тема	Может, мне приехать?

Рождественский обед, как всегда, был просто объеденье. Спасибо большое. Здорово, что мы собрались втроем. Настоящий девичник!

Бабушка сильно изменилась, и у тебя тоже очень усталый вид. Надо будет, наверное, приехать домой на пару недель, помочь вам. Может, смогу найти временную работу где-нибудь в Дублине. Обязательно нужно вам помочь. И потом, я там у вас познакомилась с одним парнем, заодно смогу побольше с ним пообщаться!

Что думаешь?

От кого	Рози
Кому	Кати
Тема	Re: Может, мне приехать?

Не смей приезжать домой! Я тебе запрещаю! У нас все замечательно. У тебя своя жизнь, ты должна путешествовать, работать и развлекаться! Не волнуйся за нас с бабушкой, у нас все хорошо!

Работа мне очень нравится, и я совсем не против работать допоздна. По выходным я езжу в Коннемару, дышу там свежим воздухом, это очень полезно для здоровья. Я тебя вот о чем хотела попросить: мы с Руби приехали бы к тебе в феврале, скажем, на недельку. Если у тебя будет время, конечно. Руби сказала, что пока ей не исполнилось пятьдесят, она обязательно должна попасть на пенную вечеринку и выиграть конкурс «Мокрая майка».

Напиши мне, когда нам лучше приехать.

От кого	Рози
Кому	Стеф
Тема	Мама

Слушай, ты не могла бы в феврале на недельку взять к себе маму? Прости, я знаю, что ты очень занята, но Бобчик наконец дал мне неделю отпуска, и я очень хочу съездить в гости к Кати, посмотреть, как она там. Хочу познакомиться с ее друзьями, посмотреть, где она работает — ну ты знаешь, что обычно делают нудные матери.

Я не обижусь, если ты не сможешь. Возьму за горло Кевина — может, и он для разнообразия сделает что-то полезное.

Семье привет.

От кого	Стеф
Кому	Рози
Тема	Re: Мама

Я придумала кое-что получше — мы всей семьей на недельку приедем в Коннемару! Пьер притащил меня на рождественский обед к своим родителям, так что теперь моя очередь!

Тебе нужно отдохнуть, Рози. Прости, что тебе пришлось все делать самой. Кевина давно пора выпороть. Я поговорю с ним, когда приеду. Может быть, кстати, он наконец захочет познакомиться со своими племянниками.

Думаю, на Ибице будет очень весело. Кати уже такая большая, а внешне — вылитая ты! Когда она останавливалась у нас несколько месяцев назад, мне все время казалось, что я разговариваю с тобой. Желаю вам с Руби приятного отпуска, а мне все равно нужно больше времени проводить с мамой.

От кого	Алекс
Кому	Кати
Тема	Сюрприз на 40-летие

Не знаю, где ты щас, но надеюсь, что ты проверяешь почту. Поскольку в следующем месяце твоей маме исполняется сорок, а тебе двадцать один, то, может, мы сделаем двойной день рождения? Мы могли бы прилететь без предупреждения и устроить маме сюрприз. Ты пригласишь всех своих друзей, а я соберу друзей Рози. Попросим Руби, она поможет.

Напиши мне скорее. Насколько я знаю Рози, она будет просто щаслива.

* * *

Рози: Через несколько дней мне исполнится сорок. Сорок.

Руби: И что?

Рози: А то, что я уже *старая*.

Руби: А я какая, по-твоему? Древняя?

Рози: Ну перестань, ты же понимаешь, о чем я.

Руби: Не совсем.

Рози: Ну, мы уже не двадцатилетние девочки, правда?

Руби: И слава богу, иначе мне снова пришлось бы выходить замуж и разводиться. Пришлось бы искать работу, ходить на свидания, во всем сомневаться: а хорошо ли я выгляжу, а нормальная ли у меня машина, а какую музыку послушать, а что надеть, а в какой клуб пойти и так далее и тому подобное... Чего в этом хорошего, скажи? Я называю этот возраст периодом материализма. В двадцать лет думаешь только о ерунде. В тридцать начинаешь более-менее разбираться, что к чему. А вот когда тебе исполняется сорок, начинаешь по-настоящему наслаждаться жизнью.

Рози: Хмм. Неплохо, неплохо. А в пятьдесят лет?

Руби: Исправляешь то, что натворил в сорок.

Рози: Класс... Жду с нетерпением.

Руби: Да ладно тебе, Рози. Стоит ли так переживать из-за того, что Земля совершила еще один оборот вокруг Солнца. Относись к этому проще. Что ты собираешься делать в день своего сорокалетия?

Рози: Ничего.

Руби: Хороший план. Может, будем вместе ничего не делать? Желательно в каком-нибудь пабе.

Рози: Идея мне нравится.

Руби: Хотя минуточку... У брата Тедди тоже день рождения, мы будем праздновать в отеле «Беркли Корт».

Рози: Шикарно! Я обожаю этот отель!

Руби: Видимо, его брат опять занялся темными делишками. А ведь он под колпаком у полиции с тех пор, как из тюрьмы вышел. Ну, горбатого могила исправит.

Рози: Может, вы могли бы отпраздновать в субботу?

Руби: Нет. Заезжай за мной в отель, и пойдем в паб.

Рози: Ладно, но я не хотела бы встречаться с братом Тедди. Во время нашей прошлой встречи он пытался залезть мне под юбку.

Руби: А что ты хочешь? Он тогда только вышел из тюрьмы.

Рози: Черт с ним. Во сколько тебя забрать?

Руби: В восемь вечера.

Рози: Ты шутишь? А во сколько все начнется?

Руби: Полвосьмого.

Рози: Руби! Ты не можешь так рано уехать! Если я приеду за тобой через полчаса после начала, все решат, что я совсем невоспитанная! Я приеду в 9:30. Так у тебя будет хотя бы два часа.

Руби: Нет! Приходи ровно в восемь!

Рози: Зачем?

Руби: Ты понимаешь, вечеринка будет проходить в *пентхаусе...*

Рози: О боже, что ж ты раньше не сказала? Я приеду в 7:30.

Руби: Нет! Ни в коем случае!

Рози: Да что с тобой, Руби? Почему нет?

Руби: Потому что тебя не звали, и все подумают — какая нахалка, приперлась без приглашения. А если ты придешь к восьми, ты сможешь все быстренько посмотреть, и мы сразу уйдем.

Рози: Я не смогу уйти из пентхауса! Ты хоть понимаешь, что это для меня значит?

Руби: Понимаю, но ты не можешь остаться на праздник. Да и потом, как только ты увидишь его семейку, тебе захочется поскорее смыться.

Рози: Ладно, но знай, что ты разрываешь мне сердце. И можешь говорить что угодно, но все содержимое ванной комнаты отправится прямиком ко мне в сумку.

Надо не забыть фотоаппарат.

Руби: Рози, это же день рождения. Там будет полно фотоаппаратов.

Рози: Да, я знаю, но нужно сделать пару фотографий для Кати, ей ведь тоже интересно. Я так надеялась, что она приедет! Ей через пару недель исполнится двадцать один год, и я хотела отпраздновать день рождения вместе, но у нее не получилось приехать. А мама опять уехала к Стефани, так что ее тоже не будет. Жалко, конечно, хотя в последнее время она так плохо себя чувствовала, что ей ни к чему лишнее беспокойство. Я была так рада, что она вдруг захотела куда-то поехать, пусть даже и на мой день рождения.

Так что опять будем отмечать с тобой вдвоем. Зато я увижу настоящий пентхаус! Надо будет украсть парочку идей для нашего отеля. Как здорово!

Руби: Не терпится увидеть, какое у тебя будет лицо, Рози Дюнн. Увидимся в 8:00 в номере 440.

***

**Пентхаус
440**

***

**СЮРПРИЗ!
С ДНЕМ РОЖДЕНИЯ, РОЗИ И КАТИ!!!**

***

С днем рождения, Рози!

Здорово мы тебя удивили, правда? У меня чуть сердце не разорвалось, когда я говорила тебе, что останусь у Стефани. Но, когда я увидела выражение твоего лица (и слезы у тебя в глазах), я поняла, что оно того стоило. Это все Алекс устроил. Он замечательный человек, Рози. Чего не скажешь о его жене! Знаешь, когда вы были детьми, мне всегда казалось, что вы должны быть вместе. Глупо, да?

Ты прекрасная дочь, ты так помогала мне в последние годы — спасибо тебе, большое тебе спасибо! Папа бы гордился тобой. Я обязательно все ему расскажу, когда мы встретимся, обещаю тебе!

Ты умница Рози, мы с папой воспитали прекрасного человека!

С любовью,
Мама.

Глава 48

Счастливого семидесятилетия, мама!

Ты добралась до такой грандиозной даты и выглядишь прекрасно, как никогда! Мы скоро заберем тебя из больницы, а пока что вот тебе немного винограда, он очень помогает выздоровлению!

Я очень тебя люблю, мамочка, и всегда буду тебя любить. Рози

* * *

Привет, Кев, это Стеф. Не могу дозвониться. Пожалуй, тебе придется приехать в Коннемару. Пора

Милая, щас же позвони папе. Он заказал тебе на завтра билет домой. Бабушка хочет тебя видеть. Кев заберет тебя в аэропорту. Целую. Мама

* * *

Дюнн (урожденная О'Салливан)
Элис, возлюбленная жена Дэнниса,

твои дети Стефани, Рози и Кевин, внуки Кати, Жан-Луи и София, зять Пьер, брат Патрик и невестка Сандра скорбят по тебе. Покойся с миром.

Спи с миром, спи, не зная бед,
А нам, чье сердце бьется,
Одна лишь память о тебе
Навеки остается.

«Ar dheis lamh De go raibh a anam uasal [1]».

* * *

ЗАВЕЩАНИЕ ЭЛИС ДЮНН от 10 сентября 2000 г.

НАСТОЯЩИЙ ДОКУМЕНТ аннулирует все предыдущие завещания и посмертные распоряжения Элис Дюнн.

В случае, если мой муж переживет меня на тридцать дней, Я НАЗНАЧАЮ его своим душеприказчиком и ЗАВЕЩАЮ ему все свое имущество. В случае, если мой муж умрет раньше меня, либо в течение тридцати дней после моей смерти, я оставляю следующие распоряжения:

1. Я НАЗНАЧАЮ Рози Дюнн (далее «мой Душеприказчик») своим душеприказчиком и распорядителем своего имущества с правом назначать доверенных лиц для исполнения настоящего Завещания на основании Закона «О закрепленной земле», Закона «О переходе прав на недвижимое имущество» и Статьи 57 Закона «О наследовании».

---

[1] «Да пребудет чистая душа ее по правую руку от Бога» *(ирл.)*.

2. **Я ЗАВЕЩАЮ** своему Душеприказчику все свое имущество, движимое и недвижимое, с правом владеть пользоваться и распоряжаться им по своему усмотрению, в том числе передать права на данное имущество или его часть своим наследникам

***

У Вас входящее сообщение от: СТЕФ

Стеф: Как дела, сестренка?

Рози: Ой, привет, Стеф. Так себе дела. В последнее время вокруг стало как-то очень тихо, и меня это угнетает. Приходится постоянно включать телевизор или радио, лишь бы был какой-то фон. Кати вернулась на работу, все, кто хотел, уже выразили свои соболезнования, никто больше не звонит и не приезжает. В моем доме стало слишком спокойно.

Я теперь не знаю, куда девать свои выходные. Раньше я каждое утро бежала на автобус, чтобы ехать к маме. А теперь что делать? Знаешь, даже когда она совсем ослабела и лежала в постели, я все равно чувствовала себя в безопасности рядом с ней. Матери это умеют, правда? Уже от одного их присутствия сразу становится легче. Несмотря даже на то, что в последние месяцы я сама была для нее матерью. Мне очень ее не хватает.

Стеф: Мне тоже. Особенно сильно это чувствуется, когда возвращаешься в свою обычную жизнь. Каждый раз, когда звонит телефон, мне кажется, что это она. И я по десять раз на дню хватаю трубку, чтобы позвонить ей. А потом вспоминаю, что больше некуда звонить.

Рози: Кевин по-прежнему на меня обижается.

Стеф: Не обращай на него внимания. Он обижен на весь мир.

Рози: Может, он и прав, Стеф. Мне так неудобно, что мама оставила мне дом. Может, я должна продать его и разделить деньги на троих? Это было бы справедливо.

Стеф: Рози, ради нас с Кевом ты не должна продавать этот дом. Поверь мне, мама хорошо подумала, прежде чем завещать его тебе. Ведь нам с Кевином есть где жить, мы хорошо зарабатываем, и этот дом нам не нужен. Мама знала, что у нас все отлично, поэтому и оставила дом тебе. Ты всю жизнь работала больше всех нас, а у тебя даже квартиры своей до сих пор нет. Я не говорила тебе, но мама со мной это обсуждала, и я с ней согласилась. Это правильно. Не слушай Кевина.

Рози: Не знаю, Стеф, мне ужасно неловко...

Стеф: Рози, поверь мне, если б мне были нужны деньги, я бы так и сказала. Но мне деньги не нужны. И Кевину тоже. Дело же не в том, что она забыла про нас, когда писала завещание. У нас у обоих все отлично, правда. Это твой дом. И ты можешь делать с ним все, что захочешь.

Рози: Спасибо, Стеф.

Стеф: Не за что. Так что ты собираешься теперь делать? Меня так расстраивает, что ты там совсем одна. Может, приедешь ко мне в гости?

Рози: Нет, Стеф, спасибо. У меня работы выше головы. Нужно сделать этот проклятый отель лучшим отелем в мире.

***

Отель «Гранд Тауэр»
Дублин,
Тауэр Роад, 1

Уважаемый м-р Кронин И'Хьялли!

По результатам инспектирования отеля «Гранд Тауэр» Департамент градостроительства высылает Вам настоящее предписание

Во время проведения проверки сотрудники отдела технической инвентаризации отметили более 100 нарушений установленных норм безопасности, включая отсутствие индикаторов дыма, повреждения водопровода и ненадлежащее освещение Туалеты находятся в аварийном состоянии, на кухне замечены грызуны.

По нашим данным, Вам в течение многих лет направлялись предписания о необходимости модернизации здания и устранении нарушений санитарных норм. Однако все эти предписания были оставлены Вами без внимания. В сложившейся ситуации здание не может в дальнейшем функционировать как отель и должно быть закрыто.

Ночной клуб, расположенный на первом этаже может продолжать свою работу.

Просим Вас немедленно связаться с нами

Соответствующие выдержки из нормативных актов см. на обороте

С уважением,
Адам Делани
Департамент градостроительства

* * *

От кого	Кати
Кому	Мама
Тема	Твоя работа

Очень жалко, что ты потеряла работу, хоть ты ее и ненавидела. Все равно обидно уходить не по собственному желанию. Я не смогла до тебя дозвониться — или ты весь день с кем-то болтала, или тебе телефон отключили, так что пришлось писать письмо. Я совсем забыла рассказать, что, когда мы после похорон вернулись в Дублин, заходил как-бишь-его.

Я не стала тебя звать, ты была и так очень расстроена, и пообещала ему все передать. Он принес несколько писем, которые пришли для тебя на его адрес. Может быть, это хоть чем-то тебе поможет теперь, когда ты осталась совсем одна. Он сказал, что понимает, каково тебе, потому что его мама тоже умерла в прошлом году, и что он не хочет быть виновником твоего одиночества.

Вроде говорил искренне, хотя кто его знает. Странно было увидеть его после стольких лет. Он здорово постарел. Вряд ли там в конвертах что-то очень важное, но все равно расскажи, мне интересно. Я оставила их в гостиной, в нижнем ящике шкафа.

* * *

Д-р Реджинальд и Миранда Вильямс
счастливы пригласить <u>Рози Дюнн</u> *на церемонию*
бракосочетания своей возлюбленной дочери
Бетани Вильямс
и
д-ра Алекса Стюарта,
которая состоится в
церкви Поминовения при Гарвардском университете
а также на банкет в
Бостон Харбор Отель
28 декабря
RSVP-Миранда Вильямс (адрес на обороте)

***

Рози!

Завтра я возвращаюсь в Бостон. Прежде чем уехать, я хочу написать тебе это письмо, хочу выразить на бумаге все мысли и чувства, что накопились у меня внутри. Я решил сделать это письменно, чтобы не давить на тебя с принятием решения. Я понимаю, что тебе нужно будет как следует обдумать то, что я щас скажу.

Я вижу, что происходит, Рози. Я твой лучший друг, и я способен разглядеть печаль в твоих глазах. Я знаю, что Грег не в командировку уехал на эти выходные. Ты никогда не умела мне врать. Не нужно притворяться, что все хорошо, я же *вижу*, что происходит. Я вижу, что Грег — просто самовлюбленный эгоист, совершенно не понимающий, как ему повезло с тобой. И мне очень тяжело все это видеть.

Он недостоин тебя, Рози. А *ты* заслуживаешь *намного большего*. Ты заслуживаешь того, кто будет любить тебя всем сердцем, того, кто будет помнить о тебе каждую секунду, кто будет постоянно думать о том, где ты сейчас, что ты делаешь, с кем ты и все ли у тебя хорошо. Тебе нужен тот, кто поможет тебе осуществить твои мечты и сможет избавить тебя от твоих страхов. Тот, кто будет уважать тебя, любить тебя как ты есть, *особенно твои слабости*. Рядом с тобой должен быть тот, кто сделает тебя счастливой, по-настоящему счастливой, *себя не помнящей от счастья*. Тот, кто еще много лет назад должен был использовать свой шанс быть с тобой, но испугался и так и не сумел решиться.

Я больше не боюсь, Рози. Я решился.

Я знаю теперь, что за чувство разрывало мне сердце на твоей свадьбе. Это была ревность. Я видел, как женщина,

434

которую я люблю, идет к алтарю с другим мужчиной, с мужчиной, с которым она готова провести всю свою жизнь. Это было как смертный приговор: знать, что я никогда не смогу обнять тебя, никогда не смогу рассказать тебе, что же ты для меня значишь.

Мы *дважды* стояли рядом у алтаря, Рози. Дважды. И мы дважды ошибались. Я понимал, что в день моей свадьбы я хочу видеть тебя рядом со мной, но я так и не понял, что это должна была быть *и твоя свадьба тоже*. Как мы ошиблись, Рози.

Когда много лет назад, в Бостоне, ты коснулась губами моих губ, я не должен был отпускать тебя. Я не должен был отступать. Я не должен был теряться. Как я мог прожить все эти годы без тебя? Дай мне шанс наверстать их. Я люблю тебя, Рози, я хочу, чтобы мы всегда были вместе — ты, я, Кати и Джош. Всегда.

Прошу тебя, подумай. Забудь про Грега, ведь *мы с тобой можем быть вместе*. Давай перестанем бояться и наконец используем свой шанс. Я обещаю, что сделаю тебя счастливой.

С любовью,
Алекс

Глава 49

От кого   Руби
Кому   Рози
Тема   У тебя все нормально?

Ты уже две недели как не пишешь, ты еще ни разу на моей памяти не пропадала так надолго. У тебя все нормально? Я заезжала к тебе домой, но Руперт сказал, что ты уехала в Голуэй. Что-то случилось? Не могла же ты ни с того ни с сего собрать вещи и уехать, никому ничего не сказав. Сколько ты еще там останешься? И почему ты ничего мне не сказала?

Похоже, телефон у тебя в Коннемаре отключен, так что я даже не знаю, как с тобой связаться. Я понимаю, тебе хочется побыть одной. Терять родителей очень тяжело. Хоть я на своих и жалуюсь постоянно, мне все равно было очень трудно смириться с их смертью. Если тебе нужно будет с кем-то поговорить или кому-то поплакаться, просто позвони мне. Ты знаешь, я много шучу на эту тему, но сейчас я серьезна.

Надо бы, наверное, посочувствовать тебе по поводу работы, но мне совершенно не жалко, что ты оттуда ушла. Ты достойна большего, чем этот отель, ты и так провела слишком много времени среди его облупившихся стен. Теперь перед тобой снова открыты все дороги.

Напиши мне, что у тебя все хорошо, или я сама приеду в этом убедиться. Это не угроза, это обещание.

* * *

Добро пожаловать в дублинский чат «Развелся и доволен».

В настоящий момент в чате находятся 3 человека.

Одинокая: Вчера парень из нашей литературной студии пригласил меня. То есть вроде как на свидание позвал. На этих выходных. Сходить куда-нибудь вдвоем. Так вот я даже не знаю...

Травка: Чего ты не знаешь?

Одинокая: Ну, не знаю, не рановато ли мне начинать ходить на свидания. Ведь мы с Томми расстались совсем недавно и —

Травка: Недавно? *Недавно?* Томми тебя бросил десять лет назад!

Одинокая: Неужели прошло столько времени?.. А я совершенно этого не чувствую.

Травка: Нужно меньше ныть и больше заниматься своей жизнью. Так с каким парнем из литературной студии ты собираешься встречаться?

Одинокая: У нас в студии только один парень.

Травка: Могу себе представить, как липнут к нему девушки. Самый важный вопрос — у него нет судимости?

Одинокая: Нет. Я проверяла.

Травка: Боже, я же пошутила! Ну ладно, зато теперь ты сможешь спокойно отойти в ванную, не боясь, что он исчезнет вместе с твоим телевизором.

Одинокая: Это роскошь, которую многие женщины не ценят!

Уверенная вошла в чат.

Травка: Тогда он вполне тебе подходит. Желаю удачи на свидании.

Уверенная: Одинокая, ты что, идешь на свидание?

Одинокая: А что, это так страшно?

Травка: Страшно будет потом...

Уверенная: Нет-нет, я имею в виду, что я поражена! Но в хорошем смысле! Поздравляю!

Одинокая: Спасибо! Ой, ты изменила свой ник!

Уверенная: Ага. Мое прошение об аннулировании брака удовлетворили. Я же вам говорила, что в церкви не дураки сидят. Они согласились, что Леонард — законченный козел.

Травка: Вот это да, Уверенная! Как странно слышать от тебя такое. Вряд ли церковь думает именно так, но это уже что-то...

Лютик: Поздравляю, Уверенная.

Уверенная: Спасибо, девочки! Лютик, мы сто лет тебя не видели, ты где пропадала?

Лютик: Пожила несколько недель в Коннемаре. Нужно было многое обдумать.

Травка: Все в порядке?

Лютик: Вообще-то нет.

Уверенная: Расскажешь? Может быть, мы что-нибудь посоветуем.

Лютик: У меня умерла мать, я потеряла работу, а об остальном предпочитаю не думать во избежание инфаркта. Потому что если все это правда, то последние десять лет моей жизни были бессмысленной тратой времени.

Одинокая: Пожалуй, это нам знакомо. Рассказывай. Ты же знаешь — все тайны останутся между нами. Может быть, мы сможем помочь.

Лютик: Попробую... В общем, мне в руки попало письмо, написанное через несколько дней после моего тридцатилетия. Это письмо было написано для меня, но я прочитала его только сейчас. Письмо от Алекса.

Одинокая: Ооо, и что же он пишет?

Лютик: В этом все и дело. Он написал, что любит меня.

Травка: О-ля-ля!

Уверенная: Боже! Боже мой!

Одинокая: Не может быть! А где ты нашла это письмо?

Лютик: Его вернул как-бишь-его. Сказал, что не хочет больше «быть виновником моего одиночества».

Одинокая: И он все эти годы прятал письмо?

Лютик: Видимо, да, хотя я не понимаю зачем. Мне сложно это понять. Впрочем, я никогда его не понимала, даже когда мы были женаты. Да мне сейчас и не хочется об этом думать, я слишком потрясена.

Травка: Ты говорила с Алексом?

Лютик: Как я могу с ним разговаривать, Травка? Я даже думать о нем боюсь после того, что я узнала!

Травка: Почему это? Он же написал, что любит тебя!

Лютик: Нет, Травка, он *любил* меня десять лет назад. До того, как женился, до того, как родился Тео. Я не вправе напоминать ему об этом. Он сейчас все время пишет мне, звонит, но я не могу ответить — как только подумаю о том, как глупо все получилось, руки опускаются.

Одинокая: Ты должна ему сказать!

Лютик: Я собиралась. Мне было и страшно, и радостно одновременно. Я думала — позвоню ему и как бы между прочим сообщу, что нашла письмо. Прощупаю почву, посмотрю, как он отреагирует, а там посмотрим. Но в тот день от него пришла рождественская открытка. С фотографией его жены и двух сыновей — Тео без двух передних зубов, Джош, лучезарно улыбающийся, в точности как папа. И Бетани — за руку с Алексом. И я не смогла ему сказать. Какое ему теперь дело до меня? Он женат. Он счастлив. Он забыл меня. А даже если и нет, все равно он не сможет выпрыгнуть ко мне с фотографии.

Уверенная: Ты права, Лютик, нельзя разрушать семью.

Травка: Но она же его любит! А он любит ее! А фотографии в наши дни научились так редактировать, что дай боже.

Уверенная: Сколько тебе сейчас, Лютик, 42?

Лютик: Да.

Уверенная: То есть письмо он написал двенадцать лет назад. Нет, нельзя напоминать ему об этом сейчас. Это может сломать слишком много других жизней.

Травка: Не слушай их, Лютик! Бегом в аэропорт и лети к Алексу, нужно сказать ему, что ты его любишь!

Лютик: А если он меня больше не любит? За эти десять лет он даже не намекнул ни разу.

Уверенная: Это потому, что он женат. Он хороший человек, Лютик. Он знает, что существуют правила.

Травка: Правила существуют для того, чтобы их нарушать!

Уверенная: И кому-нибудь будет от этого очень больно, Травка.

Травка: Лютик, не позволяй никому переходить тебе дорогу. Это твоя жизнь. Если ты чего-то хочешь — нужно взять самой, на тарелочке никто не принесет. Хорошие девочки всегда остаются в дураках.

Уверенная: У хороших девочек есть совесть, и поэтому они могут спать спокойно. И кроме того, он мог просто разлюбить ее!

Травка: Думаешь, ей пора намыливать веревку?

Лютик: Она права, Травка. Я должна тщательно все обдумать, прежде чем бросаться в омут с головой. Боже, мне плохо. Что же будет, если я скажу Алексу, что получила его письмо, и выяснится, что он меня больше не любит? Что мне тогда делать? Мы после этого уже не сможем быть друзьями, а я не переживу, если потеряю его.

Травка: А представь себе, что ты признаешься ему во всем, а он в ответ подхватит тебя на руки и закружит. А потом вы будете жить долго и счастливо.

Уверенная: После того, как он разведется, отсудит ребенка, и его жена умрет от горя.

Травка: В жизни и не такое случается.

Уверенная: Ты сможешь жить с этим? Я бы не смогла.

Травка: Так что же, ей нужно притворяться, будто ничего не произошло?

Уверенная: Вы по-прежнему останетесь с Алексом друзьями, и он будет жить так же, как жил все эти годы, пока ты не знала о его письме. Он ведь делал вид, что ничего не произошло.

Лютик: А почему, интересно? Я помню, как он спрашивал о письме, и я ответила, что не получила его. Почему же он тогда не рассказал мне сам?

Травка: Не решился.

Уверенная: Или увидел, что ты любишь своего мужа.

Лютик: Это просто невыносимо. А ты почему молчишь, Одинокая? Что ты думаешь?

Одинокая: Я лучше всех знаю, что такое остаться одной. Мне порою казалось, что я готова на все ради любви, но Уверенная смотрит глубже. Ей самой через многое пришлось пройти, и я думаю, она права — нельзя строить свое счастье на чужом горе. Я бы вела себя так, словно ничего не произошло.

Травка: Вы невозможны. Вы вообще ничего в жизни не понимаете. С другими нужно поступать так, как они поступали с вами. А вы всю жизнь позволяете об себя ноги вытирать.

Лютик: Может быть. Но ты знаешь, хоть я и не люблю Бетани, нужно заметить, что она никогда не сделала мне ничего дурного.

Травка: Разве что вышла замуж за Алекса.

Лютик: Алекс мне не принадлежит.

Травка: А мог бы.

Лютик: Нельзя получить человека в собственность. В общем, я решила. Я не буду ничего делать. Не сейчас. Может быть, в другой раз.

ОтецМихаил вошел в чат.

Травка: Ой, святой отец, неужели вы тоже развелись?

Уверенная: Не дури, Травка, имей уважение! Он здесь для того, чтобы провести церемонию.

Травка: Да знаю я. Просто пыталась разрядить обстановку.

ОтецМихаил: Молодые уже подошли?

Уверенная: Нет, но ведь невесты всегда опаздывают.

ОтецМихаил: А жених здесь?

ОдинокийСэм вошел в чат.

Травка: Вот он. Здорово, ОдинокийСэм. Забавно, после этой свадьбы имена придется менять и невесте, и жениху.

ОдинокийСэм: Всем привет.

Лютик: А где невеста?

ОдинокийСэм: Она тут. У нее проблемы с паролем, не может войти в чат.

Уверенная: Я думаю, это знак.

Разведенка_1 вошла в чат.

Травка: О-ля-ля! А вот и невеста, с ног до головы в...

ОдинокийСэм: Черном.

Травка: Очаровательно.

Лютик: Она права, траур очень к месту.

Разведенка_1: Что такое сегодня с этими несчастными?

Одинокая: Она нашла письмо от Алекса двадцатилетней давности, в котором он объясняется ей в любви, и теперь не знает, что делать.

Разведенка_1: Вот тебе мой совет. Забудь обо всем, он женат. А теперь для разнообразия обратите внимание на меня.

Я_бросила_его вошла в чат.

442

ОтецМихаил: Приступим. Мы собрались сегодня здесь, в чате, для того, чтобы присутствовать при заключении брака ОдинокогоСэма (который теперь станет просто «Сэмом») и Разведенки_1 (которая станет «Замужней_1»).

Я_бросила_его: ЧТО??? ЧТО ЭТО ВЫ ТУТ УСТ-РОИЛИ? *СВАДЬБА В ЧАТЕ ДЛЯ РАЗВЕДЕН-НЫХ???*

Травка: Так-так, похоже, у нас незваные гости. Простите, у вас есть приглашение?

Разведенка_1: Хи-хи.

Я_бросила_его: ВЫ ЧТО, ДУМАЕТЕ, ЧТО ЭТО *СМЕШНО?* КАК ВАМ НЕ СТЫДНО! НЕУЖЕЛИ ВЫ НЕ ПОНИМАЕТЕ, ЧТО ЕСТЬ ЛЮДИ, КОТОРЫЕ ПО-НАСТОЯЩЕМУ СТРАДАЮТ!

Лютик: Ой, мы все тут достаточно настрадались. Вы не могли бы НЕ ОРАТЬ.

Одинокая: Понимаешь, просто ОдинокийСэм и Разведенка_1 познакомились здесь, в этом чате.

Я_бросила_его: Я УЖЕ ВСЕ ПОНЯЛА.

Лютик: Шшш!

Я_бросила_его: Извините. Я могу поприсутствовать?

Разведенка_1: Конечно, бери стул и садись. Не наступи на мою фату.

Травка: Хи-хи.

ОтецМихаил: Итак, давайте продолжим, мне уже скоро на двухчасовую службу. Есть ли среди присутствующих кто-либо, кому известны причины, по которым этот брак не может быть заключен?

Одинокая: Да.

Уверенная: Я вам назову массу причин.

Лютик: Да, черт возьми.

Я_бросила_его: НЕ ДЕЛАЙТЕ ЭТОГО!

ОтецМихаил: Вы ставите меня в затруднительное положение.

Разведенка_1: Отец, мы же в чате для разведенных. Разумеется, все присутствующие возражают против заключения брака! Достаточное объяснение?

ОтецМихаил: Вполне. Согласен ли ты, Сэм, взять Пенелопу в законные жены?

ОдинокийСэм: Да.

ОтецМихаил: Согласна ли ты, Пенелопа, взять Сэма в законные мужья?

Разведенка_1: Да. (Представьте себе, меня зовут Пенелопа!)

ОтецМихаил: Ваши клятвы я уже получил по и-мэйлу, так что виртуальной властью, данной мне, я объявляю вас мужем и женой. Можете поцеловать невесту. Свидетели, нажмите на значок справа, откроется бланк, куда нужно впечатать ваши имена, адреса и номера телефонов. После заполнения нажмите на кнопку «Отправить». На этом позвольте откланяться. Примите мои поздравления.

ОтецМихаил покинул чат.

Травка: Поздравляю, Сэм и Пенелопа!

Разведенка_1: Спасибо, что пришли, девочки.

Я_бросила_его: Уроды.

Я_бросила_его покинула чат.

Травка: Можешь звать меня Джейн. Все, голубки, мне пора. Желаю счастливого медового месяца и надеюсь, мы скоро здесь увидимся. Одинокая, удачи на свидании. Уверенная, наслаждайся новой жизнью. А ты, Лютик (или называть тебя Рози Дюнн?), ты-то что собираешься делать?

* * *

Руби: Что значит, ты переезжаешь под Голуэй?

Рози: Именно это и значит. Я уезжаю из этой дыры и буду теперь жить в Коннемаре.

444

Руби: Но почему?

Рози: Руби, что меня держит в Дублине? Кроме тебя. Мне не удалось сделать здесь карьеру, у меня нет семьи, мне дважды разбили сердце, у меня нет ни денег, ни личной жизни. Мне незачем тут оставаться.

Руби: А что будет в Коннемаре? У тебя там тоже нет ни работы, ни семьи, ни мужа. Разве что ты собираешься овец разводить.

Рози: Эх ты, городской житель. Между прочим, там есть магазины и рестораны. Ты понимаешь, у меня там свой дом!

Руби: Ты что, сдурела, Рози?

Рози: Видимо, да! Но ты подумай — у меня теперь прекрасный современный дом с четырьмя спальнями, прямо на побережье Коннемары.

Руби: Вот здорово! И что ты будешь делать без работы, одна в доме с четырьмя спальнями на окраине Коннемары?

Рози: Ну, угадай!

Руби: Разве что ты затеяла покончить с этой жизнью. Надеюсь, я ошибаюсь.

Рози: Да нет же, балда! Я открою частную гостиницу! Да, я всегда говорила, что ненавижу частные гостиницы, но теперь у меня будет свой собственный мини-отель! А я буду его единоличным менеджером и владельцем!

Руби: Ух ты.

Рози: Что думаешь?

Руби: Я думаю... ух ты. Даже ничего язвительного на ум не приходит. По-моему, это отличная идея. Ты уверена, что хочешь это сделать?

Рози: Руби, я никогда в жизни не была так уверена! Я уже все обдумала. От наследства осталось немного денег, я смогу обеспечить страховку. Я поговорила с владельцами всех частных гостиниц в округе — там толпы туристов! В ноябре-декабре дела идут не очень, но за остальные месяцы это окупается. Там удивительно красивая природа, морское побережье, романтические туманные болота, за окном море бьется о скалы. Разве это может кому-то не понравиться?

Руби: Мне бы, например, не очень понравилось. Но идея прекрасна, Рози, я оценила. Ты умница. Жаль только, что ты уехала из Дублина. Будем надеяться, что ты не надумаешь переехать еще дальше.

* * *

Рози Дюнн приветствует Вас в гостинице «Лютик».

«Лютик» — это современная частная гостиница, отмеченная «Борд Фалте», Ирланским туристическим бюллетенем. Гостиница располагает четырьмя спальнями со всеми удобствами: отдельной ванной, туалетом и телефоном. В холодное время года все комнаты отапливаются.

Гостиница «Лютик» — идеальное место для Вас, когда Вы приедете в Коннемару. У нас Вы сможете насладиться пешей, конной или велосипедной прогулкой по живописным холмам и прекрасным песчаным пляжам, порыбачить на Лох-Корриб — самом большом озере Ирландии, богатом лососем и форелью, покататься на лодке, заняться серфингом, дайвингом или альпинизмом. К Вашим услугам поля для гольфа, расположенные среди живописных холмов и океанских бухт.

В Коннемаре находится Национальный парк — заповедник девственной природы площадью более 2000 гектаров, населенный дикими животными. Здесь Вы увидите следы древних поселений, в том числе захоронения возрастом более 4000 лет.

Теплые и уютные комнаты нашей гостиницы встретят Вас после дня прогулок и увлекательных приключений. Вы сможете провести вечер в гостиной, где Вас ждет телевизор, камин, настольные игры и большая библиотека. Традиционный ирландский завтрак подается в столовой или в оранжерее, откуда открывается красочная панорама гор и вид на Атлантический океан.

Стоимость проживания — 35 евро в день на одного человека.

Забронируйте номер прямо сейчас!

* * *

От кого	Кати
Кому	Мама
Тема	Ух ты!

Ух ты, мама, это фантастика! На фотографиях все очень красиво, ты здорово постаралась. Наконец-то Рози Дюнн стала главным менеджером и владельцем своего собственного отеля «Лютик»! Я приеду на следующей неделе, помогу тебе закончить ремонт. Пойдем по магазинам, накупим всякой красоты в дом! Бабушка с дедушкой были бы счастливы. Они всегда говорили, что столько места зря пропадает.

Молодец! Увидимся через неделю.

* * *

Дорогая Рози!

Скажи мне, между нами что-то произошло? В последнее время ты со мной разговариваешь как-то... странно, что ли. Я чем-то тебя обидел? Даже не знаю, чем я мог тебя обидеть, но ты уж напиши мне, пожалуйста. Видимо, я сам не замечаю, как обижаю женщин. Бетани в последнее время выходит из себя от одного моего взгляда. Если я и тебя довел до того же, просто скажи мне.

Бетани потеряла голову: нужно организовать день рождения Тео, ему через неделю будет десять. Похоже, на празднике будет больше ее знакомых, чем друзей Тео. Джош все время берет без спроса мою машину и катается по ночам со своей девочкой. Она очень милая. Не знаю, что она нашла в моем сыне. Он просто сумасшедший. За учебу его усадить невозможно (по-моему, мой папа то же самое говорил обо мне). В сентябре ему надо начинать учебу в колледже, а он так никуда и не поступил. Его вообще ничего не интересует, кроме моей машины. Видимо, ему придется пропустить этот год и поступать в следующем.

К счастью, Тео совсем не такой. Он Джоша просто боится. Будем надеяться, что, когда этот ребенок вырастет, о нем не стыдно будет рассказывать друзьям. Шучу, разумеется.

В больнице все нормально. Я занимаюсь все тем же, правда, после ухода Реджинальда Вильямса тут стало намного легче. Теперь я могу хотя бы чихнуть спокойно, и от меня никто не будет требовать объяснений. Работать со своим тестем — почти то же самое, что жить с его дочерью. Это снова шутка. Ну, или почти шутка

Ладно, мне пора. Напиши мне, пожалуйста, я переживаю. Рекламные проспекты твоей гостиницы выглядят изумительно! Желаю тебе успеха, Рози, ты его заслужила!

Целую.
Алекс

От кого	Рози
Кому	Алекс
Тема	Прости

Прости, что я так странно с тобой разговаривала, когда ты позвонил. Дело в том, что я недавно узнала нечто новое о своем прошлом. Нечто такое, чего не могла себе даже представить. И это на какое-то время выбило меня из колеи.

Но я уже пришла в себя. И готова идти вперед, навстречу счастью, успеху и процветанию. Если ты решишь ко мне присоединиться, я всегда буду рада тебе. Когда бы это ни случилось.

От кого	Алекс
Кому	Рози
Тема	Спасибо

Спасибо за это чудесное предложение, Рози. Я обязательно им воспользуюсь, как только жена отвернется.

От кого	Рози
Кому	Алекс
Тема	Заигрываешь?

Вы, кажется, заигрываете со мной, Алекс Стюарт?

От кого	Алекс
Кому	Рози
Тема	Re: Заигрываешь?

Да, Рози Дюнн. Почему бы и нет? Обязательно напиши мне, когда достигнешь успеха и процветания.

ЧАСТЬ 5

Глава 50

У Вас входящее сообщение от: КАТИ

Кати: С днем рождения! Ну, и каково это, быть пятидесятилетней?!

Рози: Шикарно.

Кати: Ты опять в расцвете сил?

Рози: Именно. А ты как? Тебе-то уже почти тридцать один. Может, моя единственная дочь наконец задумается о том, чтобы осесть на одном месте, получить пристойную работу и подарить мамочке внуков?

Кати: Хмм... Ну не знаю. Хотя сегодня я видела на пляже маленького мальчика, игравшего в песке, и первый раз в жизни ребенок не вызвал у меня отвращения. Это может быть первым признаком того, что я становлюсь такой же, как все нормальные люди.

Рози: Это радует! А то я почти потеряла надежду. Возможно, скоро мне не стыдно будет признаваться соседям, что у меня вообще есть дочь.

Кати: Очень смешно. Как там гостиница?

Рози: Слава богу, дел полно. Я как раз обновляла сайт, когда ты написала. В «Лютике» теперь целых семь спален!

Кати: Дом щас выглядит просто потрясающе.

Рози: СЕЙЧАС, а не ЩАС.

Кати: Ну извини. От нас, ди-джеев, правописания не требуют. О БОЖЕ! Я чуть не забыла тебе сказать! Как я могла забыть! Ты никогда не догадаешься, кого я встретила вчера ночью в клубе!

Рози: Ну, если я никогда не догадаюсь, то нет смысла и пытаться.

Кати: Тоби Флинна!!!

Рози: Первый раз слышу. Это твой бывший парень?

Кати: Ну мама! Тоби Флинн! *Тоби!*

Рози: Можешь еще десять раз повторить, вряд ли это что-то изменит.

Кати: Мой лучший школьный друг! *Тоби!*

Рози: Господи боже! Тоби! Как у мальчика дела?

Кати: Все отлично! Он работает в Дублине зубным врачом, как и мечтал. Приехал на Ибицу в отпуск на две недели. Так странно было увидеть его спустя десять лет, хотя он совершенно не изменился!

Рози: Как чудесно. Передай ему привет, ладно?

Кати: Передам. Он о тебе вспоминал. Вообще-то мы сегодня увидимся, он пригласил меня на ужин.

Рози: Это свидание?

Кати: Ну что ты! Какое с Тоби может быть свидание? Это же Тоби! Просто вспомним былое.

Рози: Ага, понятно.

Кати: Да правда, мама! Я не могу встречаться с Тоби, он же был моим лучшим другом.

Рози: А что плохого в том, чтобы встречаться со своим лучшим другом?

Кати: Представь себе, что ты встречаешься с Алексом!

Рози: А что, запросто.

Кати: Мама!

Рози: Что? Ничего такого. Ты, кстати, с Алексом давно общалась?

Кати: Мы вчера разговаривали. Снова жаловался на Бетани. Она ему все нервы вымотала. Мне кажется, зря они дожидаются, пока Тео уедет в свой художественный колледж, им давно пора разойтись.

Рози: Зря они вообще поженились, раз уж на то пошло. А Тео у них такой чувствительный, ты же знаешь. Если его родители разведутся, он с ума сойдет. А если он будет все это переживать один, в Париже — не понимаю, почему они считают, что там ему будет легче.

Кати: По-моему, чем скорее, тем лучше. У них дома настоящий ад. Джош тоже мечтает, чтоб они скорее развелись. Он ее терпеть не может.

Рози: И все же они продержались намного дольше, чем я ожидала. Передавай Джошу привет.

Кати: Передам. Ладно, пойду расскажу Алексу про Тоби, то-то он удивится! А ты устрой себе сегодня короткий день, у тебя же все-таки день рождения!

***

У Вас входящее сообщение от: КАТИ

Кати: Привет, Алекс.

Алекс: Привет, моя любимая крестница, как у тебя дела и чего ты от меня хочешь?

Кати: У меня все хорошо, и я ничего не хочу!

Алекс: Не может быть. Женщины всегда чего-то хотят.

Кати: Да ну, что за глупости!

Алекс: Как там мой сын? Надеюсь, ему приходится много работать.

Кати: Вроде пока жив.

Алекс: Это хорошо. Передай ему, чтоб звонил почаще. Конечно, мне очень приятно разговаривать с тобой, но я бы предпочел узнавать о его жизни от него самого.

Кати: Передам, конечно. Слушай, я почему тебе пишу — ты ни за что не догадаешься, кого я встретила вчера в клубе!

Алекс: Если я все равно не догадаюсь, то нет смысла и пытаться.

Кати: Надо же, мама сказала то же самое. Представляешь, я встретила Тоби Флинна!!!

Алекс: Он твой бывший парень или какая-то знаменитость? Напомни-ка мне.

Кати: Алекс! У вас с мамой что, склероз начинается? Тоби был моим лучшим другом в школе!

Алекс: Ах, *этот* Тоби! Какая приятная неожиданность, и как он?

Кати: Замечательно. Работает в Дублине зубным врачом и приехал на Ибицу на пару недель в отпуск. Спрашивал о тебе.

Алекс: Как здорово. Если еще увидишь его, передавай привет. Он хороший парень.

Кати: Ага, передам. Мы встречаемся сегодня вечером, ужинаем вместе.

Алекс: Это свидание?

Кати: Что вы с мамой такое говорите? Он же был моим лучшим другом, я не могу с ним встречаться!

Алекс: Не глупи, нет ничего страшного в том, чтобы встречаться со своим лучшим другом.

Кати: Мама тоже так сказала!

Алекс: Правда?

Кати: Ну да. Я ей объяснила, что это то же самое, как если бы она стала встречаться с тобой.

Алекс: И что она тебе ответила?

Кати: Похоже, она не против. Так что имей в виду, Алекс: если тебя выгонят из дома пинком под зад, у тебя будет в запасе как минимум одна женщина, готовая о тебе позаботиться. Ха-ха.

Алекс: Понятно…

Кати: Боже, Алекс, расслабься. Ладно, мне пора, нужно привести себя в порядок перед ужином.

* * *

У Вас входящее сообщение от: РОЗИ

Рози: Здорово, старушка, что делаешь?

Руби: Вяжу носки, покачиваясь в кресле-качалке, а ты что думала? Гэри, Мария и дети только что ушли, и я просто с ног падаю. У меня уже не получается ухаживать за ними как раньше, сил не хватает.

Рози: А ты все еще пытаешься?

Руби: Нет, я даже стала отлынивать от игры в прятки, ссылаясь на свои больные ноги. А ты что делаешь?

Рози: Отдыхаю. Убирала после строителей. Интересно, они слышали о существовании пылесоса?

Руби: А что это? Какое-то изобретение? Ха-ха. Как тебе новое крыло дома, нравится?

Рози: Да, Руби, я так довольна. Теперь хоть будет куда прятаться от гостей. Я буду сидеть на своей стороне дома, а они — на своей. А одну из комнат я обставила в твоем вкусе, будешь в ней жить, когда приедешь. Приезжай уже скорее. Кстати, я сегодня встречаюсь с Шоном.

Руби: Опять? Это становится традицией!

Рози: Мне довольно одиноко, Руби, несмотря на то, что в моем доме постоянно толпятся незнакомые люди. А он очень приятный человек, и мне нравится с ним общаться.

Руби: Да, я тебя понимаю. Он настоящий джентльмен.

Рози: Это правда.

Руби: Я слышала, у Алекса распался брак.

Рози: Лучше сказать, его брак так и не сложился.

Руби: И что ты чувствуешь по этому поводу?

Рози: Мне его жалко. И я рада за него.

Руби: Рози, теперь ты можешь сказать правду. Что ты на самом деле чувствуешь?

* * *

От кого	Кати
Кому	Рози
Тема	Мама, мама

Мама, мама!

Боже, мама.

Случилось нечто... странное.

Мне никогда в жизни не было так...

Прости, что пишу, как пятилетний ребенок, но я именно это и чувствую. Прошла самая странная ночь в моей жизни Мы с Тоби ужинали в ресторане у Поля, в старом городе. Это на вершине холма, и мы очень долго поднимались вверх по старой булыжной мостовой, мимо маленьких деревянных домиков, и перед каждой дверью сидела женщина в деревянном кресле — вся в черном, с головы до ног.

В маленьком ресторанчике, всего на несколько столиков, мы с Тоби оказались единственными туристами среди местных жителей. Сначала мне было неловко, но они вели себя дружелюбно, и очень скоро я почувствовала себя уютно. Жалко, что я редко бываю в этой части острова.

Этот ресторан нам посоветовал менеджер отеля, в котором остановился Тоби. Оттуда весь остров — как на ладони. Было тепло и ясно, на небе горели звезды, а у нас на веранде звучала скрипка. Как в кино, только лучше, потому что все было по-настоящему.

Мы весь вечер болтали без умолку, Тоби смешил меня, и я хохотала до упаду. В два часа ночи ресторан закрылся, и мы пошли к морю, гулять вдоль пляжа. Вспоминали детство, рассказывали друг другу о своей жизни.

Я не знаю, что случилось,— может, вино ударило мне в голову, а может быть, этой ночью в воздухе было что-то особенное, но, когда Тоби коснулся моей руки, я почувствовала, что... *горю* — вся, с ног до головы. Мне тридцать лет, но со мной никогда такого не было. А потом наступила тишина. Такая странная тишина. Мы смотрели друг на друга, словно никогда раньше друг друга не видели. И весь мир вокруг нас замер. Такая странная, волшебная тишина.

А потом он меня поцеловал. Это был лучший поцелуй в моей жизни. Я открыла глаза и увидела, что он хочет что-то сказать. И он произнес то, что мог сказать только Тоби: «Похоже, ты ела на ужин пепперони!»

Какой кошмар!

Я сразу закрыла рот ладонью, вспомнив, как он в детстве дразнил меня из-за скобок. А он засмеялся, взял меня за руки и сказал: «Нет-нет, на этот раз я просто почувствовал вкус».

И тут я поняла, что действительно только что целовалась с Тоби, и это было так странно! А с другой стороны, это было естественно, словно так и должно было быть. Это ощущение и было самым странным, если ты меня понимаешь.

Мы целый день провели вместе, и снова встретимся вечером. Когда я думаю об этом, у меня сердце выпрыгивает из груди. Мои друзья много раз пытались описать мне это чувство, и щас я, кажется, начинаю понимать, что они имели в виду. Мне так хорошо, что я не знаю, какими словами об этом сказать. Я целый день хожу с глупой улыбкой на лице. Папа надо мной смеется.

Тоби предложил мне переехать обратно в Дублин! Не для того, чтобы жить вместе, конечно, но чтобы быть ближе друг к другу. И знаешь что? Я думаю, что перееду.

Черт, почему нет? Как говорится, закрою глаза и брошусь в омут с головой. Потому что, если щас я не поверю этому чувству, кто знает, чем я стану через двадцать лет.

Сумасшедшее письмо, да? Но это была такая ночь...

От кого	Рози
Кому	Кати
Тема	Да!

Это не сумасшествие, Кати! Совсем нет! Наслаждайся этим чувством, моя девочка. Наслаждайся каждой секундой.

От кого	Кати
Кому	Алекс
Тема	Я влюбилась!

Мама была права, Алекс! В лучшего друга действительно можно влюбиться! Я так щаслива! Я уже собрала вещи, я возвращаюсь в Дублин — с мечтами, надеждами и сердцем, полным любви. Мама когда-то давно рассказывала мне про такую тишину. Она говорила, что, если у меня с кем-нибудь будет такая тишина, значит, мы созданы друг для друга. Я думала, что она это выдумала, но нет! Волшебная тишина существует!

***

У Вас входящее сообщение от: АЛЕКС

Алекс: Фил, она тоже чувствовала эту тишину.

Фил: Кто что чувствовал?

Алекс: Рози. Тогда, много лет назад, она тоже ощутила эту тишину.

Фил: А-а, эта проклятая тишина снова нас преследует! Давненько ты о ней не вспоминал.

Алекс: Я знал, что мне не померещилось, Фил!

Фил: Мне-то ты зачем об этом говоришь? Выходи из Интернета, дурак, и хватай телефонную трубку. Или хотя бы ручку.

Связь с АЛЕКС прервана.

Моя дорогая Рози!

Когда-то много лет назад я уже пытался написать тебе. То письмо так и не попало тебе в руки, но теперь я этому рад, потому что с тех пор мои чувства сильно изменились. Они становятся сильнее с каждым прожитым днем.

Я перейду прямо к делу, потому что, если я не скажу сейчас, боюсь, что не скажу уже никогда. А мне очень нужно сказать тебе это.

Я люблю тебя. Сегодня я люблю тебя как никогда, а завтра буду любить еще сильней. Ты нужна мне как никто другой на свете. Мне пятьдесят лет, но рядом с тобой я чувствую себя влюбленным подростком. Я не знаю, сможешь ли ты полюбить меня, но прошу тебя — дай мне шанс.

Рози Дюнн, я люблю тебя всем сердцем, я всегда тебя любил — когда мне было семь лет и я заснул, ожидая Санту, когда мне было десять и я не пригласил тебя на день рождения, когда мне было восемнадцать и я должен был уехать, даже на своей свадьбе, и на твоей свадьбе, и на крестинах, на днях рождения, и даже когда мы ссорились. Я всю жизнь тебя любил. И я буду самым счастливым человеком на свете, если ты согласишься быть со мной.

Пожалуйста, ответь мне.

С любовью,

Алекс

Эпилог

Она в миллионный раз перечитала последнее письмо и спрятала его обратно в конверт. Перед ней на ковре были разбросаны письма, открытки, распечатки электронных писем и разговоров в чате, факсы и маленькие записки на клочках бумаги, оставшиеся со школьных лет. Сотни листов, и на каждом — мгновение ее жизни, мгновение радости или печали.

Она сохранила их все.

Сидя в спальне перед камином, она перечитывала эти длинные вереницы слов — жизнь, от которой остались только буквы на бумаге. Не в силах оторваться, она провела за этим занятием всю ночь, и теперь у нее болела спина, а глаза покраснели от слез.

Она читала письмо за письмом, и люди, которых она любила, воскресали в ее памяти. Приходили и уходили друзья, одноклассники, коллеги, родственники и любимые. За эту ночь перед ее глазами прошла вся жизнь.

Она не заметила, как наступило утро, пасмурное и туманное. Однообразные крики чаек встречали новый день, волны бились о скалы.

В дверь позвонили. Рози взглянула на часы и недовольно вздохнула. Четверть седьмого.

Новый постоялец.

Она поднялась на ноги, сморщившись от боли в спине. Нельзя было столько времени сидеть, согнувшись. Она оперлась о кровать и медленно выпрямила спину. Звонок прозвенел снова.

— Уже иду! — крикнула она, стараясь скрыть раздражение.

Глупо было не спать всю ночь. Сегодня предстоит трудный день — пятеро постояльцев уезжают, и сразу после этого явятся четверо новых. Нужно убрать спальни, сменить и выстирать простыни. А она еще даже не начала готовить завтрак.

Она осторожно обошла разбросанные по ковру письма, стараясь не наступить ни на один листок.

В дверь позвонили еще раз.

Она вполголоса чертыхнулась. Сегодня она была не в том настроении, чтобы ублажать нетерпеливых гостей. Во всяком случае, не раньше, чем ей дадут немного поспать.

— Минуточку! — крикнула она и поспешила вниз по лестнице, но вдруг споткнулась обо что-то твердое и тяжелое. Какой-то умник оставил на лестнице свой чемодан... Она почувствовала, что теряет равновесие и падает, как вдруг чья-то рука подхватила ее под локоть.

— Прости,— произнес мужской голос, и Рози изумленно подняла голову. Перед ней стоял высокий мужчина с седыми висками и морщинами в уголках глаз. Он выглядел уставшим, но так выглядел бы любой, кому пришлось полночи гнать машину из Дублина в Коннемару после пяти часов в самолете. Тем не менее глаза его сияли. Их взгляды встретились, и он сжал ее локоть крепче.

Это был он. Наконец-то он. Мужчина, написавший последнее письмо, приехал к ней за ответом.

Ответ не занял у нее много времени. И тогда тишина снова, спустя тридцать лет, окутала их. Они смотрели друг другу в глаза. И улыбались.

КОНЕЦ

ОГЛАВЛЕНИЕ

ЧАСТЬ 3

ЧАСТЬ 4

ЧАСТЬ 5

Литературно-художественное издание

СЕСИЛИЯ АХЕРН

НЕ ВЕРЮ. НЕ НАДЕЮСЬ. ЛЮБЛЮ

Перевод *В. И. Лавроненко*
Ответственный редактор *Е. А. Суринова*
Художественный редактор *О. М. Бегак*
Технический редактор *В. В. Беляева*
Верстка *О. К. Савельевой, Т. Ю. Алиевой*
Корректор *В. Н. Леснова*

ООО «Издательство Астрель»
129085, г. Москва, проезд Ольминского, д. 3а

ООО «Астрель-СПб»
197373, Санкт-Петербург, Комендантский пр., 34,
корп. 1, ЛИТЕР А
E-mail: mail@astrel.spb.ru

Издание осуществлено при техническом содействии
ООО «Издательство АСТ»

ОАО «Владимирская книжная типография»
600000, г. Владимир, Октябрьский проспект, д. 7
Качество печати соответствует качеству
предоставленных диапозитивов